TRAN-NHUT

Le Temple de la Grue Ecarlate

Une enquête du mandarin Tân

Éditions
Philippe Picquier

DU MÊME AUTEUR
AUX ÉDITIONS PHILIPPE PICQUIER

L'Ombre du prince

© 1999, Editions Philippe Picquier
© 2001, Editions Philippe Picquier
  pour l'édition de poche
  Mas de Vert
  B.P. 150
  13631 Arles cedex

En couverture : Empereur Huizong, *Grues de bon augure*,
  musée provincial du Liaoning, Shenyang,
  in « Trois mille ans de peinture chinoise »,
  Editions Philippe Picquier.

Conception graphique : Picquier & Protière

ISBN : 2-87730-558-9
ISSN : 1272-6007

A Jo, Kris et aux Goules

I

— Par les démons accroupis là-bas sur les montagnes, je jurerais avoir avalé des couleuvres qui font des nœuds dans mon ventre ! s'écria le mandarin Tân en desserrant la ceinture de sa robe.

Il se pencha vivement par-dessus le petit bateau en prévision d'une remontée inopinée du récent festin.

Les oiseaux du paradis farcis de la vieille Madame Liu devaient voler autant qu'un taureau obèse, se dit Minh le porteur de palanquin, alors qu'il essayait par de petits sauts agiles de compenser le poids du mandarin. La frêle barque tangua, mais ne coula pas. Encore une bouchée de crabe parfumé pour le Maître gourmand, et c'étaient les poissons mangeurs d'homme qui se mettaient à table ce soir ! Pourvu qu'il ne casse pas le fond de cette pauvre embarcation avant qu'on n'arrive sur l'autre berge du lac...

Minh s'essuya le front d'un revers de main, et cracha dans l'eau.

Transporter ce géant en palanquin est une partie de plaisir comparé à ce supplice, pensa-t-il. Les marins pêchant la baleine ont la vie plus belle que nous : au moins leur cargaison ne gigote pas comme le Maître.

Tout haut il répondit :

— En tout cas, sur le moment vous aviez l'air de les apprécier, ces oiseaux, Maître. Madame Liu sait recevoir. Même aux cuisines, on nous a servi les champignons d'automne avec le reste des araignées de mer.

Le mandarin se retourna, l'œil brillant :

— Dis-moi, Minh, t'aurait-elle présenté quelque accorte servante en prime ?

Comme celui-ci faisait mine de fixer la ligne sombre de l'eau, il poursuivit :

— Cela ne fait jamais que le quatrième banquet auquel j'ai été invité depuis mon arrivée à Quang Long. On dirait que tout le monde ici a une fille à marier, une cousine à présenter. Eh, je ne peux pas tous les satisfaire, moi !

Le mandarin Tân s'adossa sur les coussins en soie. A la lumière de la lune, les dragons filigranés de sa tunique exécutaient une danse argentée le long de son torse musclé. Des ombres venaient sculpter le dessin volontaire de sa mâchoire. La nuit de festivités avait tempéré son regard aigu, et il commençait à apprécier cette traversée nocturne.

— La soirée est fort belle, ma parole. Traverser un lac de nuit, sous un ciel piqueté d'étoiles, sur une petite jonque qui glisse sans effort, comme poussée par le souffle des montagnes, voilà un moment à immortaliser par un poème.

Il allongea ses jambes et laissa traîner un doigt dans l'eau, engendrant des vaguelettes brillantes qui prolongeaient la coque. Le regard errant sur la ligne lointaine des monts déchiquetés, il sentit une douce torpeur l'envahir.

Les génies de la Lune
Laissent des pas de phosphore
Quand ils courent sur l'onde.

Minh vit le mandarin dodeliner de la tête et sut que son travail serait moins rude. Il cessa ses sautillements à l'arrière de la jonque, regarda son comparse Xuân d'un air entendu. Celui-ci soupira de façon audible et montra ses genoux pointus qui commençaient à trembler.

— Je sais, frère, un peu plus de ce régime de danseur exotique, et c'était la mort assurée des jarrets, fit Minh tout bas. Dire qu'il faudra manier du palanquin après cette abominable traversée pour que le Maître retrouve sa couche avant le chant du coq. Ces sorties mondaines sont des cadeaux perfides. Mon dos crie au meurtre, et mes pieds demandent grâce.

Xuân lui coula un regard railleur.

— Tiens, tu tenais un autre langage, tout à l'heure, à la petite servante de Madame Liu. Qu'est-ce que tu disais déjà ? Voyons… Ah oui : « Nous sommes au service du mandarin impérial, et nos missions sont des plus passionnantes. Levés à l'aurore, nous sommes entraînés à couvrir des lieues au pas de course. Le palanquin est aussi léger qu'une plume de paon sur nos épaules, car nous nous formons avec les meilleurs lutteurs de Mandchourie. Les places aux côtés du Maître sont chères et seuls les étalons musclés et bien pourvus… »

Minh l'interrompit d'un geste impatient.

— Allez, ça suffit, vieux radoteur, tout le monde sait que tu n'avais d'yeux que pour la grosse cuisinière qui avait l'air d'apprécier les petits hommes en forme de crevette. On aurait dit un gamin retors amoureux de sa nourrice.

— Eh, moi au moins, j'avais une nourrice. Aucune femme sensée ne devait vouloir à son sein d'un lardon aussi vicieux que toi.

Minh leva un poing vengeur, et se renfrogna.

Quelle plaie, ce Xuân ! pensa-t-il. J'aurais pu hériter d'un autre coéquipier moins rabat-joie que lui. Mais, bon, c'est vrai qu'il ne me fait pas concurrence quand on se retrouve aux cuisines avec les petites servantes. La jeune Rose d'Hiver n'a pas hésité une seconde. Quel beau brin de fille, tout de même, avec ses cheveux couleur ailes de papillon et ses yeux pleins d'audace ! Elle m'a frôlé la main en me tendant un verre d'alcool, et je jurerais que ce n'était pas par hasard. D'un autre côté, Lys Sauvage n'était pas si repoussante non plus. Elle a des formes pour elle, et c'est une chose assez rare chez les femmes d'ici. Bien développée, je dirais. Epanouie, même. Quant à la Mère Hortensia, je la laisse volontiers à ce sac d'os de Xuân. Ne laissons pas les femmes sur le retour nuire à notre belle amitié virile.

> *Les montagnes rêvent tout haut*
> *Et me racontent des histoires*
> *Pleines d'ombre.*

Le mandarin remua doucement, les yeux à demi ouverts sur l'obscurité. Quel voyage léthargique, qui n'en finissait pas ! Les étoiles avaient bougé dans le firmament, et pourtant le rivage était encore loin. Ce silence après le brouhaha et les airs de luth de la réception devenait irréel. Madame Liu, sa fille et les autres convives dans des couleurs chatoyantes éclairées par des lanternes huilées, le bruissement incessant des étoffes quand les danseuses se déplaçaient sur la scène illuminée, tout cela lui paraissait si éloigné, un songe fantastique et désincarné, alors qu'il était là à flotter sur une jonque avec deux porteurs. Il avait la vague impression que le vent s'était levé, et le rythme de la traversée était devenu plus haché.

Mais le mandarin fut soudain tiré de ses rêveries par un juron de Minh.

— Que les démons arrachent les boyaux du brigand qui nous a loué cette barque ! Elle est indigne de transporter un mandarin impérial et son équipage ! Une légère surcharge, et nous voilà à la limite de la noyade. Surtout que le vent commence à souffler comme un soûlard qui ronfle...

Il jeta un œil exaspéré à son compagnon Xuân qui s'efforçait de maîtriser la voile élimée de la petite jonque. Elle claquait au vent telle une harde de mendiante et menaçait de se déchirer par le milieu à chaque rafale.

— Dis donc Xuân, tu peux faire mieux que ça ! Je t'ai déjà vu manier plus adroitement les robes de ta belle. Elles ne finissaient pas en lambeaux quand tu avais terminé ton œuvre !

Minh remarqua avec inquiétude que les lumières de la demeure de Madame Liu étaient à présent invisibles, happées par l'obscurité des collines. Les pics lointains de la montagne se dressaient au-dessus d'une nappe de nuages qui déferlaient sur le lac. L'eau lui paraissait soudaine plus noire et plus froide, et il se sentit très seul au milieu de l'étendue liquide avec ce mandarin remuant et son comparse maladroit.

— Alors, Minh, on dirait que tu t'essouffles, fit le mandarin Tân, pivotant sur son siège d'un mouvement brusque qui faillit renverser le porteur Xuân. Faut-il toujours te répéter qu'il est mauvais de laisser libre cours à son appétit pendant ces festins exagérément luxueux ? A force de se laisser tenter par les douceurs, on finit par faire du gras. Les muscles en pâtissent, et on devient incapable de manier une misérable barque quasiment vide.

Un coup de vent violent défit le chignon du mandarin, et les cheveux de jais fouettèrent les épaules carrées. Ramenant à lui les pans de sa tunique, le magistrat s'étonna :

— Cela fait longtemps que nous avons laissé Madame Liu et sa fille nubile, et nous sommes encore en train de voguer sur ce lac, comme des grenouilles perdues sur une mer de nénuphars. J'espère que vous savez dans quelle direction nous devons nous diriger, porteurs impériaux.

Les éclairs commençaient à illuminer le sommet des montagnes, et la roche décharnée et violette semblait plus menaçante que jamais. La surface de l'eau se couvrait d'écailles liquides qui ondulaient sous le vent.

Soudain, Xuân se redressa et pointa un doigt excité vers le nord.

— Maître, voilà des lumières ! Sans doute des habitations ou d'autres bateaux qui pourraient nous guider vers la terre ferme.

D'un même mouvement, le mandarin et Minh se retournèrent. Au loin, de petits points lumineux se mouvaient telle une nuée de lucioles des marais. Se dispersant, puis se regroupant au-dessus de l'eau, ils paraissaient ballottés par les rafales. Des rires d'enfants, résonnant étrangement dans la tempête, parvinrent à leurs oreilles.

— On dirait des gamins aussi perdus que nous, Maître. Ils seront sortis sur le lac avec leurs lanternes, et maintenant ils cherchent la rive. Avec un peu de chance, ils ont emmené avec eux quelque adulte responsable au pied marin.

Minh mit cap sur les lumignons dansants. Les petites flammes clignotaient, puis s'éloignaient, pour finalement revenir vers eux.

— Il y a au moins une dizaine de barques, fit le mandarin Tân en plissant les yeux. Ils ont l'air de s'amuser en ce moment, mais je ne donne pas cher de leur petit derrière quand leurs parents apprendront où ils se sont aventurés une nuit de tempête. Approche-toi, Minh, que je les voie mieux.

Le mandarin se campa sur l'avant du bateau et scruta la nuit. En fait, il y avait des barques, mais aussi des planches en bois, sur lesquelles il distinguait une silhouette qui se servait de ses bras comme rames.

— Ce sont sans doute des enfants allant à la pêche aux crabes, fit Xuân. Je connais cette pratique, assez efficace, par ailleurs.

Les rires s'étaient faits plus timides, et quand ils arrivèrent à la première embarcation, ils ne virent que des petites ombres immobiles qui leur tournaient le dos. Chaque forme tenait une bougie écarlate dont Xuân avait vu la flamme de loin. A la lumière rougeoyante, le mandarin pouvait distinguer des nattes d'enfants et des vestes d'écoliers.

Se redressant de toute sa taille de géant, le mandarin tonitrua :

— Est-ce une heure pour s'amuser sur le lac ? Vous ne voyez pas que l'orage approche et que la terre est loin ? Comment se fait-il que vous soyez à ce point imprévoyants ? Si vous vous noyez à cause de votre bêtise, pensez à l'humiliation de vos parents d'avoir élevé des enfants aussi peu réfléchis.

Comme rien ne bougea dans les barques, Minh s'impatienta :

— Sachez que devant un adulte on croise ses bras et on s'incline, bande de bons à rien !

Lentement une forme se retourna, et la lueur couleur de sang de sa bougie éclaira ses traits d'en

13

dessous. Le menton grotesquement aigu prolongeait une bouche qui se tordait en un sourire sans dents. La gencive humide brillait, glabre et translucide. Une langue enflée s'agitait avec des bruits de rire qu'on étouffe.

Une autre forme pivota lentement, exhibant un front monstrueusement déformé, telle une calebasse mangée de vers. Elle regarda les hommes d'un œil opaque et d'un autre œil qui semblait cousu, et éclata de rire. D'un commun accord, toutes les ombres firent face, et montrèrent des visages de cauchemar, où se mêlaient des nez excentrés, des narines velues comme des araignées, des pommettes remontées jusqu'aux tempes. C'étaient des figures de cire à moitié fondues, des peaux tirées comme une vessie de porc, des doigts soudés et sans ongles. La lumière dévoilait des corps auxquels il manquait un bras ou une jambe, des troncs où fleurissaient, telles des branches maladives, des moignons à moitié formés. Les petites ombres flottant sur les planches tournèrent vers le mandarin des visages envahis de taches de vin qui leur faisaient des masques pourpres en étoile.

Les yeux écarquillés d'horreur, Minh se rejeta en arrière. Il heurta de plein fouet son comparse Xuân qui dansa sur un pied, déséquilibré. Celui-ci s'accrocha de justesse à la voile qui lui resta entre les mains. Le mandarin Tân sentit soudain son festin nocturne resurgir de façon impérieuse, et se précipita vers le flanc gauche de l'embarcation. Se penchant vivement, il n'eut que le temps de voir Xuân tomber dans le lac avec un grand cri. Il s'enfonça un instant sous la surface, mais reparut en recrachant l'eau par la bouche et les narines. Avec la force du désespoir, il parvint à s'accrocher à la coque et à se hisser sur le bateau.

14

Mais la vague qui surgit avait renversé une planche sur laquelle était accroupi l'un des enfants, et sans un bruit, celui-ci coula à pic. Le mandarin Tân tendit vainement une main, trouva un instant des doigts visqueux qui lui échappèrent, et s'apprêtait à plonger quand tous les lumignons s'éteignirent, soufflés par le vent qui faisait rage.

Dans l'obscurité la plus totale, il s'entendit hurler :

— Minh, Xuân, allumez les lanternes !

Mais poussée par la bourrasque, la jonque fila sur l'eau noire et glaciale.

II

— Que le Maître veuille bien se retenir de bouger pendant que je lui peigne les cheveux, supplia la servante Carmin. Elle se baissa pour ramasser le peigne en écaille de tortue tout en retenant d'une main la chevelure lourde et indisciplinée du magistrat.

Le mandarin Tân tourna brusquement la tête et dit :

— Mais certainement.

S'adressant à l'homme qui se tenait devant la fenêtre ouverte sur le jardin, il continua :

— Tu te rends compte de tout ce temps perdu à se préparer pour les banquets et autres cérémonies officielles ? Depuis que je suis arrivé ici, je suis la proie de tous les coiffeurs, auricures et tailleurs de cette ville. La vie d'un mandarin en poste s'accompagne de plus d'obligations que je ne l'avais prévu, Dinh.

Dinh regarda d'un air ironique son ami à qui Carmin essayait de faire un chignon décent. La coiffe officielle, ailes noires déployées comme un aigle d'ébène, attendait sur la table en bois de rose depuis le matin, mais le magistrat remuant ne facilitait pas la tâche de la servante. Dinh s'accouda à la fenêtre et huma l'air lavé par l'orage nocturne. La pluie avait avivé les odeurs des plantes du jardin, et il sentit la fraîcheur du jasmin mêlée au parfum d'orangers. Son regard se posa, apaisé, sur les cours où s'alignaient d'énormes pots de terre plantés d'arbres aux branches torturées. Il admira un instant les toits en tuiles rouges des bâtiments du palais, dont les arêtes faîtières étaient toutes sculptées de dragons aux naseaux relevés. Par-delà l'enceinte de la demeure, s'élevaient les bruits familiers de la vie de la petite ville : le brouhaha confus du marché, les grincements de charrettes qui passaient sur la route poussiéreuse. Dinh se pencha. Le soleil déjà haut creusait l'ombre de ses pommettes saillantes d'homme du Nord. Plus mince et presque aussi grand que le mandarin, il possédait des traits acérés qu'un regard perçant refusait d'atténuer.

En réponse aux lamentations du mandarin, il dit enfin :

— Alors, il ne fallait pas réussir de manière si brillante ses examens de mandarinat ; n'importe quel idiot aurait pu te le dire, Mandarin Tân. Te voilà au début de ton ascension dans le monde, et ce n'est pas le moment de faire la fine bouche.

Les deux amis s'étaient rencontrés aux concours triennaux par lesquels l'Empereur choisissait les administrateurs du royaume. De cette suite d'épreuves littéraires réputées très ardues, le jeune étudiant Tân, fils de paysan, était sorti avec un rang des plus honorables. Sa première affectation, dans une ville que d'autres auraient jugée provinciale, comblait pourtant le jeune homme devenu mandarin Tân. Certes, la Province de Haute Lumière était parmi les plus modestes, située aux confins du royaume. Faute de moyens, le jeune fonctionnaire cumulait donc les charges de gouverneur, de chef de service administratif, et de chef de

17

service judiciaire. On avait mis à sa disposition ce palais, où les cours claires succédaient aux salles spacieuses. Cet enfant des campagnes était habitué à une vie rude et simple ; il se trouva brusquement à la tête d'une maisonnée où on comptait un domestique pour chaque tâche.

Dinh, son aîné de quelques années, avait eu moins de chance : il s'était vu proposer un poste subalterne dans les Archives royales. Mais le jeune mandarin avait besoin d'un inspecteur de l'enseignement, et Dinh avait aussitôt postulé afin de suivre son ami.

Comme Carmin était sortie à la recherche d'onguents et d'huile parfumée, Dinh poursuivit, moqueur :

— Et depuis quand te plains-tu quand une femme tient tes noirs cheveux entre ses doigts experts ?

— Cette remarque est indigne, même venant d'un être aux goûts aussi discutables que toi, et par pure bonté, je ne la relèverai pas. Il n'empêche que ces soirées s'enchaînent comme des perles sur un collier de bonze. Avant-hier, Monsieur Rieu, le marchand d'alcool, a essayé de savoir, moyennant un banquet richissime, si les mesures fiscales pouvaient être allégées cette année. Hier, c'était Madame Liu qui, sous prétexte d'un dîner de bienvenue, tentait de me vanter les mérites de sa fille, qui n'avait que quinze ans.

— Et le cœur mandarinal a-t-il été captivé par la beauté de la jeune fille ?

Le magistrat haussa les épaules.

— Il faut plus qu'un canard laqué pour prendre au piège un mandarin novice. Et d'ailleurs, je ne suis pas venu ici pour choisir femme, mais pour représenter notre Empereur, qu'on ne l'oublie pas. Ce que tous ces braves gens ignorent, c'est qu'il m'est interdit de me marier dans ma juridiction.

— En effet, Mandarin Tân, répliqua Dinh, l'Empereur craint les alliances personnelles entre ses émissaires et leurs administrés. Comment résister à une belle-famille qui quémande des faveurs ? L'impartialité des hauts fonctionnaires ne vaut pas cher sur la couche nuptiale. En revanche, quand on t'affectera dans une nouvelle province, les demoiselles d'ici feront pour toi des épouses de choix. Ceci explique les attentions que leurs parents déploient pour te les présenter.

— Par mon père ! jura le mandarin Tân. C'est un calcul abominable !

Il voulut se lever, mais la chambre soudain se mit à tanguer. Les alcools de la veille ne s'étaient pas encore dissipés, et il se rassit péniblement sur le canapé peint de dragons d'or. Pour retrouver son équilibre, il fixa le paravent sculpté de nuages et de montagnes. Un instant, les nuages donnèrent l'impression de s'enrouler autour des pics comme des volutes de brume.

— En tout cas, le représentant impérial ne se refuse pas les douceurs alcoolisées pendant les banquets auxquels on le traîne, force est de le constater, fit Dinh sans pitié. La ville n'avait pas de mandarin en état de fonctionner avant que le soleil n'atteigne le zénith aujourd'hui, et encore est-il toujours échevelé et faible sur les jambes. Par ailleurs, tes porteurs ont également l'air de morts-vivants, car j'ai aperçu Minh qui errait ce matin avec une mine terreuse, comme s'il avait passé une nuit effroyable dans les bras de succubes sans tête. Aurait-il, lui aussi, profité du festin de Madame Liu d'une manière déraisonnable ?

Le mandarin Tân se renversa dans son fauteuil et fit semblant de se reposer, les yeux fermés. La soirée précédente lui semblait si éloignée, alors qu'il était assis là, avec un mal de crâne, en attendant qu'on le coiffe pour son premier conseil communal le soir même.

Chez Madame Liu, on avait allumé les petites lanternes qui couraient sur le tamarinier central. Elles égayeraient la cour de leurs feux multicolores pendant toute la durée du festin.

— Des flammes jaillissantes et toujours renouvelées pour une jeunesse qui s'éveille, avait dit la vieille Madame Liu, en regardant un instant sa fille, qui baissa les yeux qu'elle avait un peu trop rapprochés. Mon Maître a sans doute remarqué comment le grand arbre plein de sève est agréablement mis en valeur par des guirlandes de lumière qui l'enlacent et l'étreignent. Elles attirent le regard sur lui et font jaillir des ombres immenses qui l'agrandissent de façon flatteuse.

Elle avait appuyé son discours d'un sourire, dévoilant ses dents noires et laquées de dame du monde. Le mandarin avait feint de s'intéresser à la soupe aux perles qui arrivait sur un plateau nacré.

La vieille dame ne s'était pas laissé démonter. Secouant les bracelets de jade pâle qui ceignaient ses poignets transparents comme du papier de riz, elle avait poursuivi :

— Vous n'êtes pas sans savoir, Maître, que ma fille Lumière d'Automne vient de fêter ses quinze ans, et que les notables se battent tels des chiffonniers dans l'espoir de lui présenter leur fils. Monsieur Hoa, l'orfèvre, affiche des prétentions immodérées pour son rejeton, mais, enfin, que sont les fils de négociants comparés à un mandarin impérial, je vous le demande ? Ces gens-là n'ont pas de souche, vous le savez bien : on aurait du mal à remonter plus de deux générations, et encore vaut-il mieux ignorer leurs racines quand on les trouve. Vous, en revanche, vous êtes mandarin de la Cité Impériale, et votre valeur est indiscutable. Mon général de mari aurait été fier d'une alliance de si haute volée, soyez-en certain.

Le mandarin valeureux avait souri en tendant le bras vers une carpe rouge et or qui baignait dans une soupe d'algues. La veuve n'avait pas lâché prise pour autant.

— Vous avez déjà eu l'occasion de rencontrer la petite Feuille Blanche, la fille de Madame Phan, et sans doute vous l'a-t-elle présentée comme une merveille, Maître. Mais ne vous y trompez pas : il se susurre dans les milieux informés qu'elle serait peut-être incapable de porter des enfants, à cause d'une tante qui s'était révélée stérile, et ce malgré des essais poussés et héroïques de son pauvre mari. Et une femme qui ne peut assurer la descendance de son époux provient décidément d'une mauvaise souche.

Tapotant la main dodue de Lumière d'Automne, elle s'était rengorgée :

— Voilà une jeune fille féconde, sans le moindre doute. Notre lignée a toujours été perpétuée sans exception et sans défaut, je peux vous l'assurer. Une vieille femme comme moi peut imaginer que votre virilité se traduira inévitablement en une descendance masculine de la plus belle trempe.

Le mandarin Tân ne se souvenait plus comment il avait réussi à ne pas demander la jeune fille en mariage sur place et sans délai, mais cela devait être au prix de quelques exactions alimentaires qu'il était en train de payer ce matin.

Le retour, il s'en souvenait vaguement comme d'un cauchemar. Une tempête et des lumières rouges sur une eau démontée. Et aussi des figures d'enfants…

— Mais tu n'as pas fini de coiffer notre Maître à l'heure qu'il est ? Tu mets trois fois moins de temps pour étaler à la truelle tes fards et onguents sur ton visage le matin !

L'intendant Hoang venait de faire irruption dans la pièce où Carmin, munie d'un pot de crème, se battait avec les cheveux mandarinaux. Les poings sur les hanches, il regardait sa femme, manifestement indigné. Celle-ci lui retourna une moue courroucée.

— Que le Maître veuille bien pardonner l'inefficacité de sa pauvre servante ! Elle n'a pas souvent l'occasion de coiffer un magistrat, et je pense que ses mains en tremblent, fit-il en s'inclinant exagérément.

Le mandarin Tân se redressa et fit un geste bénin de la main.

— C'est sans importance, j'ai mon temps. Le conseil communal n'aura lieu que ce soir, et d'ailleurs, j'attends toujours le tailleur dont vous m'avez vanté les mérites l'autre jour.

L'intendant caressa son bouc d'un air ennuyé, et les plis se creusèrent dans son visage fripé d'homme mûr.

— Hum, c'est que Monsieur Tau a pris un peu de retard, car il souhaitait parfaire toutes ses finitions pour un personnage aussi auguste que vous. Ce n'est pas tous les jours qu'il habille un magistrat de la cour, et il s'applique assurément plus qu'à l'ordinaire.

Carmin secoua la tête, faisant voler ses boucles, et rétorqua :

— Tu veux dire qu'il est en retard parce qu'il a passé la soirée en ta compagnie, à boire du vin mandchou jusqu'aux aurores, et qu'il n'arrivait plus à enfiler le fil dans le chas de l'aiguille ce matin. Ou peut-être a-t-il coupé les manches trop court dans un moment d'ivresse, et est-il obligé de racheter de la soie en catastrophe.

— Va vite chercher du thé blanc pour notre Maître, dit l'intendant Hoang en poussant sa femme précipitamment vers la porte. Il doit avoir la tête qui lui fait mal, depuis que tu t'acharnes sur ses cheveux.

D'une démarche ondulante, Carmin sortit après avoir lancé un regard triomphant vers son mari.

— Votre femme a la langue véloce, fit Dinh avec un sourire. Rapportez-nous du gingembre confit pour accompagner le thé du mandarin, car comme dit Confucius, le gingembre dissipe les impuretés et lave l'esprit.

— Et des beignets de fleurs de magnolia, pendant que vous y êtes, ajouta le mandarin Tân qui commençait à émerger de son mal de crâne.

III

— Maître, en tombant, le démon rouge a failli fracasser la tête de l'insignifiant mollusque que je suis, et les griffes crochues du dragon qui monte la garde auraient bien pu m'ôter la vue, fit le maître d'école Ba. Il inclina le buste par respect devant le mandarin Tân. Derrière la salle de prières, j'ai évité de justesse les serpents de pierre qui ont dévalé le toit. On aurait juré une horde d'esprits malfaisants décidés à réduire en pulpe mon corps, déjà vil et répugnant.

Le citoyen qui présentait cette requête devant le conseil communal paraissait encore tout transi. Maître Ba hocha sa tête qui commençait à se dégarnir, et produisit un claquement de langue sonore pour ponctuer son propos.

Le mandarin Tân présidait ce soir son premier conseil communal ; son siège en bois lourdement ouvragé avait été installé sur une estrade, d'où il dominait ses administrés. Les torches des veilleurs postés aux coins de la pièce flattaient les moirures de la robe verte mandarinale. Ses épaules larges très droites, ses pieds immenses écartés avec assurance, il semblait une divinité un peu sévère prête à rendre justice. Un courant d'air traversa la vaste salle, s'enroula

24

autour des colonnes massives et fit frémir les flammes. Le visage du mandarin disparut dans l'ombre, alors que le maître d'école Ba reprenait, insistant :

— Hier, je suis arrivé à temps pour sauver un misérable paysan qui s'était fait happer par les marches vermoulues, comme si des génies néfastes l'avaient tiré par les chevilles.

Le mandarin Tân plissa les yeux, méfiant. Malheureux inconscient, ce maître d'école, pour mêler démons et goules aux affaires publiques des humains ! Fils des campagnes, le mandarin vénérait les âmes des morts comme les esprits de la nature, les génies des villes comme les dieux du foyer. Le nombre de ses protecteurs célestes s'augmentait aussi de divinités de son cru : déesses de la Réussite, de la Fortune ou de la Poésie. En les invoquant, collectivement pour n'en point oublier, il avait pu jusqu'alors conjurer la malchance. Mais il évitait de parler de ses rites personnels, car il ne s'avouait pas superstitieux.

Impassible, il soupesa du regard le plaignant assis à sa gauche qui affichait une mine humble. Ses épaules affaissées indiquaient une déférence obséquieuse, mais le mandarin Tân vit briller dans ses prunelles un éclair perfide. Par les sorcières en haillons qui hantent le banian de la cour ! pensa le mandarin. L'impudent ! Il invoque les esprits malins pour couvrir une ruse !

Le magistrat dit sèchement :

— Nous ne sommes pas ici pour parler de fantômes, mais pour décider si le Temple de la Grue Ecarlate doit rester ouvert. Et ce, en nous appuyant sur des faits réels.

Cependant, le maître d'école, venu plaider en faveur de la fermeture du Temple de la Grue Ecarlate, s'était trouvé un allié de poids en la personne du commandant Quôc. En tant que mandarin militaire, celui-ci occupait le deuxième poste de pouvoir de la province, et n'avait comme supérieur hiérarchique que le mandarin civil Tân lui-même. C'était par ailleurs un bel homme à la bouche un peu veule, qui n'avait cessé d'approuver le discours de son ami par de graves grognements. Lui se plaça sur un terrain plus concret :

— Je soutiens Monsieur Ba, car il n'est pas prudent de laisser ouvert le Temple de la Grue Ecarlate, Maître Tân. Le fidèle risque de passer de vie à trépas sous le poids d'une statue qui se détache de son socle, tellement les lieux sont délabrés.

— On reconnaît là votre esprit formé à la guerre, Commandant Quôc. Toujours pressé de brûler et d'abattre ce qui vous résiste.

L'entrepreneur Ngô, assis seul à droite du mandarin Tân, s'était contenté d'écouter les débats d'un air impénétrable, mais à présent il souriait, goguenard, au commandant. En effet, les mandarins militaires ne jouissaient pas du respect qui était dû aux mandarins civils, car ils ne devaient leur rang qu'à leur force physique. Et Monsieur Ngô, négociant influent, n'était point intimidé par le pouvoir brutal du commandant Quôc. Sous l'affront, celui-ci se leva d'un air menaçant.

Le mandarin Tân agita la main en signe d'apaisement.

— Y a-t-il eu d'autres plaintes officielles, Maire Lê ?

Le maire, homme maigre et voûté, fit mine de classer les rouleaux étalés devant lui et répondit d'un air vague :

— A ma connaissance, personne n'en est mort, Maître. Mais sans doute les dernières pluies ont-elles rendu les bâtiments plus fragiles.

— En tout cas, les malheureux qui seraient tombés dans quelque trou puant du temple ne seraient pas venus vous faire part de leurs mésaventures, Maire Lê, fit le maître d'école Ba.

L'entrepreneur Ngô caressa doucement sa barbe épaisse et soyeuse. D'un noir lustré, elle était à peine striée de quelques traits argentés, et était taillée assez court, à la mode des Indes. Avec ses sourcils tourbillonnant vers les tempes et son nez large, Monsieur Ngô faisait penser à un tigre mécontent. Le bruit courait que, ennemi des tergiversations, il jouait sur son apparence impressionnante pour imposer ses idées : sous le discours courtois perçait un esprit intransigeant qui avait fait de l'homme un entrepreneur fortuné et respecté. A présent, il embrassait du même regard froid ses deux adversaires, mais dit d'une voix aimable :

— Il suffit de le remettre en état, vous verrez. Moi, je vois que quelques réparations du toit et du grand vestibule permettront de lui redonner un air sérieux. De plus, on pourrait en profiter pour aménager les jardins dont raffolent les dames en visite.

Maître Ba railla :

— On voit bien un entrepreneur à l'œuvre, ma parole. Vous parlez bien, Monsieur Ngô, et vous avez des idées en abondance. Et je suppose que vous proposerez vos services pour la rénovation du temple ?

Monsieur Ngô rougit violemment. Il pencha le buste en avant, accentuant sa ressemblance avec un fauve aux épaules rondes et au torse épanoui.

— Je suis entrepreneur, certes, et c'est pour cela que j'ai des idées novatrices. On ne m'appellera pas pour démolir ce qui existe, mais pour le transformer en quelque chose de meilleur, de plus esthétique…

— En somme, vous transformez de vieilles pierres en de brillantes ligatures de sapèques, interrompit le commandant Quôc.

— Il suffit ! s'exclama le mandarin Tân. J'ai mieux à faire que d'écouter vos querelles intestines. La question est de savoir si ce temple représente un danger pour la population.

Aurais-je le temps d'aller voir par moi-même ? se demanda le mandarin Tân. Mon prédécesseur, surpris par la mort pratiquement le pinceau en l'air, a laissé ouverts quelques dossiers qui traînent encore sur la table de travail, et dont le classement devient urgent. C'est déplorable.

— Connaissez-vous un employé de la ville assez fiable pour faire un rapport sur l'état du temple ? demanda-t-il au maire Lê.

Celui-ci lui chuchota à l'oreille :

— Il y a bien ici Monsieur Sam, qui était employé aux Archives de la ville. Cependant, il exerce à présent la fonction de secrétaire pour l'entrepreneur Ngô, ce qui risquerait d'entacher son impartialité.

— Son travail vous donnait-il satisfaction alors ?

— Oh oui, Maître, je ne saurais trop vous vanter sa compétence et son intuition.

Le mandarin jaugea du regard le secrétaire de Monsieur Ngô, qui prenait consciencieusement des notes depuis le début du conseil. Il lui trouva le visage clair et intelligent. Prenant le risque, il lui dit :

— Monsieur Sam, j'aimerais que vous fassiez l'inventaire de tout ce qui peut menacer de près ou de loin la santé ou la vie d'un visiteur du temple. Bien sûr, je compte sur votre impartialité : ce travail vous est demandé en votre qualité d'ancien employé des Archives. Suite à ce rapport, je ferai appel à ce comité pour décider de la démarche à prendre. Quelques faux pas de visiteurs maladroits ne suffiront pas à condamner tout un temple.

Le jeune homme s'inclina respectueusement, et sa longue tresse lui frôla la joue.

— Oui, Maître, je commencerai mes investigations dès demain.

Mais le commandant Quôc n'avait pas dit son dernier mot. Se faisant encore plus grand sur sa chaise, il lança :

— Alors sachez, Maître Tân, que les moines sont réputés pour être violents envers la population, et qu'ils effraient les visiteurs non avertis.

— Quoi ? Que dites-vous ? demanda le mandarin, surpris.

Il se pencha vers le militaire et le regarda de ses yeux aigus.

— Il est arrivé que des moines prennent à partie quelque mendiant et le délogent à coups de bâton sous prétexte qu'il donne une mauvaise impression de leur temple, fit l'officier d'un ton péremptoire. Que se passerait-il si ces bonzes décidaient de venir en ville et de faire usage de leur force ? On ne peut laisser ces gens frapper impunément le peuple, ou alors que faisons-nous de nos propres lois ?

Maître Ba prit le ton d'un conteur qui a une histoire savoureuse à narrer.

— Je vous rapporte la mésaventure qui est arrivée à l'orfèvre Hoa. Un soir, il était passé au temple pour brûler quelques bâtons d'encens pour renouer avec la fortune. Mais il pria avec tant de ferveur, qu'à son départ il faisait déjà nuit. Il eut du mal à retrouver son chemin, et erra quelque temps entre les énormes statues de lions de la cour. Tout à coup, une ombre se dresse devant lui, et en clignant des paupières, il distingue un homme en robe de bonze. Mon ami demande le chemin pour sortir, mais l'autre ne dit rien. Il le fixe avec un regard de braise, et Monsieur Hoa voit les reflets de ses colliers dans les yeux sombres du moine. Il a une respiration saccadée et il fait un pas vers l'orfèvre. Ses prunelles sont presque dorées, tant il regarde ses bijoux.

Le maître d'école Ba fit une pause stratégique, se délectant de l'effroi de l'assemblée.

— Alors là, l'orfèvre Hoa n'en peut plus : il ôte sa plus grosse bague, et il la jette dans un brasero pour distraire le bonze. Pendant que l'autre suit l'objet des yeux, il en profite pour s'enfuir dans la nuit. Mais, il m'a assuré que sans sa vivacité d'esprit, il aurait été proprement détroussé par ce moine sur place et sans attendre.

— Ah, voilà qui est curieux, dit le mandarin Tân, regardant les notables.

Le commandant Quôc conclut :

— Il faut disperser cet ordre contestable, car il devient plus que gênant. Les honnêtes citoyens ont autre chose à faire que de jeter leurs bagues dans les braseros, vous serez d'accord avec moi. Qu'on refoule ces bonzes violents plus haut dans les montagnes, où ils pourront sévir à leur guise. Il n'est pas bon que dans le chef-lieu, il y ait des individus pouvant user de leur force et assez aguerris pour contrer notre garnison.

— Même l'homme ignorant que je suis a pu constater que leur enseignement des textes sacrés n'est que tromperie. Ils prônent l'action au lieu de la

30

méditation, voilà qui est anormal quand on se dit détaché du monde. J'ai voulu en discuter avec l'un des bonzes, mais il m'a repoussé avec hostilité, ajouta le maître d'école Ba.

L'entrepreneur Ngô, qui avait écouté avec impatience l'édifiante histoire du maître d'école, était sur le point de protester quand le mandarin tapa du poing sur la table.

— Assez discuté sur le sujet palpitant de bonzes énergiques vivant dans un monastère décrépit ! Quand Monsieur Sam aura examiné l'état du temple, je prendrai les mesures qui s'imposent.

Tous les notables hochèrent la tête, pendant que le secrétaire de Monsieur Ngô continuait à prendre des notes dans le silence qui tomba.

Lissant son maigre bouc de sa main décharnée, le maire Lê conclut :

— Voilà une décision pleine de sagesse, Maître. Certains de nos concitoyens sont sans doute hâtifs dans leurs conclusions, fit-il en regardant le maître d'école, mais le représentant de l'Empereur lui-même sait qu'il ne faut point se livrer à des conjectures qui peuvent s'avérer fallacieuses.

Le mandarin déclara alors :

— Puisque nous avons traité tous les sujets à l'ordre du jour, ce conseil est à présent clos.

Tous se levèrent et s'inclinèrent devant le magistrat. Ayant rassemblé leurs rouleaux, les notables se dirigèrent lentement vers la sortie. L'entrepreneur Ngô s'écarta de ses deux adversaires et fit mine d'attendre que son secrétaire finisse de ranger ses pinceaux.

Le mandarin étira un moment ses jambes et se mit debout. Deux heures dans une chaise inconfortable avaient mis à mal ses articulations, et il avait hâte d'exécuter les mouvements d'assouplissement que connaît tout athlète.

Il s'engageait dans le grand couloir de la salle communale quand le maire Lê le rattrapa.

— Puis-je vous accompagner jusqu'à la sortie, Maître ? fit-il en lui emboîtant le pas. Vos gardes vous escorteront ensuite jusqu'à votre palais.

Il trottina aux côtés du mandarin et s'efforça de ne pas se laisser distancer par le géant. La nuit était tombée, et ils débouchèrent dans l'allée illuminée par des rangées de flambeaux.

— Votre premier conseil a été une réussite, Maître. La façon que vous avez eue de trancher l'affaire du jardinier indélicat relève de la maestria. Il fallait avoir du flair pour déduire qu'il avait caché la broche volée dans le cœur d'un nénuphar.

— C'était évident quand on reconstitue ses faits et gestes, répondit le magistrat sans ralentir.

— J'admire votre manière de traiter l'histoire du Temple de la Grue Ecarlate : souvent les notables essaient de se rassembler pour mettre la pression sur un point particulier afin d'obtenir gain de cause. J'ignore si leurs dires sont justifiés ou non, mais on ne doit pas agir sans les vérifier d'abord.

— Pourquoi les deux notables se sont-ils montrés hostiles à l'entrepreneur Ngô ? demanda le mandarin.

— Oh vous savez, dans cette ville, il n'y a que lui qui ait su bâtir une si grande fortune grâce à ses idées originales. Le commandant envie secrètement sa puissance, et le maître d'école se sent sans doute frustré par tant de brio intellectuel. Ceci dit, la ville doit sa prospérité en partie grâce aux innovations de Monsieur Ngô, et c'est pour cela qu'il a une influence non négligeable sur la population.

Ils avaient traversé le grand jardin qui s'étendait devant la salle communale, passant sous des plaqueminiers feuillus qui faisaient une voûte au-dessus du chemin dallé. Le souffle un peu court, le maire Lê s'arrêta :

— Je vous laisse ici, Maître, car je dois encore m'occuper de quelques détails administratifs. Il faut toujours surveiller que tout soit en ordre après les séances du conseil. Laissés à eux-mêmes, les employés ne se montrent ni exacts, ni bien zélés, c'est malheureux à dire.

S'inclinant bas, le maire prit congé et s'en fut vers le bâtiment imposant qu'ils venaient de quitter.

Le mandarin Tân huma l'air frais du soir et s'ébroua. Les senteurs des plantes lui arrivèrent en masse, et il reconnut l'odeur aigre des tamarins entrelacée de jasmin. Le ciel était clair. Il leva les yeux vers la lune intense. Voilà une nuit plus clémente que celle de la veille, pensa-t-il avec soulagement. Après un coup d'œil alentour pour s'assurer que personne ne le surveillait, il esquissa le pas de l'Anguille qui se Mord la Queue pour assouplir ses chevilles. Au pied d'un immense flamboyant, il exécuta le mouvement difficile du Pin Vrillé par le Vent, qui réussit à soulager son dos raidi par des heures de conseil. L'exercice le remplit de paix, et il décida de composer un poème pour l'occasion.

Les mains derrière le dos, le mandarin Tân s'engagea d'un pas tranquille dans l'allée qui menait vers sa demeure, et commença à combiner des images poétiques hardies. Quiconque l'aurait aperçu à ce moment aurait vu un homme heureusement absorbé, pensif et vaguement souriant.

Il venait de dépasser les premiers pavillons illuminés qui jouxtaient la salle communale quand un bruit de pas rapides le tira de sa rêverie.

— Maître ! cria une voix derrière lui.

Le souffle court, Monsieur Ba arriva à son niveau. La main posée sur son côté, comme pour réprimer une douleur sourde, le maître d'école s'arrêta devant le mandarin.

— Vous filez plus vite que le vent d'est, fit-il avec un débit saccadé. Le temps d'allumer ma lanterne, et vous voilà disparu. Votre grande stature vous vient sans doute d'un père puissant et bien constitué. Je vous attendais devant la salle communale, mais vous avez dû prendre un chemin de traverse. J'ai eu un mal fou à vous retrouver. Je ne suis plus le fringant étudiant d'antan, endurci par des nuits de veille. Loin sont ces moments exaltants devant les Ecritures du Grand Maître !

Comme le mandarin avait repris son chemin, le maître d'école mit ses pas dans les siens.

— Si c'est pour vous plaindre encore du Temple de la Grue Ecarlate, Monsieur Ba, sachez que je ne reviendrai pas sur les mesures prises, fit le magistrat pour prévenir son compagnon.

— Oh non, bien sûr, Maître. Nous reconnaissons tous la sagesse de votre décision ! Loin de moi l'idée d'en douter !

Rassemblant les rares cheveux qui s'éparpillaient sur son front comme soufflés par la tempête, il inclina sa taille plate, et continua :

— Je me disais que pour fêter votre arrivée dans notre petite ville, je solliciterais votre présence à une soirée donnée en votre honneur. Nous n'avons pas souvent la chance d'avoir un mandarin si jeune et si talentueux chez nous. Le dernier mandarin en poste était très âgé, et ce fut ici sa dernière affectation.

Le mandarin hocha la tête, pensif. Voilà une autre invitation qui vient se rajouter à la farandole des soirées passées, songea-t-il. Je vais encore jouer les hôtes d'honneur dans des banquets luxueux. Le vieux mandarin a-t-il été emporté par une cuisse de canard trop épicée, ou a-t-il eu le gosier transpercé par une arête de poisson ?

Encouragé par le silence du magistrat, le maître d'école poursuivit :

— Nous vous concoctons un beau spectacle avec des danseuses du Sud, qui se meuvent comme des déesses et chantent comme le vent des montagnes. Par ailleurs, j'ai hâte de vous présenter à ma femme, qui rêve de vous rencontrer. On ne parle que de vous dans les cercles sociaux de la ville : heureux est celui qui peut vous côtoyer l'espace d'une soirée !

Après une hésitation, le maître d'école Ba enchaîna d'une voix qu'il voulait naturelle.

— Notre fille aînée répond au nom de Pinceau Trempé. Elle n'a que quinze ans, mais elle est déjà très jolie, vous verrez. Peut-être trouvera-t-elle grâce à vos yeux, car les jeunes filles ne sont pas toutes avenantes dans cette région. Moi-même, j'ai dû entreprendre un long voyage pour trouver femme. Et bien m'en a pris, car la beauté de notre fille vient de sa mère : on dit que les traits des femmes du Nord sont les plus fins du pays.

— Pourtant, l'autre soir, Madame Liu me soutenait le contraire, fit le mandarin, apparemment en toute innocence. Elle disait que les filles vivant près de l'embouchure du fleuve étaient les plus gracieuses, ayant observé pendant leur tendre enfance le jeu des vagues de la mer.

Le maître d'école suffoquait d'indignation.

— Comment donc ! Mais ce sont toutes des filles de pêcheurs ! Le soleil et le vent salé leur donnent une peau noiraude et épaisse, granuleuse comme du cuir de buffle. Non, non, elle ne sait pas ce qu'elle dit, la veuve Liu. Moi, je vous assure qu'au pied des hautes montagnes poussent des aréquiers élancés à l'ombre desquels grandissent des jeunes filles au teint clair et à la démarche souple. Depuis la mort de son général de mari, Madame Liu n'a qu'une idée en tête : marier sa fille… Comment s'appelle-t-elle déjà ?

— Lumière d'Automne.

— Oui, c'est ça, fit Monsieur Ba sèchement. En effet, en automne il n'y a guère de lumière dans ces contrées. Bref, ne vous laissez pas influencer par une vieille femme désireuse d'avoir à tout prix des petits-enfants. On ne pense qu'à ça quand on se sent devenir vieux.

Soupirant intérieurement, le mandarin Tân allongea le pas, et dit :

— J'accepte avec plaisir votre invitation, Monsieur Ba. Elle me permettra de connaître un peu mieux les habitants de la ville.

Les yeux brillants de joie, le maître d'école s'inclina.

— Vous m'en voyez très honoré, Maître. Je m'en vais de ce pas prévenir ma femme ; elle en sera extrêmement fière.

De nouveau seul, le magistrat se demanda si son prédécesseur avait fait l'objet de la convoitise de dames désireuses de trouver un compagnon pour leurs vieux jours.

Il était à présent arrivé à la sortie. En franchissant le petit portique surmonté d'un toit de tuiles vernissées, il fit signe à ses deux gardes, porteurs de flambeaux, de le suivre.

Il s'approchait du cœur de la ville et sentit les premières odeurs alléchantes venant des troquets qui commençaient à ouvrir. Dans la lumière tamisée des lanternes que la brise balançait, des chalands attablés se penchaient sur des soupes parfumées. Sentant la faim le tirailler, le mandarin se demanda quels mets l'intendant Hoang avait préparés pour le soir.

— Maître Tân ! cria-t-on d'une voix forte.

En se retournant, le mandarin vit arriver une ombre de haute taille, et reconnut le beau commandant Quôc. Celui-ci avait la démarche élégante et aisée, les épaules rejetées en arrière et le menton haut. Il a vraiment une allure superbe, se dit le magistrat, il est pratiquement aussi grand que moi, et sa carrure est imposante. Je dirais même qu'il respire la force. De plus près, le mandarin remarqua que le charme de l'officier était quelque peu gâté par une peau grêlée.

— Quel talent, Maître Tân ! fit l'officier. Si jeune, et pourtant si assuré dans vos décisions. A votre âge, je ne savais que me servir de mes poings.

Le mandarin Tân aurait été en droit de s'offusquer du ton condescendant du commandant Quôc, qui lui était inférieur en grade. Cependant, il comprenait la réticence de ce haut fonctionnaire à obéir à un mandarin puîné. Aussi le laissa-t-il poursuivre sur le même thème :

— Evidemment, me voilà mandarin militaire du troisième degré, et seulement dans la modeste Province de Haute Lumière, à la gestion précaire. Ce qui, comme vous le savez, constitue une affectation peu enviable.

— Cela me convient très bien, rétorqua le mandarin Tân, piqué.

— Une ville étriquée, où un simple négociant est considéré comme un dieu vivant, et où les religieux qui lui sont inféodés contrôlent les esprits des citoyens ! Ah oui, vraiment, c'est un terreau de qualité, où un jeune mandarin plein d'avenir peut faire fleurir ses ambitions et pousser ses vues larges ! Je ne vous souhaite pas de terminer comme votre prédécesseur, le vieux mandarin Pham, qui a fini pantin entre les mains de cette clique.

— Je vous remercie pour vos mises en garde, mais c'est la mission d'un envoyé de l'Empereur que de régler les affaires en toute impartialité et selon sa conviction propre. D'autre part, mon rôle consiste à veiller à la justice et à l'équité, et non à réformer les mentalités du peuple, qui jugera par lui-même la voie à suivre. Il n'est pas dans mes intentions de considérer mes administrés comme mes enfants.

Le mandarin militaire Quôc ricana dédaigneusement :

— On appelle pourtant les mandarins civils : « Père et Mère du peuple ». Vous verrez, les petites gens ne sont pas comme nous, hommes de pouvoir. Un troupeau d'oies, prêtes à suivre en cacardant le berger le plus influent.

— L'endroit n'est guère indiqué pour mettre au point notre stratégie de gouvernement, fit le mandarin sèchement, en faisant mine de se remettre en route. Nous pourrons voir cela en réunion demain, au palais.

Le commandant Quôc lui saisit le bras d'une poigne ferme. Les lumières tremblotantes de la rue lui faisaient un visage dur, d'une beauté glaciale.

— Encore une chose, Maître Tân. Devant les administrés, je n'ai pas voulu contester votre autorité, et même maintenant, je vous reconnais le droit de me destituer au nom de l'Empereur. Mais sachez que je suis très au fait de ce qui se passe dans cette province.

Vous y gagnerez beaucoup à suivre mes conseils : ne soyez pas trop indulgent avec les bonzes. Ils ont une puissance que vous ne soupçonnez même pas. Leur Supérieur est un rusé, qui a su mettre à son service une véritable armée d'hommes entraînés au combat. Laissez-les vivre, et ils prendront le pouvoir avant que nous ne nous en apercevions. C'est à vous de voir, il n'y a qu'en se brûlant que le chien apprend à éviter le four.

IV

En revenant du conseil communal, le mandarin Tân savoura le repas digeste que l'intendant Hoang avait commandé aux cuisines : un potage, des nouilles, la moitié d'un poulet et des boulettes de farine sucrée. Puis il se retira, l'esprit et le ventre légers, dans ses appartements. Mais un bruit de lutte et des jurons étouffés le réveillèrent.

— Vous ne passerez pas ! protestait l'intendant Hoang d'un ton aigre.

— Le mandarin doit être mis au courant ! répliquait le maire Lê de sa voix bêlante. Il s'agit d'un crime des plus haineux qui soient ! Annoncez-moi tout de suite. Sinon, demain, vous n'aurez plus qu'à embrasser votre ventre et supporter son courroux !

Les voix pleines de colère se rapprochaient, signe que l'intendant Hoang perdait du terrain. Le mandarin Tân, le sommeil enfui, se dirigea vers la grande salle, afin de faire cesser l'altercation.

— Maître ! s'exclama le maire Lê en s'inclinant précipitamment.

Retenant encore son adversaire par le pan de sa veste, l'intendant Hoang roulait des yeux affolés. Les deux hommes montraient des visages gras de sueur.

Trois veilleurs, qui tenaient des torches, avaient l'air excité de ceux qui encouragent une bagarre de rue.

— Pourquoi ce vacarme ? Expliquez-vous ! fit le mandarin, impatient.

Le maire Lê poussa en avant l'un des veilleurs et, d'un signe de tête, l'encouragea à parler. Le veilleur Foie de Crevette s'éclaircit la gorge.

— Maître vénéré, dit-il, en faisant la deuxième ronde dans la forêt qui borde la ville au sud, j'ai trébuché sur un mendiant endormi. Du moins l'ai-je cru…

« Debout ! » avait-il crié au tas informe qui gisait au bord du chemin. « Veux-tu te faire manger par les tigres ? Mais, c'est qu'on est sourd en plus ? » Foie de Crevette avait lancé un coup de talon dans les côtes de l'individu, qui avait roulé un peu plus loin dans la boue. Une deuxième bourrade ainsi que quelques coups de bambou n'avaient pas eu plus d'effet. Saisi d'un doute, le veilleur avait regardé autour de lui. Sa lanterne était bien inefficace pour combattre l'obscurité oppressante qui enveloppait les bois. Une forêt n'est jamais silencieuse : il avait eu droit à des craquements, des soupirs, quelques bruissements et peut-être à des ricanements de goules. Fidèle à son sobriquet, il était sur le point de prendre la fuite quand son camarade l'avait rejoint.

— C'est alors, Maître, continua le veilleur, que nous avons soulevé la couverture puante qui recouvrait le mendiant.

*

Le lendemain, son thé matinal à peine avalé, le mandarin Tân se fit accompagner par deux gardes jusqu'à la demeure de l'habilleur des morts. La visite

41

étant à moitié officielle, il avait dû revêtir une robe de soie. Bien que simplement brodée et de coupe sobre, elle était d'une riche couleur de jade. Il voulait passer inaperçu et avait dédaigné le palanquin, dans lequel il se sentait comme un buffle abattu.

L'intendant Hoang, penché sur le plan de la ville, le cœur désolé, avait tracé le chemin le plus discret joignant le palais à la maison de Monsieur Mignon. Il aurait préféré préparer pour le Maître un itinéraire plus flamboyant, digne d'un magistrat impérial, passant devant le tribunal, traversant en grande pompe la place du marché, où le petit peuple se serait ébahi devant la carrure imposante du mandarin et se serait prosterné avec respect. Le vieux mandarin défunt, lui, ne méprisait point ces processions éclatantes, sa tête osseuse oscillant dans l'embrasure du palanquin, sa main jaunie levée en signe de bienfaisante autorité. L'intendant Hoang avait soupiré sans se cacher, navré devant la jeunesse indisciplinée de ce novice qui préférait le cheval à la chaise à porteurs, la tunique à l'habit de brocart.

La maison de Monsieur Mignon, en raison de son emploi, se cachait derrière d'énormes banians, dont les racines adventives formaient un écran presque opaque. Ce rideau naturel isolait la maison de la chaleur de la rue et empêchait, croyait-on, les émanations pernicieuses des corps de se répandre dans les alentours. La demeure tournait le dos à la montagne ; les derniers contreforts plongeaient presque dans la propriété : l'on profitait ainsi de la fraîcheur des sommets. A l'arrivée du mandarin Tân et de son escorte, le soleil était déjà haut, mais il soufflait de la porte ouverte un froid sépulcral.

Monsieur Mignon, petit homme aux allures frivoles, l'attendait impatiemment. Un messager essoufflé l'avait prévenu de la visite imminente, et il s'était mis à son avantage en revêtant une large robe aux couleurs chatoyantes et des sandales surélevées.

— Entrez, Maître, dans ma misérable masure, minauda-t-il avec une courbette obséquieuse.

Le mandarin Tân fit signe aux gardes de rester dans la cour, et pénétra dans la maison à la suite de l'habilleur des morts Mignon. Ses yeux étaient habitués à la violente lumière du dehors, si bien qu'il ne vit d'abord que ténèbres. A mesure qu'il s'accoutumait à l'obscurité, il discernait les contours d'une vaste salle, qui prenait le jour par une large ouverture donnant sur le jardin. A part un gros buffet qui devait contenir les instruments de Monsieur Mignon, la pièce était nue. Enfin, le mandarin Tân distingua, affalée sur une natte jetée à même le sol, une forme sombre recroquevillée dans une attitude grotesque.

— C'est une bien sale affaire, si vous me permettez, dit Monsieur Mignon d'une voix sans émotion. Je m'étonne d'ailleurs que mon Maître daigne s'intéresser à ce chien crevé.

Escortant le mandarin vers le corps, il pérorait :

— Remarquez, Maître, que cet individu est, comme qui dirait, tordu. Voyez, son dos est à peu près aussi droit qu'un anneau de courtisane. Et là – Monsieur Mignon tapa d'un index long la nuque tendre –, il y a un angle vraiment étrange, mais que mon Maître ne se trompe pas, c'est de naissance, sans aucun doute.

Monsieur Mignon, à croupetons devant la natte macabre, avança d'un sautillement. Ses manches, telles des ailes de papillon, voletaient sans effleurer le corps. Le mandarin Tân, lui, gardait les mains prudemment croisées dans le dos.

— Les jambes ne sont pas de la même longueur, la plus courte est réduite à l'état d'un moignon. Quant à la peau, elle porte des traces de lacérations.

Des coupures, très longues, creusaient des sillons profonds et désordonnés des épaules aux reins, leurs lèvres livides béant sur une chair rose. Le mandarin Tân, révolté, voulut les compter, mais y renonça. Le réseau de ces coupures était tellement resserré, que le corps semblait sanglé dans un filet aux mailles étroites.

Son regard fut soudain attiré par une rangée de points couleur de rubis qui suivaient la ligne sinueuse de la colonne vertébrale. Monsieur Mignon les remarqua également et dit :

— Tiens, aurait-il été poinçonné sur le dos ?... Ouh là, je me trompe !

Avec un petit rire gêné, l'habilleur des morts s'éventa de la main pour dissiper sa confusion, et reprit :

— Ce ne sont que des grains de beauté qui s'égrènent comme des morsures de poux. Mais là où elle n'est pas déchirée, la peau révèle des marques de coups.

Il enfonça un doigt dans les flancs maigres :

— Tenez, c'est mou comme la chair de buffle attendrie au battoir. Regardez l'arrière du crâne : les cheveux ont été arrachés par touffes. Voilà bien l'œuvre d'un démon !

— Sornettes, répliqua le mandarin Tân, pas très assuré lui-même. Un démon se contente de rompre le cou de ses victimes et d'en consommer la cervelle.

L'habilleur des morts saisit la tête du cadavre et lui fit faire un quart de tour.

— Si mon vénéré Maître voulait bien m'aider à le retourner…

Le mandarin Tân fit celui qui n'avait pas entendu et regarda Mignon adroitement soulever la natte et faire rouler le corps sur le dos.

— Etant donné la taille des membres et au vu du visage, nous savons maintenant qu'il s'agit d'un enfant, remarqua Monsieur Mignon. Et d'ailleurs, c'est un garçon.

Si la sauvagerie avec laquelle on s'était attaqué au corps difforme l'avait indigné, la vision de la figure de l'enfant saisit le mandarin Tân d'effroi. La peau de la victime prenait déjà des reflets violacés. Les yeux, jaillissant des orbites, fixaient chacun un point distinct de l'espace ; l'œil gauche tentait même de regarder vers l'intérieur du crâne. Du nez, sans doute originellement inexistant, on aurait dit la porte d'insondables ténèbres. La mort avait figé la bouche en un sourire torve, d'où pointait un petit bout de langue dodue.

Le regard du mandarin Tân se porta avec pitié sur le torse étroit aux côtes saillantes. Triste destin que celui de cet enfant ! Une vie de privations, pour connaître une mort aussi violente.

Monsieur Mignon fronça son nez délicat.

— Le cadavre répand une odeur fétide, s'il en est, mais n'oublions pas qu'il était enroulé dans une couverture sale.

Il écarta un à un les orteils du cadavre, inspecta les aisselles et les oreilles, et fit, incrédule :

— En revanche, le corps est très propre, n'est-ce pas, Maître ? Curieux, ça !

On l'a tué ailleurs, puis déposé dans la boue, songea le mandarin Tân. Mais pourquoi au bord du chemin ? Le meurtrier était-il pressé de s'en débarrasser ? Ou bien le fardeau devenait-il trop lourd ?

En écho à ses pensées, il entendit Monsieur Mignon conclure :

— Il devait peser autant qu'un porcelet.

Les mouches commençaient à se regrouper autour d'eux. Impassible, Monsieur Mignon en écrasa trois qui rôdaient sur le corps dénudé, et les projeta contre le mur d'un coup d'ongle précis.

— Très propre, ce cadavre, répéta Monsieur Mignon. Je n'aurais jamais cru que ces malheureux se lavaient bien souvent.

— Ces malheureux ? Mais de qui parlez-vous ? Savez-vous qui est cet enfant ? demanda le mandarin Tân.

— Avec précision, non. Mais il devait faire partie du groupe des avortons orphelins dont notre cité s'enorgueillit, fit Monsieur Mignon avec une ironie appuyée. On les appelle « les Rejets de l'Arbre Nain ». Hum ! Comment vous dire, ils sont tous plus mal faits les uns que les autres. Il leur manque à qui un bras, à qui un nez, à qui un genou, quand il ne s'agit pas carrément du cou.

— Et cet enfant… commença le mandarin Tân.

— C'est Goutte de Sang, dit une voix jeune derrière eux.

Le mandarin Tân pivota rapidement sur les talons et se remit debout. Dans l'encadrement de la porte se tenait une silhouette grêle, courbée comme un crochet.

— Prosterne-toi devant le mandarin impérial ! s'écria Monsieur Mignon.

La forme se jeta au sol de manière grotesque et se débattit pour faire ses prosternations.

— C'est mon petit aide, expliqua l'habilleur des morts. Je vous prie d'excuser son insolence, Maître.

Comme illustration de ce que je viens de vous dire, il est parfait : c'est l'un des Rejets de l'Arbre Nain.

— Approche-toi, dit le mandarin Tân en surmontant son malaise.

Le garçon s'exécuta. Au prix de quelques halètements asthmatiques, il traversa la pièce de sa curieuse démarche clopinante. Ses épaules s'affaissaient puis se soulevaient tour à tour, comme celles d'un pêcheur sur une jonque en pleine mer. En voyant sa tête ronde posée sur son cou maigre, le mandarin Tân songea aux courges vidées et desséchées qui servent à puiser l'eau. Même la chair de son visage, dure et lisse d'aspect, en imitait les flancs patinés, tavelés de taches mates et brunâtres. En dépit de ses traits figés, le mandarin Tân lui donnait une dizaine d'années.

— Comment t'appelles-tu ? demanda-t-il d'une voix bienveillante.

Le garçon leva vers lui son masque indéchiffrable.

— Maître, on m'appelle Calebasse.

— Eh bien, tu connais donc le petit mort ? Sais-tu ce qu'il faisait ces derniers jours ?

— Je vis avec lui et les autres, Maître. Mais nous sommes tellement nombreux. Je n'ai pas fait attention à lui, répondit l'enfant d'une voix sans timbre.

Il ne semblait guère affecté de la mort de son compagnon. Sur son visage étrange, la chair gardait une impassible fixité.

— Toi et tes amis, vous ne vous êtes donc pas inquiétés de ne pas le voir la nuit dernière ? C'était un de vos camarades, tout de même ! s'exclama le mandarin Tân.

— La laideur partagée ne fait pas de nous une famille, répondit l'enfant en détournant les yeux.

— Tu mérites le fouet pour ton insolence ! s'écria Monsieur Mignon.

Le mandarin Tân leva la main, apaisant :

— Va faire ton travail à présent. Je te ferai appeler au palais si j'ai besoin de toi.

— Bon, prépare vite les seaux d'eau, les linges et le panier ! ordonna Monsieur Mignon.

Puis, se tournant vers le mandarin, il demanda d'une voix onctueuse :

— Retournons-nous à l'examen du corps ? Ou avons-nous fini ?

En dépit de sa haute taille et sa solide constitution, le mandarin Tân se sentait démuni devant l'enfant mort. Ce n'est qu'avec peine qu'il dit, comme malgré lui :

— J'ai encore quelque chose à vérifier.

Tout en garant les pans de sa robe, il s'accroupit devant l'enfant mort et s'inclina sur son visage. Il sortit de ses manches un mouchoir de coton dont il s'enveloppa la main droite. Il tira alors sur la mâchoire avec précaution. Elle céda, comme cassée, libérant la langue boursouflée et raide. La bouche noire et humide s'ouvrait-elle donc d'elle-même ? Le mandarin Tân, horrifié, crut entendre les hurlements des âmes errantes réclamant justice. Il voulut reculer. Mais le sommet du crâne comme happé par une main puissante, il ne put détourner les yeux. Il vit alors sortir des lèvres froides l'interminable cohorte des mendiants tombés au bord des chemins, des noyés privés de sépulture, des victimes de crimes haineux. Toutes ces âmes abandonnées joignaient leurs plaintes lugubres, une voix plus stridente recouvrant les murmures suppliants.

— O Maître, Grand Mandarin, Père et Mère du peuple, notre peur est plus grande que votre crainte !

Nous avons froid et faim, la paix nous est inconnue. Nous vivons la terreur sans fin de l'instant qui nous a vus mourir ! Aidez-nous, ô Maître, Fils de la Compassion !

Les paroles se firent indistinctes à mesure que les cris s'amplifiaient. Puis, les voix discordantes s'éteignirent, et les âmes perdues se diluèrent dans un tourbillon boueux qui submergea le mandarin Tân, l'étouffant d'une odeur de vase corrompue. Il lutta pendant une éternité, à s'en rompre les nerfs du cou. A moi, mes ancêtres ! Est-ce cela la mort ? pensa-t-il, en proie à la panique, avant que l'obscurité ne l'engloutisse.

...

Quand les ténèbres se dissipèrent, il vit les sandales de Monsieur Mignon qui s'activaient sous un angle bizarre. Il perçut une odeur de poussière remuée, et se sentit traîné sous les bras vers le jardin. Ses gardes le déposèrent dans un fauteuil ; le petit aide, éventail à la main, brassait l'air, et l'habilleur des morts faisait des moues inquiètes.

— Vous voilà revenu parmi nous ! s'exclama Monsieur Mignon, soulagé.

Le mandarin Tân, irrité contre lui-même, renvoya les gardes et le petit aide un peu sèchement. L'indicible terreur qui l'avait saisi lors de sa vision s'était évanouie, mais l'odeur de vase le poursuivait. Ses narines semblaient encore imprégnées de la pestilence.

— J'ai fini l'examen du corps, fit-il en réponse à la question muette de Monsieur Mignon.

Un domestique jaillissant des cuisines lui apporta une boisson aux herbes rafraîchissantes. Le mandarin Tân, installé sur le seuil de la grande salle, se réchauffa alors le dos au soleil tout en observant les préparatifs du corps.

Monsieur Mignon alluma des bâtons d'encens disposés aux quatre coins de la pièce, afin de neutraliser les vapeurs funèbres qu'exhalait le défunt. Cependant, à genoux, le petit aide nettoyait son camarade avec des linges humides. Il œuvrait à pleines mains, ne craignant pas le contact des chairs mortes. Dans son ardeur, il envoyait même des éclaboussures de droite et de gauche. D'où il était, le mandarin Tân ne voyait que son dos bossu énergiquement agité, alors qu'en montaient quelques grognements arrachés par l'effort.

Quand ce fut fini, il y eut une courte altercation entre Monsieur Mignon et son petit aide. L'habilleur des morts reprochait à Calebasse d'avoir choisi un panier de trop belle qualité, et ils étaient en train de tirer chacun sur une anse, quand l'enfant cracha avec insolence :

— Ils vous le paieront, allez !

Sur ce, Monsieur Mignon abdiqua avec une grimace dédaigneuse. Alors le petit aide souleva délicatement le mort, et avec d'infinies précautions, le déposa dans le panier. On eût dit une mère recouchant son enfant.

Un lien d'affection très fort unissait ces infortunés, pensa le mandarin Tân. Etaient-ils comme frères ?

Il s'interrogea un instant sur l'indifférence que le petit aide avait affichée en découvrant son ami sur la natte des morts. L'amour entre deux êtres aussi repoussants devait-il être caché comme une honte ? A voix haute, il s'adressa à Monsieur Mignon qui s'approchait :

— Dites-moi, il a une force peu commune, votre petit aide ! Je veux dire qu'étant donné sa constitution…

— Mais oui, c'est bien pour cela que je l'ai choisi. Malgré son effronterie, il travaille bien : il se charge tout seul de la toilette des morts, sans faire le dégoûté comme les autres apprentis que j'avais. En effet, il nous incombe de nous occuper des malheureux qui n'ont pas de descendance mâle pour leur rendre les derniers honneurs… et comme vous vous en doutez, ce ne sont pas les morts les plus respectables.

Le mandarin Tân demeura pensif un instant, et demanda :

— Qu'allons-nous faire du corps ?

Monsieur Mignon eut presque l'air enjoué :

— Ne vous inquiétez pas, Maître. Un de ces bonzes à la mine renfrognée ne tardera pas à descendre de sa montagne pour réclamer les restes !

— Des bonzes ?

— Mais oui ! C'est vrai que vous êtes nouvellement nommé dans la ville. Les Rejets de l'Arbre Nain sont en effet hébergés au Temple de la Grue Ecarlate.

— J'ai déjà entendu parler de ce temple, fit le mandarin Tân en dissimulant sa surprise. Mais on ne m'avait pas signalé cette particularité.

— Les relations entre les bonzes et ces enfants sont des plus étranges… Depuis peu, on voit les Rejets de l'Arbre Nain descendre régulièrement du temple pour chercher un travail en ville. Ils sont assez agiles, semble-t-il ; d'ailleurs mon petit aide le prouve bien. Evidemment, pour vouloir les employer, il faut d'abord fermer les yeux sur leur allure sinistre.

— En effet, ce devait être quelques-uns d'entre eux que j'ai vus pêcher sur le lac à bord de bateaux de fortune, l'autre soir…

— A petits corps, barques économiques, fit Monsieur Mignon simplement. Après le travail, ils remontent sans faillir au temple. Pourquoi sont-ils inséparables des bonzes ? Les rumeurs les plus folles courent en ville. J'ai bien essayé de faire parler mon petit aide, mais il reste bouche cousue. Certains citoyens chantent les louanges des bonzes qui, par pure charité, offrent un toit à ces monstrueuses créatures. D'autres assurent que ces enfants rapportent leur paie à leurs protecteurs en échange d'un grabat pouilleux : on se demande qui nourrit qui ? Enfin, les langues de lézard prétendent que ces avortons seraient les Rejets, non de l'Arbre Nain, mais de la Virilité Monacale…

Le mandarin Tân, pudibond, coupa court :

— Faites plier la couverture de l'enfant, et donnez-la à mes gardes !

V

— Tu m'as l'air d'avoir la bouche fade, Mandarin Tân, fit Dinh, amusé de voir son ami picorer distraitement dans son bol.

— C'est vrai, admit celui-ci. Je suis comme malade, la nourriture n'a aucun goût. Ou plutôt, on dirait qu'elle a l'amertume de la vase.

— Le poulet vit dans la basse-cour, et non dans l'étang !

Le mandarin Tân émit un rire sans joie. En fils des campagnes coutumier des privations, il aurait dû se délecter de ce repas aux saveurs subtiles. Carmin, la femme de l'intendant, avait dressé avec art la table sur la terrasse du palais, mais le mandarin Tân était également aveugle à la vaisselle en faïence délicatement craquelée et aux arrangements de fleurs.

Il reposa ses baguettes et, soucieux, raconta à son compagnon sa visite chez Monsieur Mignon. Toute honte bue, il narra même son court évanouissement, et comment on avait dû le traîner dans la cour.

— J'ai réellement cru que les démons de l'au-delà s'emparaient de moi ! Ces cris, ce froid brutal, cette odeur de vase putride, révoltante !

— Allons, Mandarin Tân, je connais tes racines frustes, mais croire à ces superstitions n'est pas digne d'un haut fonctionnaire du royaume ! Toi, imbattable dans l'explication des Classiques de Confucius, tu trembles devant les fantômes comme une vieille femme des rizières. C'est juste le premier crime de sang que tu rencontres, voilà tout ! fit Dinh.

Le mandarin Tân hocha la tête sans conviction.

— C'était en effet un spectacle ignoble, dit-il. As-tu déjà vu un cadavre, dis-moi ? C'est une expérience des plus éprouvantes. Devant un enfant mort, ne devrait-on pas ressentir en plus compassion et tristesse ? Mais face à ce corps violenté et tordu en tous sens, je dois t'avouer que j'ai avant tout été saisi d'horreur !

Après un silence peiné, le mandarin Tân reprit, passant une main lasse sur son front perplexe :

— Quelles peuvent donc être les motivations d'un crime aussi brutal ? On n'exerce une telle cruauté qu'envers un ennemi mortel, mais un si jeune enfant a-t-il vécu assez pour s'attirer une telle haine ?

— En déduis-tu que le meurtrier a déployé une sauvagerie vengeresse dont l'enfant n'était qu'une cible fortuite ?

— Possible, Dinh. Celui qui a perpétré cet acte barbare voulait éliminer un être nuisible. Sa fureur n'avait d'égale que sa haine : il fallait que sa victime souffre.

— Ce crime te semble donc inspiré par la haine. Mais peut-être l'enfant n'était-il pas si innocent lui-même, suggéra Dinh. Imagine un peu : un voyageur rentre chez lui en passant dans la forêt. La nuit est épaisse, et il n'est guère rassuré. Cet enfant surgit de nulle part, se jette sur lui pour le détrousser. L'homme, tout à sa panique, croyant avoir affaire à un animal sauvage ou, qui sait, peut-être à un démon, a pensé lutter pour sa vie et se sera sauvagement défendu avec sa machette.

Une idée vague irritait le mandarin Tân ; il s'était produit un fait étrange chez l'habilleur des morts Mignon, mais il n'en avait qu'une conscience floue, comme une image insaisissable, à peine entrevue. Une histoire d'ombre et de lumière, une silhouette et un visage noyés d'obscurité… Il répondit :

— En quoi l'homme s'en cacherait-il ? Il aurait eu le droit pour lui, il n'y a point de honte à défendre sa propre existence. Mais il y a autre chose. Je ne t'ai pas dit que l'habilleur des morts Mignon avait constaté que le corps était d'une impeccable propreté ? Si l'enfant avait attaqué son meurtrier dans la forêt, il aurait eu les pieds sales, pour le moins. Pourquoi l'aurait-on déshabillé, puis fait sa toilette, avant de le déposer au bord du chemin ? Non, Dinh, j'ai l'impression que cette affaire est plus retorse qu'un simple brigandage qui aurait mal fini.

— Tu penses à un crime de sang-froid, alors, répondit Dinh. Vivant, cet enfant aurait pu représenter un danger pour l'homme qui s'est vu contraint de le tuer. Témoin d'une lâcheté ou d'un méfait ? Sous des dehors respectables, bien des notables seraient prêts à écraser plus faible qu'eux pour ne pas perdre la face. La sauvagerie dont le meurtrier a fait preuve est à la mesure de la faute qu'il veut cacher.

— Alors pourquoi ne pas avoir jeté le cadavre dans un ravin, où jamais il n'aurait été retrouvé ? Toute personne habitant Quang Long sait bien que les veilleurs passent toujours sur ce chemin forestier.

55

— C'était peut-être fortuit ; le meurtrier, à bout de forces, aura abandonné son encombrant fardeau dès que possible.

— Je l'ai aussi envisagé, Dinh, mais cet enfant n'avait qu'une dizaine d'années. Mal nourri comme il l'était, difforme aux os friables, il était aussi léger qu'une palme sèche. Un coup de reins, et le cadavre basculait dans un fourré impénétrable. Car le meurtrier est une personne en pleine possession de ses moyens, capable de porter des coups d'une extrême violence qui ont transpercé les chairs jusqu'à l'os ! Non, je sens là une volonté de provocation, peut-être même un avertissement muet, mais adressé à qui ? Quelqu'un veut que cette affaire éclate, et il sait que je suis chargé de rendre la justice. Dinh, on se croit assez fort pour me narguer, moi, mandarin impérial !

Le mandarin Tân tapa un poing furieux sur la table, faisant jaillir la soupe claire de son bol.

— Quelqu'un se moque de moi, à commencer par Calebasse ! Il y avait un détail qui me tracassait. Ce matin, chez l'habilleur des morts, le soleil était déjà aveuglant, éclairant la ville d'une lumière crue. Cependant, Calebasse, depuis le seuil de la porte, a pu reconnaître, malgré l'obscurité de la pièce, le cadavre de son camarade Goutte de Sang ! Moi-même, j'ai mis un certain temps à m'accoutumer à la pénombre. Mais le petit aide de l'habilleur des morts, sans une hésitation, nous donne le nom de la victime avant même de s'en approcher !

— Un enfant meurtrier ? C'est à peine croyable ! s'écria Dinh.

— Je ne le crois pas. Il aimait le mort, je l'ai vu laver son corps avec une tendresse qui ne trompe pas. Pourtant, il devait savoir que Goutte de Sang

56

manquait à l'appel, la veille. Peut-être même que l'enfant était menacé… Mais lui-même meurtrier, non, je ne pense pas.

Le mandarin avala une gorgée de thé avant de poursuivre :

— Le plus curieux de l'histoire, c'est que, à peine nommé dans cette province, j'entends parler du Temple de la Grue Ecarlate à deux reprises. On m'affirme d'abord qu'il est tenu par un ordre de bonzes extrêmement violents que je dois disperser. Puis, un garçon qui logeait dans ce même temple est battu à mort, et son corps est laissé étrangement en évidence pour que je l'examine. Quelqu'un cherche à attirer mon attention sur ce mystérieux monastère.

— Le maître d'école Ba et l'officier Quôc étaient bien les plaignants, hier, au conseil communal. Se pourrait-il que…

Le mandarin Tân repoussa son bol encore plein.

— Ils m'ont fait une impression étrange, en effet, mais il se peut aussi que leurs inquiétudes soient légitimes. En tout cas, je n'ai d'autre choix que de commencer l'enquête au monastère, et tu seras mon émissaire. Car je vais te confier une mission des plus redoutables : suivre dans la forêt de bambous ce Calebasse. Surtout ne pas t'en faire remarquer, ne pas te laisser distancer, le poursuivre jusque dans le monastère.

— Mais… je sais demander le chemin du temple ! protesta Dinh. J'y serai plus vite rendu qu'en me traînant à l'allure d'une patte folle.

— Le petit aide de Monsieur Mignon s'est montré plus fermé qu'un poing ce matin. Peut-être parlera-t-il plus franchement à ses camarades ? Tu en apprendras plus que moi à les espionner sur le chemin du retour ou dans leur dortoir. Tends bien l'oreille, car j'ai comme l'intuition qu'il en sait beaucoup, ce petit. Et avant de revenir au palais, pense à rendre une petite visite à la bonzerie.

— Les Têtes Chauves ne m'attirent pas trop, Mandarin Tân. J'aime mieux les tresses de soie qui fouettent l'air en sifflant.

*

Calebasse était chargé de faire la toilette des morts et cette tâche lui plaisait beaucoup. Il aimait le contact avec ces gens : même morte, une peau restait une peau, et si ces corps ne lui rendaient pas ses caresses, ce n'était point de leur faute. Tout en les lavant, il leur parlait avec amitié, mais il prenait garde de ne pas dépasser le seuil du murmure. Si Monsieur Mignon s'en doutait ! Les morts dont il s'occupait étaient souvent des paysans modestes, voire des coolies. Il arrivait en effet que la cité prenne en pitié le sort des plus pauvres et des plus esseulés ; elle faisait alors appel à son patron. L'enfant s'inventait des liens familiaux avec ces défunts : tel jeune paysan éventré par un tigre était son père ; son oncle maternel était ce voyageur victime des fièvres. C'était Monsieur Mignon qui, en fin de compte, leur redonnait des traits reposés, et avec quel doigté ! Le garçon avait eu peine à dissimuler sa joie en voyant son « grandpère », un mendiant mort de faim, prendre des allures de vieux lettré. Il s'était même trouvé une mère (une chanteuse poignardée dans un lupanar de bas étage, elle était arrivée la poitrine en sang), mais n'avait pu assister à sa toilette. Sa beauté émouvante illuminait la natte mortuaire. L'enfant, sous couvert d'éloigner les rats, avait effleuré son pied adorable.

Ce soir, il était loin d'avoir achevé son travail. Monsieur Mignon lui assignait aussi des besognes plus banales, comme préparer le repas ou nettoyer la cour. C'est ainsi que Dinh, tapi dans un buisson, avait assisté au désherbage du petit potager, puis au balayage des allées bien tenues. A l'inverse des enfants de son âge que l'on voyait travailler dans les champs, maladroits et rieurs, le petit aide accomplissait ses tâches avec une efficacité morose.

Lorsque le jardin lui sembla assez propre, il vida avec soin quelques seaux dans la rigole qui courait derrière la maison. Le liquide rosé bouillonna un instant avant de se déverser dans le fossé.

La journée de labeur était enfin achevée, à présent que les ombres gagnaient la cour. Calebasse s'essuya les mains sur sa veste sombre, alluma sa lanterne et s'en fut par le portail nord, qui donnait sur la montagne.

Si Dinh avait cru facile la poursuite d'un enfant infirme dans la forêt, il fut rapidement déçu. Les oiseaux nocturnes faisaient un tel vacarme, leurs cris rebondissaient de manière si sonore d'arbre en arbre, que Dinh ne s'inquiéta pas du bruit de ses propres pas. Il lui suffisait de suivre le curieux balancement de la lanterne que l'enfant avait si obligeamment allumée. Mais ce garçon était d'une agilité de goule. Il connaissait chaque tournant du chemin et se jouait des irrégularités du terrain avec la maîtrise que donne une longue habitude. Si au moins il avait pris la large piste qu'utilisaient les commères fessues chaussées de claquettes ! Au contraire, il semblait bien à Dinh qu'ils empruntaient quelque traître raccourci, vicieux à s'en rompre les vertèbres. Ce qui pour Dinh avait commencé comme une promenade de santé prenait des allures de galopade effrénée.

Il n'aurait jamais cru qu'un boiteux pût avancer aussi vite. Ou plus exactement, il imaginait sans peine que l'enfant s'était mué en quelque monstrueuse créature ailée volant entre les arbres.

Trois nouvelles lumières convergèrent vers celle qu'il pourchassait. Il comprit que d'autres Rejets de l'Arbre Nain regagnaient le temple, mais les paroles qu'ils échangeaient lui parvenaient de trop loin. Au prix d'un effort frénétique, il parvint tout juste à distinguer des visages mouvants. A peine étaient-ils léchés par la lueur flottante des lanternes, que l'obscurité les happait aussitôt. Puis les lumières s'éloignèrent en bondissant.

Le chemin était glissant de feuilles humides, mais si l'on s'en écartait, les pointes acérées des bambous vous déchiraient les chevilles. Dinh, condamné à l'obscurité, trébuchait sur d'invisibles rochers à fleur de terre.

Il se rendit compte qu'ils arrivaient au temple sans qu'il ait pu surprendre la moindre parole des enfants. En débouchant du bois de bambous, il se trouva au pied même d'une haute muraille. Les enfants l'avaient contournée, puis avaient pénétré par l'entrée principale. Le premier portail s'ouvrait sur une vaste cour, encore largement éclairée par des lampions. De grandes urnes d'encens aux pieds arrondis vomissaient une fumée dense, à la mesure de la dévotion des derniers fidèles qui s'y recueillaient encore. A la suite des enfants, il s'engagea dans une dizaine d'autres cours, longea nombre de colonnades trapues, traversa de multiples ouvertures en forme de lune. Comme ils s'enfonçaient au cœur du temple, Dinh prit conscience de l'extrême opulence de l'ordre qui l'avait édifié. Il remarqua pourtant que les cours secondaires étaient laissées dans l'obscurité.

Le bourdonnement de bonzes psalmodiant lui parvenait d'une lointaine salle de prière comme un morne ululement. Brusquement, il perçut le chant aigu d'une flûte. La musique flottait, ténue, tirée d'un rêve oublié. Les enfants l'avaient entendue : comme en réponse à une injonction, ils se mirent à courir et disparurent dans un corridor venteux.

Dinh, guidé par les notes mélancoliques, déboucha sur un pavillon délabré, érigé au sein même du monastère. Il risqua un œil par une fenêtre entrouverte, lorsque la musique cessa.

Plusieurs dizaines d'enfants étaient assis dans la pénombre. Quand les quatre derniers arrivés soufflèrent leurs lanternes, la salle ne fut plus éclairée que par quelques parcimonieuses lampes à huile. C'était bien le refuge des Rejets de l'Arbre Nain. Leur nombre amplifiait le sentiment d'étrangeté que Dinh avait à contempler les yeux dissymétriques, les nez rabotés, les mâchoires pendantes. Leurs petits corps disgracieux se pressaient les uns contre les autres, se fondant dans les ombres qui baignaient la pièce.

Tout à coup, la flûte se remit à jouer. Dinh sut avec une clarté incroyable que la mélodie évoquait le galop du vent et de la pluie dans des plaines inconnues. Les notes s'enchaînaient sur des arrangements nouveaux à ses oreilles : il se sentit comme renaissant à des sens insoupçonnés. Sa personne était dissoute dans cette musique obstinée, sa vision, la perception même de son corps se brouillant, s'altérant : il vit une prairie si vaste que son imagination se perdit sur ses bords ; il était le souffle puissant libéré sur un territoire à sa mesure, et il était le rideau de pluie avançant sur les herbes, gonflé puis divisé, dansant, impalpable. Il connut la fatigue d'une longue course, et la joie intense de la liberté. L'exultation se teintait de sérénité. Comment cela se pouvait-il ? se demandait Dinh alors que la mélodie prenait fin et le laissait pantelant, affamé, seul.

Dans le silence qui suivit, redevenu lui-même, Dinh aperçut enfin le joueur de flûte. Celui-ci se tenait au centre de la pièce, lui tournant le dos. La faible clarté d'une petite lanterne posée à ses pieds effleurait à peine son vêtement sombre, et sa silhouette se dérobait, tour à tour élancée puis massive dans la lumière fallacieuse. Dinh, lui-même transi, devina l'attente muette de l'auditoire qui frissonnait d'espoir.

Cette fois-ci, le chant fut plus triste. C'était l'air qu'entendent les mourants, alors que les saisit la nostalgie de leur naissance. Dinh éprouva une solitude poignante. Il vit comme un rêve impossible les retrouvailles avec ses ancêtres bienveillants. Il eut la brutale conviction d'être, comme tous les défunts, seul dans l'éternité de sa propre mort. La musique l'appela vers le désespoir, puis soudain l'enveloppa dans un amour assez tendre pour renverser le cours des saisons, et soulever le garçonnet rieur qu'il était redevenu. Le bonheur qu'il en ressentit fut si réel qu'il dut s'appuyer contre le mur.

Le joueur de flûte, qui oscillait doucement au rythme de la mélodie, s'arrêta enfin. Dinh se glissa vers la porte, entra furtivement dans le pavillon et tendit le cou pour voir le musicien. Son mouvement, si léger fût-il, déplaça l'absolue immobilité des flammes et des ombres. L'homme se retourna lentement.

Saisissant la lanterne à ses pieds, il prit la fuite. D'un bond, il enjamba plusieurs rangées d'enfants ; d'un deuxième bond, il traversa la fenêtre opposée à la porte.

Dinh fut surpris par la soudaineté des événements. Ressortant dans la cour, il vit le joueur de flûte franchir le mur d'enceinte d'un saut de démon. Haletant, Dinh chercha une sortie. N'en trouvant pas, il gravit en courant des escaliers qui menaient à une terrasse. De là, il plongea son regard au pied de la muraille. Le joueur de flûte s'y tenait parfaitement immobile, silhouette noire aux bras écartés. Il se retourna une dernière fois vers Dinh, puis s'enfonça dans la forêt à grands bonds. Bientôt sa lanterne ne fut plus qu'un point incandescent que la nuit engloutit rapidement.

Dinh étouffa un cri. La déception le disputait à l'incrédulité.

Il connaissait des généraux capables d'arrêter une armée d'une seule main, se grattant les pieds de l'autre. Ou des sœurs héroïques qui rejetèrent leurs longs seins repliés par-dessus leurs épaules, et libérèrent la patrie ainsi drapées de leurs mamelles. Mais c'étaient des faits d'armes légendaires. Un être humain qui se jouait d'obstacles aussi hauts que quatre hommes par des bonds prodigieux, non, c'était impossible.

Lorsqu'il revint sur ses pas, quelques-uns des enfants se pressaient sur le seuil du pavillon. Dans leurs visages indéchiffrables, leurs yeux luisaient comme des billes de métal. Dinh y lut de la moquerie. Il leur demanda :

— Qui était cet homme ?

Un murmure parcourut le petit groupe d'enfants, qui se concertèrent longuement. L'un d'eux s'approcha en boitillant de Dinh :

— C'est le Joueur de Pluie.

— Mais quel est son nom, je veux dire, pas son sobriquet !

Le garçon eut un sourire :

— Et nous, qui se soucie de notre nom ? A vos yeux, nous sommes les Rejets de l'Arbre Nain. Un joueur de pluie, voilà ce qu'il est pour nous. Qu'importe comment les autres l'appellent ?

Dinh trouva une lanterne, l'alluma et pénétra dans la salle. Elle était aménagée en dortoir. Plusieurs nattes râpées s'alignaient sur le sol, où la terre battue remplaçait souvent le dallage originel. Au pied de son grabat, chaque enfant avait tassé ses maigres possessions : vêtements, savates, parfois des outils de travail improvisés. Parcourant les différentes rangées, Dinh examinait les enfants assis sur leur couche, qui levaient vers lui leurs figures ravagées.

— Qu'y a-t-il derrière ce rideau ? fit-il.

Il montra de sa lanterne un renfoncement, isolé de la salle par un méchant voilage de coton.

Une toux déchirante lui répondit. Arrachée péniblement d'une poitrine haletante, elle explosait violemment par spasmes prolongés qui se terminaient dans un chuintement essoufflé.

— Laissez nos petits malades tranquilles, entendit Dinh alors qu'une main s'abattait lourdement sur son épaule.

*

Odeur de Vice serra le poing sur l'épaule maigre du jeune homme. Celui-ci se retourna, et considéra avec surprise le torse puissant et la mâchoire contractée du bonze. Puis, apparemment calme, il dit :

— Je suis envoyé par le mandarin impérial. Conduisez-moi chez votre Supérieur.

Le bonze s'exécuta, sans ouvrir la bouche, mais les épaisses veines de son cou se gonflèrent tels des serpents d'eau. Il le guida à travers un dédale de cours obscures, l'égarant volontairement afin d'attiser son inquiétude. Devant le salon du Supérieur, Odeur de Vice s'écarta, laissant l'émissaire du mandarin y entrer le premier.

Le Père Supérieur priait dans un profond recueillement, enveloppé d'un nuage d'encens à l'arôme raffiné. Ses invocations achevées, il se leva pour accueillir son visiteur. Ses traits ascétiques étaient apaisés par la méditation, et l'ombre d'un sourire serein passa sur ses lèvres fines.

— Soyez le bienvenu dans notre monastère, dit le Supérieur d'une voix suave.

Le jeune homme inclina imperceptiblement le buste, puis dit :

— Je suis le lettré Dinh, chargé de vous présenter les salutations de mon Maître, le mandarin Tân.

— Moi, Supérieur de la bonzerie, je vous supplie d'apporter mes profonds respects au mandarin. On m'appelle Grande Vie Intérieure, et le bonze derrière vous est le Second du monastère. Son nom est Parfum des Vertus Sublimes.

Odeur de Vice salua d'un bref signe de tête en réponse au regard furtif que le lettré Dinh lui coula. Il étouffa un ricanement. Le bel émissaire mandarinal que voilà ! La lumière chaude du salon révélait une veste moirée posée de guingois sur un corps qui dédaignait l'exercice. L'ourlet de la robe pourpre semblait mordu par les chiens, tout effrangé qu'il était. Les élégants escarpins relevés en nez de crapaud avaient dû carrément plonger dans la boue et nager dans les étangs.

— J'espère que vous n'avez pas trop souffert de la promenade, fit-il en grinçant des dents.

Le jeune lettré retapa son catogan quelque peu défait et se détourna avec mépris.

— Le corps d'un de vos pensionnaires a été découvert la nuit dernière dans la forêt du sud.

Grande Vie Intérieure leva la main :

— Les fidèles n'ont cessé de nous le dire toute la journée.

— Alors, vous le savez officiellement à présent. Le petit aide de l'habilleur des morts Mignon l'a identifié comme Goutte de Sang. La dépouille de l'enfant est à votre disposition chez Monsieur Mignon, si vous le désirez.

— Je chargerai un de mes frères de s'en occuper demain, promit le Supérieur gravement. Nous avons en effet un cimetière derrière le monastère pour nos bonzes et nos petits protégés.

— Le mandarin Tân souhaite vous éviter une convocation au palais. Aussi dois-je vous poser quelques questions, continua Dinh.

Le bonze flaira une menace sous ces mots prononcés avec mesure. Son regard plein de colère chercha celui du Supérieur, qui répondit avec calme :

— Que voulez-vous savoir ?

— Le nom du meurtrier, répondit le lettré froidement.

Odeur de Vice respira profondément pour contenir sa fureur. Après un moment de silence, le Supérieur rit :

— Vous avez de l'humour, pour un jeune homme grandi dans les études. Evidemment, je ferai tout mon possible pour vous aider dans votre enquête. Je parle au nom de tous mes frères.

Le lettré Dinh posa un regard dubitatif sur Odeur de Vice, puis demanda au Supérieur :

— Que pouvez-vous me dire sur la vie que menait Goutte de Sang ?

N'y tenant plus, Odeur de Vice explosa :

— Quel est le rapport avec sa mort ? Il a fait une mauvaise rencontre, voilà tout ! Les enfants empruntent des raccourcis dans la forêt, je ne cesse de leur dire que c'est imprudent.

Le lettré Dinh ne répondit pas et fit mine d'attendre.

— Les Rejets de l'Arbre Nain se rendent tous les jours en ville pour accomplir de menus travaux, fit le Supérieur. En cela, ils nous soulagent d'une charge devenue trop lourde pour nous : ils gagnent en effet de quoi se nourrir et se vêtir. Nous leur offrons l'abri du pavillon. Quant à Goutte de Sang, je ne sais pas dans quel travail il était engagé. A mon avis, ce travail pouvait changer d'une semaine à l'autre, comme c'est le cas pour la plupart des enfants : tour à tour domestiques, pêcheurs, garçons de ferme…

— Aurait-il pu déplaire à son patron ? Avait-il un défaut particulier ? Je veux dire : était-il curieux, vicieux, voleur ?

Le Supérieur secoua la tête :

— Qui peut le dire ? C'est vrai que les Rejets de l'Arbre Nain n'attirent pas spontanément l'affection des inconnus, qui s'arrêtent malheureusement aux apparences. Mais ce sont de bons enfants. En ce qui concerne le caractère de Goutte de Sang, mieux vaut poser la question à ses camarades.

— Le lettré Dinh connaît le chemin du pavillon, insinua le bonze, mauvais.

— Alors, vous y êtes invité quand vous le souhaiterez, conclut le Supérieur qui se détourna pour allumer de nouveaux bâtons d'encens.

VI

— Voilà ce que je cherchais ! s'exclama le mandarin Tân en lui-même. Fendant la foule qui se pressait en ce jour de marché, il s'élança vers une sombre gargote. Il arracha au vol une anguille et une seiche suspendues au bout d'une guirlande de poissons séchés, et s'écroula sur un banc avec ses trophées marins, tel le nageur touchant la terre ferme. Hélant un serveur pressé, il commanda trois bols de riz brut.

Depuis la visite chez Monsieur Mignon, il avait dû faire face à deux banquets donnés en son honneur, coup sur coup par le maître d'école Ba et le marchand de soie Gâm. Sous couvert de lui présenter leurs filles, ils l'avaient gavé de plats d'une richesse insurpassable.

La première fois, installé entre Monsieur Ba et son épouse, il avait subi un assaut de questions gênantes sur sa famille. Pendant qu'il cherchait une façon de dissimuler ses origines modestes sans trahir la vérité, la maîtresse de maison avait attrapé de ses baguettes laquées les morceaux de porc les plus gras, et donc les plus fameux, pour les empiler dans le bol de son invité. Ses entrailles étaient depuis lors comme graissées.

Le marchand de soieries, lui, avait essayé de le charmer sous l'emprise de l'alcool. Ne dit-on pas que le vin qui entre dans l'estomac produit les mêmes dégâts qu'un tigre dans la forêt ? Raisonnable, le mandarin Tân avait refusé que l'on entame la quatrième jarre en son honneur.

Les attentions extrêmes de Carmin jouaient également contre lui : en femme futile, elle avait soudain voulu rivaliser avec les autres maisonnées. Les cuisines du palais allaient produire les plats les plus sophistiqués et les plus fondants, lui avait-elle annoncé. Depuis, il n'était plus question que de mets raffinés, dont la mollesse prétentieuse aurait convenu à des gencives nues. Il avait suggéré avec tact de réduire les fastes, proposant même quelques menus possibles, mais Carmin s'était scandalisée :

— Un personnage de votre rang ne peut pas croquer des gousses d'ail avec le pâté de porc !

Se rappelant avec nostalgie les plats simples de son enfance, le mandarin Tân n'avait donc pas résisté à l'appel de la rue. Il avait défait son chignon d'homme respectable et tressé ses cheveux en une longue natte. Ayant enfilé une veste en cotonnade fatiguée ne jurant point avec un petit bonnet avachi, il s'était alors glissé hors du palais, et avait déambulé parmi la foule, nonchalant comme un étudiant désargenté.

A présent, il suçotait, yeux fermés, le filet d'anguille séchée dont la saveur salée lui brûlait la langue. Il attendit le moment stratégique où les chairs coriaces commençaient à se défaire pour attaquer la mastication. Alors, puissamment, tout son être engagé dans l'accomplissement de ce moment de pur plaisir, il serra les mâchoires et broya des dents. Quand la bête eut fini de résister, il passa à la seiche dure comme une semelle de cuir. Là, c'était un défi à sa mesure !

*

— Oncle, tu n'aurais pas dû lui acheter ce lampion ! Il est trop grand pour s'amuser comme un gamin avant la fête des Lanternes ! s'exclama la jeune fille.

Le secrétaire Sam sourit avec indulgence.

— Ton frère est si petit, et tes parents mettent trop d'espoirs sur lui. Alors un petit cadeau ici ou là ne le gâtera pas. Tu es déjà trop raisonnable. Mais c'est vrai, je te vois mariée d'ici deux ans !

— A ceux qui demanderont ma main, je dirai que mon oncle est un faible d'esprit, siffla-t-elle, furieuse. Cela en découragera plus d'un.

— Allons, belle comme tu es, on ne s'attardera point sur le manque d'intelligence de ton oncle ! dit-il en riant. Mais où est ton frère ?

Monsieur Sam, un moment perplexe, aperçut son neveu qui disparaissait dans un troquet.

— Viens, proposa-t-il à sa nièce, je vous offre le repas. Mais ne dis pas à ta mère que l'endroit est aussi sale.

Au premier coup d'œil, le jeune homme se rendit compte que la gargote n'était pas des plus élégantes. Des clients, regroupés autour de tables branlantes, s'exclamaient bruyamment. Ils n'interrompaient leurs rires vulgaires que pour recracher par terre une bouchée trop coriace. Seul au fond de la salle, un homme en profonde méditation gardait les yeux fermés. A y regarder de près, Monsieur Sam pouvait voir sa mâchoire carrée aller et venir. La vigueur qu'il

71

déployait dans sa mastication lui gonflait les veines du cou ; elles saillaient, sinueuses et rondes comme des ficelles. Cette vue suffit à provoquer chez Monsieur Sam une intense salivation et des douleurs aux tempes.

Ces pommettes hautes, ces sourcils nets comme des coups de pinceau, je les connais, se dit-il, intrigué. Mais ces vêtements fanés ?

L'homme ouvrit soudain les yeux. Sous le choc du regard, Monsieur Sam bafouilla :

— Mandarin Tân !

Il esquissa une courbette, mais le mandarin Tân l'interrompit en battant des bras. Monsieur Sam, surpris, s'approcha de lui et chuchota :

— Maître, que faites-vous dans ce décor sordide ?

Le mandarin Tân prit des airs mystérieux :

— Pour bien administrer la cité, il faut en connaître tous les aspects. Et cette gargote, fréquentée par les bourses les plus plates, est un lieu bien typique, ne croyez-vous pas ? Mais chut ! Ne m'appelez pas Maître !

— C'est mon neveu qui m'a entraîné ici ; malgré ses dix ans, il sait persuader ! expliqua Monsieur Sam avec un sourire. Me permettrez-vous de vous présenter ma nièce, qui est assise près de la porte ?

— Aurait-elle environ quinze ans ? demanda le mandarin Tân avec appréhension.

— Mais oui, répondit Monsieur Sam, interloqué. Comment… ?

— Facile, expliqua le mandarin Tân. Depuis que j'ai pris ce poste, on m'en a bien présenté une douzaine.

Les dernières jeunes filles lui revinrent à la mémoire. L'aînée du maître d'école, Pinceau Trempé, n'avait cessé de le jauger d'un regard sévère, comme

72

pour soupeser ses capacités intellectuelles. Quant à la fille du marchand de soie, Jonc de Roseau, elle avait la bouche large comme un brasero, prête à dévorer le salaire de son futur mari. Le mandarin Tân soupira :

— Elles étaient toutes charmantes, d'ailleurs.

Monsieur Sam comprit :

— Ne vous méprenez pas, Maître, ma nièce a un caractère de sorcière. Tous ses prétendants fuient devant ses paroles aigres comme la prune verte. C'est qu'elle n'aime pas les hommes.

— Ah bon, dans ce cas, que ces jeunes gens se joignent à nous, dit le mandarin Tân, rassuré.

Monsieur Sam fit quelques signes en direction des enfants. Un garçon à la mine éveillée et une mince jeune fille s'approchèrent.

— Je vous présente les enfants de Monsieur Ngô : voici Caprice, ma nièce, et Cerf-Volant, son frère. Les enfants, saluez le manda…

— L'étudiant Tân, dit le mandarin précipitamment, se rappelant son déguisement. Mais dites-moi, Monsieur Sam, vous êtes donc le beau-frère de l'entrepreneur Ngô ?

— C'est exact, Monsieur l'Etudiant, répondit l'autre en prenant place à la table du mandarin Tân. Et il est aussi mon bienfaiteur… Mais voici le serveur.

Ayant commandé trois soupes, Monsieur Sam reprit :

— Je suis redevable à Monsieur Ngô pour le travail de secrétaire qu'il m'a proposé. Ainsi, tout en gagnant de quoi subsister, je peux préparer les concours triennaux.

— Mais vous étiez employé aux Archives de la ville ! s'étonna le mandarin Tân. C'était un poste enviable.

— L'histoire est un peu embarrassante pour moi, répondit Monsieur Sam avec un rire forcé. En réalité, j'ai quitté ma ville natale voici deux ans, pour me rendre auprès de ma sœur malade. J'étais déjà candidat aux concours triennaux, et en ma qualité de lettré, j'ai obtenu le poste aux Archives de cette ville. J'ai démissionné l'année dernière pour passer les concours, mais hélas, j'y ai lamentablement échoué !

— Le poste aux Archives est pourtant resté vacant, remarqua le mandarin Tân.

— En effet, reprit Monsieur Sam. Mais comment reprendre mon ancien emploi sans perdre la face ?

Sa nièce Caprice ricana :

— Perdre la face ? Parle plutôt de cul, oui ! Tu t'es retrouvé l'anus cousu !

S'agitant sur son siège, Monsieur Sam s'empressa d'expliquer l'étrange pratique en vigueur dans les campagnes de la province.

Dans la région, les paysans avaient depuis toujours lutté contre les rats qui saccageaient leurs réserves de riz. Si l'on avait la chance d'en surprendre le museau dans la farine, on pouvait à la rigueur les battre à l'aide d'une longue canne de bambou. Des enfants adroits parvenaient également à en atteindre au lance-pierres. Mais c'était comme jeter des cailloux dans les nuages : pour chaque rat abattu, cent autres sévissaient impunément. La méthode la plus efficace pour combattre ces pilleurs de greniers consistait en fait à coudre à gros points l'anus de quelques mâles attrapés vivants : confrontés à l'impérieuse nécessité de se soulager et buttant contre son impossible réalisation, ceux-ci devenaient fous. Oubliant de s'enfuir, ils tournaient dans les cours en poussant des glapissements aigus. Ils se jetaient contre les murs, desquels ils rebondissaient comme des billes. Bien évidemment, ils n'avaient plus l'esprit à se gaver de grains ! Plus les jours passaient, plus les rats cousus faisaient preuve de sauvagerie contre eux-mêmes. Saignants, poussiéreux, ils passaient alors par une phase de morne agonie. Pourtant, la douleur décuplait leurs forces : à la fin, les entrailles au bord de la rupture, ils s'attaquaient haineusement à leurs congénères qu'ils trouvaient en train de déféquer avec une aisance impudente. Ils finissaient ainsi par égorger nombre de leurs semblables. L'affaire se terminait toujours dans un bain de sang que les paysans saluaient en connaisseurs.

— Ma nièce veut simplement dire que je me trouvais dans une situation douloureuse, conclut Monsieur Sam. Me voilà sans travail, avec des soucis scolaires qui me brûlent le front. Mon beau-frère l'entrepreneur Ngô, non content de m'offrir le gîte et le couvert, m'a confié alors le secrétariat de ses affaires.

— Voilà un geste qui l'honore, fit le mandarin Tân, admiratif. Mais rassurez-vous, Candidat Sam, il reste encore deux ans pour préparer le prochain concours. Et vous êtes encore jeune et inexpérimenté.

— Inexpérimenté, celui qui fait à la fois l'Epée et le Fourreau ? s'esclaffa Caprice.

Est-ce ainsi que l'on s'exprime devant un mandarin impérial ? Le mandarin Tân, furieux, se souvint soudain que Caprice le connaissait en qualité d'étudiant. Ce fut pourtant avec colère qu'il se tourna vers l'insolente pour la sermonner.

Il fut brutalement frappé par la lumineuse beauté de la jeune fille. De la ligne des sourcils à la bouche généreuse, ses traits n'étaient que grâce et fraîcheur. Les yeux en amande, presque dorés à force d'être clairs, s'ombraient de cils épais comme des pinceaux. Quant au nez, il était si petit qu'on ne pouvait que s'en attendrir. Les proportions de son visage, comme celui de l'entrepreneur Ngô, tenaient de la race féline. Mais si le père ressemblait à un puissant tigre, la fille avait la douceur d'un chat bien nourri.

Encore hébété, le mandarin Tân vit remuer les lèvres tendres qui marmonnaient quelques grossièretés bien salées. Il se pencha vers Monsieur Sam, qui savourait sa soupe avec le plus parfait détachement.

— Dites-moi, votre nièce parle-t-elle toujours de cette manière ? demanda-t-il à voix basse.

— Oui, excusez-la, Etudiant Tân. C'est peut-être une maladie, qui sait ? répondit Monsieur Sam. Mais je vous avais prévenu.

— Quel dommage ! se lamenta le faux étudiant. Je veux dire, elle ne sera pas facile à marier, malgré sa grande beauté.

— Cela chagrine ses parents, mais elle n'en a que faire : ce qu'elle exècre par-dessus tout, ce sont les soupirants. Elle est ravissante, je vous l'accorde. Savez-vous qu'elle tient sa beauté de sa mère, ma propre sœur ? Nous sommes en effet originaires de Huê.

Le mandarin Tân hocha la tête : les habitants de cette grosse bourgade étaient en effet réputés pour leurs visages racés. L'heureux oncle continua :

— Mon beau-frère a gardé d'ailleurs une villégiature dans la région de Huê. C'est une très grande propriété, toute plantée de magnifiques flamboyants.

— C'est une chance, en effet, dit le mandarin Tân en pensant à la modeste ferme paternelle.

— Vous n'y voyez peut-être qu'un luxe inutile, mais le climat de Huê est très sain. Ma sœur est de constitution fragile : aussi peut-elle échapper aux hivers trop rudes et aux étés trop secs d'ici. C'est donc pour elle que cette maison n'a jamais été mise en vente.

— Voilà qui est vraiment admirable, s'extasia le mandarin Tân, lui qui ne serait jamais riche.

Comme il était frileux, il s'inquiéta brusquement des hivers trop rudes de la région. Finement, il demanda de manière détournée :

— Excusez ma curiosité, mais cette demeure a-t-elle beaucoup servi à votre sœur ?

— Oh non, rassurez-vous ! fit Monsieur Sam qui avait percé la préoccupation du mandarin Tân. Je ne vis pas dans ces contrées depuis très longtemps, mais il semblerait que l'on n'ait pas trop à craindre du ciel ici. Cela fait au moins dix ans que mon beau-frère et ma sœur n'y sont pas retournés. Cette année-là, leur maison de Huê leur a été bien utile : la sécheresse qui a frappé la région de Quang Long était, paraît-il, terrible et sans précédent.

— Une sécheresse ici ? demanda le mandarin horrifié.

— Mais oui, Etudiant Tân ! Elle a apporté désolation dans les campagnes et famine en ville. Demandez plutôt aux habitants de la province, ils vous décriront en détail les drames qu'elle a provoqués. Toutes affaires cessantes, mon beau-frère a dû exiler toute sa famille pour quelque temps à Huê.

— Il en a ramené une folle pour servir de nourrice à mon frère, précisa Caprice. Chaque fois qu'elle me voyait, je me le rappelle maintenant, elle filait vers sa cabane, au fond de la propriété. Comme si je lui donnais des démangeaisons au trou du…

— Serveur, une soupe sucrée pour tout le monde ! s'empressa de couper le mandarin Tân.

VII

— Avance, mais avance, porc poussif ! A ce rythme on arrivera à temps pour balayer la place du marché, après que tout le monde sera rentré chez lui. Je serais parti la semaine dernière si j'avais su que ça prendrait autant de temps !

Hô le paysan donna un coup de bambou au flanc gélatineux de la bête qu'il emmenait au marché de Quang Long. Mais le cochon au museau ensaché avançait à une allure désinvolte, se roulant dans chaque flaque d'eau qu'il trouvait, maculant sa peau noire de grosses plaques de boue et d'herbe arrachée. Son maître trottinait, les nacelles de son fléau d'épaule se balançant à chacun de ses pas. Quand le cochon inconscient s'aventurait trop près de lui, il en profitait pour le caresser de la savate en l'invectivant.

Hô fulminait, de plus en plus haineux à mesure qu'il descendait de la montagne. Pourtant le jour se levait à peine au-dessus des hauteurs boisées, et les ombres se retiraient tout doucement des ravins qui bordaient la route. Depuis le lever du soleil, il n'avait rencontré personne sur cette route escarpée, et il était taraudé par la pensée que les autres paysans étaient déjà arrivés au marché et occupaient les meilleurs emplacements.

— Toi, tu ne perds rien pour attendre, fit-il, le pied prêt à jaillir, je me ferai un plaisir de te céder à un marchand chinois qui sait si bien accommoder les bêtes rétives. J'aurai une pensée émue quand on t'aura transformé en chapelets de saucisses juteuses et épicées, et que tes pieds grassouillets surnageront dans une soupe à la citronnelle.

Le paysan cracha dans la poussière et essuya son front moite avec la manche de sa tunique noire. La sueur dessinait des serpents sinueux sur le dos de son habit. Las de pousser le gros porc sur la route, il posa un instant les corbeilles de sa palanche.

Pourvu que j'arrive à vendre les bottes de cresson et le soja à cette gargotière rapace de Mère Printemps, pensa-t-il. Si elle prend en plus les œufs, j'aurai quelques sapèques à ramener à ma vieille. Elle va encore essayer de marchander, c'est sûr, mais je viens juste de cueillir ces œufs au cul des poules. Si elle veut des œufs de cent mille ans qui donnent la chiasse, elle n'a qu'à les acheter au vieux Trung, qui les vend pas cher.

Il grogna, mécontent.

Enfin, tout ça si j'arrive au marché avant la nuit. Ce porc mérite vraiment qu'un amateur de chair grasse s'intéresse de près à lui.

Cette réflexion rancunière ramena son regard sur le cochon qui s'ébattait dans une mare, peu soucieux de sa fin toute proche.

Pour soulager ses jambes, Hô s'accroupit sur les talons. Autant s'octroyer une petite chique de bétel, celle qui fait la bouche fraîche et la langue rouge. La saveur astringente apaisa son dépit. Il soupesa alors d'un œil satisfait la masse vert pâle des concombres chinois qui dépassaient d'une corbeille : c'était sa spécialité, ces courges à la peau verruqueuse, amères à en pincer le palais. Convenablement farcies avec une viande – de porc, justement –, elles devenaient un mets sublime recherché par plus d'un gourmet. Il n'était pas peu fier d'être connu au marché comme Hô le Roi des Concombres, de la même manière que Khoai avait été sacré Prince des Patates Douces et Me, le Seigneur des Tamarins. S'il continuait à produire des concombres aussi fermes et goûteux, et s'il s'essayait à la culture des gourdes d'eau, rien ne l'empêcherait l'année prochaine de briguer le titre d'Empereur des Cucurbitacées, au-dessus duquel il n'y avait rien d'autre que le Fils du Ciel.

Entre-temps, le cochon, qui avait oublié sa muselière, faisait mine d'aller croquer quelques baies dangereusement près du précipice, et Hô dut s'arracher à ses rêveries pour le poursuivre, le bâton de bambou levé. Mais alors qu'il s'apprêtait à lâcher une volée bien sentie sur le dos de la bête, un bruit lui fit redresser la tête.

Au détour du chemin, un homme en habit sombre, se découpant contre les nuages qui s'envolaient des crevasses, était penché sur un tas de tissus posé sur la route. Soudain, il leva les bras, et Hô vit qu'il tenait un rocher de la taille d'une marmite. D'un geste qui surprit le paysan par sa rapidité, l'homme assena un coup brutal au paquet informe. Hô crut entendre un craquement curieux, et le rocher roula dans l'herbe.

Tiens, pensa le paysan, on dirait qu'il essaie de broyer des noix de muscade. Peut-être est-ce un marchand d'épices en route pour le marché. Mais vraiment, il s'y prend comme un débutant. Avec cette technique-là, il sera prêt pour le marché du mois prochain, s'il ne se tord pas les reins avant.

Tout haut, Hô dit d'un ton moqueur :

— Dites donc, vous cassez des noix de muscade comme on casse des noix de coco.

L'homme se raidit, mais ne se retourna pas. Soudain, il sauta dans les fourrés et disparut dans la végétation dense des montagnes, laissant son paquet au milieu de la route.

Le paysan Hô en oublia son cochon, et s'approcha du tas de tissus.

— Mais qu'est-ce qu'il lui prend, à ce fou ?

Il s'arrêta net lorsqu'il vit que le tas de tissus était assez volumineux.

— Ce sera sans doute quelque chien enragé que son maître a tué, fit-il d'une voix forte pour se rassurer.

Du bout de son bâton, le paysan dégagea un pan d'étoffe. En effet, il vit une petite patte rose recroquevillée. Il voulut écarter le paquet du chemin, mais le bâton se prit dans un pli et défit le tas.

Enveloppé dans le tissu noirci et roide, enroulé sur lui-même comme un vieux fœtus, un pauvre corps d'enfant gisait, subitement exposé au soleil. Son crâne, que le rocher avait éclaté par endroits, conservait des bosses et des excroissances anormales, et la main sans vie serrait le vide de ses six petits doigts.

*

— Encore un des petits du monastère, fit le maire Lê en secouant la tête. C'est à n'y rien comprendre.

— Voilà qui est louche, acquiesça le mandarin Tân qui restait à une distance prudente du cadavre.

En ce jour de marché, le paysan Hô était arrivé au greffe, le visage défait, la bouche écumante, criant des propos incohérents. On avait d'abord cru que son porc avait été mordu par un chien enragé, et qu'un homme en habit sombre avait volé ses concombres amers. Mais quand enfin le paysan s'était fait comprendre, le maire avait aussitôt alerté le mandarin et s'était mis en route avec un groupe de veilleurs qui ne riaient plus. Au prix d'une marche soutenue, ils étaient enfin arrivés à l'endroit où gisait l'enfant.

Le mandarin Tân, le maire Lê et Dinh, à l'aide de petits bâtons, soulevèrent avec précaution les hardes qui recouvraient le corps. Le soleil était maintenant haut dans le ciel. Les ombres franches portées sur le cadavre n'en soulignaient que mieux la difformité : les curieux méplats étaient comme sculptés, les os mis à nu se resserraient et s'épaississaient en des configurations étranges.

Contrairement à Goutte de Sang, cet enfant n'était pas dévêtu : il portait encore une tunique cousue dans un vieux sac de grains et un pantalon recoupé à la taille de ses petites jambes arquées. Dans la chaleur réverbérée par les rochers, le corps dégageait une odeur corrompue et fade, qui fit saliver les veilleurs de dégoût. Ils se mirent tous à cracher furieusement dans les fourrés, puis s'essuyèrent les lèvres d'un pan de leurs turbans grisâtres.

S'adressant à Dinh, le mandarin Tân dit d'une voix qui tremblait un peu :

— Reconnais-tu l'enfant ?

Dinh rejeta sa longue tresse et s'accroupit. Il fit pivoter la tête abîmée de droite et de gauche, essayant d'imaginer la figure de l'enfant vivant. Il examina longuement les traits figés, tourna autour du cadavre pour le regarder sous des angles différents. Il se revit soudain parcourant le pavillon des Rejets de l'Arbre

Nain, scrutant les faces moqueuses qui se tendaient vers lui. Toutes leurs particularités, de la déformation monstrueuse d'un trait à l'absence criante d'un œil, il les avait consignées dans sa mémoire. Mais ce visage, il ne le reconnaissait pas.

— Si c'est un enfant du monastère, je ne l'ai pas vu le soir où j'y suis passé, j'en suis certain.

— Réfléchis encore, insista le mandarin, c'est sûrement un des Rejets de l'Arbre Nain... Voyons, ces chairs sont éclatées, tiens-en compte...

Mais Dinh n'en démordait pas. Fermant les yeux, il sembla conjurer des fantômes, mais continua à secouer la tête.

— Je les revois tous, ils étaient quarante-trois.

Il commença à les décrire les uns après les autres, dans une litanie où se succédaient les difformités scrupuleusement dépeintes. Impressionné, le mandarin Tân fut sur le point de l'interrompre quand un bruit de pas précipités attira leur attention.

Un inconnu dévalait la montagne par un raidillon étroit, soulevant dans sa course des nuages de poussière. Il progressait à petits pas glissés et rapides, retenant sa masse imposante dans la descente périlleuse. Il s'agrippait au passage à des buissons qui pliaient et craquaient comme sous l'effet d'une tempête. Lorsque la silhouette se fit plus distincte, le mandarin Tân reconnut un bonze à sa tête rasée et à sa robe grossière. Son large chapeau, qu'il avait repoussé par commodité dans la descente, battait lourdement dans son dos.

Mais c'est le sinistre Parfum des Vertus Sublimes ! se dit le lettré Dinh en réprimant un frisson de dégoût. Lui qu'il n'avait vu qu'à la lumière capricieuse des flammes, se dressait à présent en plein soleil, exposant sa face brutale au petit groupe d'officiels. Contrairement au veilleur qui le suivait en soufflant, il n'avait pas été affecté par la course dans la montagne : sa peau semblait froide et sèche comme celle d'un lézard. Dinh nota finement qu'il n'avait pas eu le temps de se raser le crâne, car d'affreux picots noirs s'y dressaient, serrés comme des grains de poivre.

Le bonze fit un salut sommaire au mandarin Tân puis au maire Lê, mais ignora Dinh, alors que ses yeux allèrent tout de suite à la forme immobile gisant sur le chemin. Il eut un haut-le-corps, puis se reprit.

— Je suis le Second du monastère de la Grue Ecarlate, fit-il d'une voix caverneuse. Vous m'avez fait mander.

— Connaissez-vous cet enfant ? demanda le maire Lê en allongeant son bras maigre.

Le bonze regarda de nouveau le cadavre. Lorsqu'il leva la tête, ses petits yeux, enfoncés comme des clous dans les orbites profondes, ne dévoilaient aucun sentiment.

— C'est Ecaille Rouge, dit-il simplement.

Dinh intervint :

— Il ne me semble pas l'avoir rencontré au temple quand j'y suis passé il y a quelques jours…

Les mâchoires du bonze se crispèrent. Une expression de perplexité traversa fugitivement son visage, mais il gronda, le cou gonflé, inébranlable :

— Vous faites erreur. Nos enfants rentrent tous au monastère chaque soir : il leur est interdit de vagabonder, sous peine de se faire exclure du groupe. Cette discipline minimale en fera des adultes fiables. C'était bien l'un des Rejets de l'Arbre Nain.

Ce bonze ment, c'est impossible, se dit le mandarin Tân, la mémoire de Dinh est fameuse dans toute la

84

Capitale ! Je l'ai entendu réciter des poèmes de plus de deux cents vers, après une seule lecture !

Quatre jours auparavant, Ecaille Rouge n'était pas dans le pavillon des Rejets de l'Arbre Nain, lorsque Dinh y était passé. C'était pour le mandarin Tân un fait acquis. Or, d'après les paroles de Dinh lui-même, la musique du Joueur de Pluie exerçait un attrait puissant sur les enfants. On pouvait donc supposer qu'Ecaille Rouge devait être très ennuyé d'ainsi manquer le petit récital. A moins que...

— Etait-il sourd ? demanda le mandarin Tân à brûle-pourpoint au bonze.

Celui-ci recula, surpris :

— Mais non, pas du tout ! Ni sourd, ni muet, d'ailleurs.

Dinh s'avança vers le bonze et dit d'une voix où perçait la rancune :

— Pourquoi ne pas nous dire la vérité, Bonze ? C'est bien l'infirmerie qui se trouve derrière le rideau du pavillon des enfants ?

Odeur de Vice acquiesça avec une mauvaise volonté évidente.

— Alors Ecaille Rouge était un des petits malades, n'est-ce pas ?

En se tournant vers le mandarin Tân qui ne comprenait pas, Dinh expliqua :

— Je n'ai pas vu les enfants qui se reposaient dans l'infirmerie, à l'écart de leurs camarades. J'en déduis donc qu'Ecaille Rouge devait être malade, l'autre soir.

— Oui, eh bien, vous voilà contents maintenant, Maîtres, fit le bonze avec dureté. Tout s'éclaire, pour qui veut réfléchir.

— Savez-vous pourquoi cet enfant, ainsi souffrant, se serait aventuré en dehors du temple ?

— J'en suis le premier surpris, Maître. Sans doute s'était-il rétabli.

Le mandarin Tân se redressa de toute sa haute taille et prononça gravement :

— Sachez, Bonze, que vous pouvez être puni pour tout ce que vous dissimulerez à la justice.

— Maître, répliqua le bonze d'un ton ferme, c'est le deuxième enfant qu'on nous tue de la sorte. S'il s'avérait que l'un de nos frères était coupable, croyez-moi, la justice du monastère serait plus fulgurante encore que celle de la cité.

Le maire Lê sembla apprécier cette parole, mais le mandarin Tân resta songeur. Comment se manifesterait la justice des bonzes ? se demanda-t-il, son regard descendant des poignets épais du Second à ses pieds plus larges que des battoirs. D'ailleurs, ces pieds dansaient rageusement sur place, et le bonze demanda, impatient :

— Maintenant que je l'ai identifié, avez-vous encore besoin du corps ? Quand pourrons-nous le reprendre pour le mettre en terre ?

— Nous envoyons le corps chez l'habilleur des morts Mignon pour examen. Le maire dépêchera un de ces veilleurs pour vous prévenir. Entre-temps, j'ouvrirai une enquête sur ce meurtre odieux.

Le bonze s'inclina brièvement sans mot dire et, les traits durcis, tourna les talons et regagna les hauteurs.

Le maire Lê claqua la langue d'un air désolé. La chaleur était maintenant telle que l'air tremblait au-dessus des pierres. Les hommes se tenaient silencieux. On pouvait entendre le bruissement des petits animaux et insectes qui peuplaient les rochers. L'odeur de la mort avait déjà attiré quelques grosses mouches, mais maintenant des ombres inquiétantes tournoyaient dans le ciel.

— Des vautours ! s'exclama le veilleur Foie de Crevette en levant un index frémissant.

— Maître, dit le maire Lê, il est peut-être temps…

Le mandarin Tân ordonna à deux veilleurs d'envelopper le corps dans une natte. Ils s'exécutèrent avec diligence. Quand ce fut fait, ils tinrent chacun un bout du colis macabre et prirent le chemin de la ville, poussant des cris rythmés pour se donner du courage. Ils avaient déjà disparu au petit trot qu'on entendait encore leurs ho ! ho ! résonnant dans la morne montagne.

— As-tu remarqué comme le bruit porte loin, Dinh ? dit le mandarin Tân.

Il se tourna vers le groupe de veilleurs qui avaient retrouvé un air plus serein. Du crime, il ne restait en effet plus qu'une petite aire de terre et d'herbe piétinée, finalement très propre, et les hommes qui restaient en furent soulagés.

Désignant du doigt le veilleur Thô, un homme grassouillet aux hanches larges et à la voix aiguë, le mandarin Tân ordonna :

— Toi ! Pousse des cris de femme quand je te ferai signe. Attends que je sois en haut de la côte.

A grandes foulées, le mandarin Tân remonta le chemin qu'avait emprunté le paysan Hô. Si mon expérience est concluante, se dit-il tout en courant, c'est que nous avons affaire à un meurtrier plus cruel qu'un loup. Arrivé au niveau du col, il s'arrêta. En se retournant, il vit les autres hommes réduits à la taille de scarabées. D'un geste ample, il agita ses larges manches.

En bas, on vit le signe du mandarin. Le veilleur Thô fit un pas en avant et se cambra.

— Ah, voilà l'eunuque qui va pouvoir se dévoiler dans toute sa splendeur, fit Hanh, son voisin, en lui donnant une petite tape sur les fesses.

Le veilleur Thô, furieux, lui fit une grimace qui creusa ses fossettes et allongea le cou en poussant des cris d'une voix haut perchée qu'une femme lui aurait enviée. On dut le faire taire lorsque le mandarin Tân revint près d'eux.

— Belle voix de chanteuse d'opéra chinois ! dit le mandarin Tân au veilleur gonflé de fierté.

Se tournant vers Dinh et le maire Lê, il expliqua :

— Les cris du veilleur portent au moins jusqu'au col d'où je vous ai fait signe.

Le maire Lê fit une moue d'incompréhension :

— Que vouliez-vous démontrer, Maître ?

— Le paysan Hô n'a eu conscience de la présence du meurtrier qu'arrivé pratiquement à ses côtés ; plus exactement, en débouchant de ce virage-ci, dit le mandarin Tân en désignant le premier tournant. N'aurait-il pas dû entendre les cris de l'enfant qui se défendait ?

Dinh regarda rapidement le mandarin et conclut à sa place :

— Celui qui a défoncé le crâne d'Ecaille Rouge s'acharnait en fait sur un enfant déjà inconscient.

Les veilleurs sursautèrent et se mirent à parler tous à la fois, tellement le geste leur semblait monstrueux :

— C'est un cœur de bête fauve !

— Un ventre de brute !

— Un fils de chienne !

Le mandarin demanda le silence, puis ordonna aux veilleurs de fouiller les fourrés et le chemin à la recherche de détails insolites. Ils se dispersèrent alors, agitant frénétiquement les buissons, donnant des grands coups de pieds dans les pierres.

Le maire Lê restait silencieux. De grosses gouttes de sueur coulaient sur son front ridé, et dans l'embarras, ses yeux se faisaient fuyants.

Je reconnais cette cruauté, se dit-il, son vieux cœur sautant dans sa poitrine. Ce déchaînement de violence, cette absence de compassion… Quel aveuglement ! Pourquoi ne l'ai-je pas remarqué plus tôt ? Dois-je en parler au mandarin ? Est-ce trop tard ? Il va m'exposer sur la place de la ville, avec un écriteau autour du cou pour signaler ma faute ! Un déshonneur pour mes ancêtres… D'un autre côté, s'il l'apprend par une autre source, je suis mûr pour une flagellation publique !

Sa tunique lui sembla soudain trempée de sueur, et ses orteils se recroquevillèrent de honte dans ses brodequins.

Enfin, il fit un pas en avant :

— Tout ceci me rappelle une affaire vieille de cinq ans, fit-il d'une voix très gênée.

— Comment, quelle affaire ? s'écria le mandarin Tân, surpris.

— A vrai dire, il faut que je ressorte le dossier… Cela va prendre un peu de temps, mais c'est loin, vous savez. Je dois retrouver les détails avant de vous en parler… Je n'avais pas fait le rapprochement avec le meurtre précédent…

— Il faut faire vite, Maire Lê, dit le mandarin Tân sévèrement. Un monstre vient de perpétrer deux meurtres sauvages ; si vous dites qu'il serait en fait responsable de trois crimes…

— Hum, ce serait plutôt quatre, fit le maire Lê en toussotant.

Il se tourna prestement vers les veilleurs revenus bredouilles, et cria d'une voix qui se voulait autoritaire :

— Veilleurs, tous au greffe !

VIII

— J'ai mis la main sur le dossier que je vous avais promis, Maître, fit le maire Lê alors que le mandarin Tân se courbait pour entrer dans la pièce basse de plafond.

Les murs de la salle des Archives étaient entièrement recouverts d'étagères qui ployaient sous une charge impressionnante. Entre des livres de toutes tailles, des documents aplatis avaient été insérés de force, comme après réflexion. Quelques buffets disséminés dans la pièce vomissaient leur contenu de papier, et le chemin qui conduisait vers la table de travail contournait des amoncellements de rouleaux.

Le magistrat fronça les sourcils.

— Je ne vous félicite guère pour la tenue de vos Archives, Maire Lê, dit-il en s'installant entre le mur et la table.

Regardant autour de lui d'un air étonné, le maire se gratta la tête et s'excusa :

— D'habitude, c'est mieux rangé, mais j'ai dû mettre un peu de désordre en cherchant ce dossier.

Une poussière accusatrice le fit éternuer, et le mandarin Tân regarda un instant les postillons danser dans la lumière. Le vieil homme continua :

— Depuis que Monsieur Sam a quitté les Archives, je n'ai pas trouvé de lettré suffisamment compétent pour continuer le classement des documents.

Le mandarin fut surpris de trouver à côté du dossier une sorte de panier couvert en osier. L'intérieur était tapissé de minces coussins recouverts de toile fine. Le maire Lê proposa :

— Puis-je vous suggérer de prendre connaissance de l'affaire ? Je vous expliquerai ensuite ce qu'est ce panier.

*

Les paysans couraient sur la route, la tête rentrée dans les épaules. Les plus heureux d'entre eux possédaient une cape de feuilles de latanier, qui, même si elle les faisait ressembler à une cahute rustique, les protégeait des rideaux de pluie. Les bacs qui traversaient la Rivière des Tortues venaient de dégorger leurs passagers à quai, et la foule se bousculait pour échapper à l'orage qui menaçait.

— Ecartez-vous ! cria un coolie qui courait plus vite que les autres, traînant derrière lui une charrette à bras.

Le domestique Chiffon voulut gagner le côté gauche de la route, mais son voisin se projeta violemment sur la droite. Le garçon glissa dans le fossé boueux, où il se heurta la tête contre un roc.

Quand il revint à lui, il était seul sous la pluie devenue torrentielle. Les éclairs claquaient dans le noir, illuminant les pins tordus par le vent.

N'importe quel abri fait l'affaire, songea-t-il, les yeux noyés d'eau, quand les ruisseaux de pluie menacent de m'arracher mon turban.

Comme il était familier du trajet entre le débarcadère et la ferme paternelle, il connaissait l'existence d'une grotte aux chauves-souris, un peu plus loin, à l'écart de la route. Malgré l'obscurité, il sut qu'il s'en rapprochait par l'odeur fétide qui flottait, gonflée par la lourdeur de l'orage.

Soudain, il sentit passer le souffle nauséabond de centaines de chauves-souris en vol.

Tiens, se dit-il, quelqu'un aura délogé les bêtes, car je vois une lumière. Sans doute un voyageur pris dans la tourmente comme moi.

En effet, une flamme dansait à l'intérieur de la grotte, amicale, rassurante. Chiffon, joyeux, se précipita vers elle. Au même instant, il entendit un cri effroyable, comme arraché des profondeurs de la caverne, suivi de halètements rauques. Ne sachant que faire, il s'arrêta, dégouttant de pluie. Il se rappela que des fantômes sans tête hantaient les falaises escarpées de la Rivière des Tortues, n'attendant que l'occasion de perdre les voyageurs en les attrapant par le pouce.

Un cri plus horrible encore fut suivi du fracas de la foudre tombée non loin. Chiffon hésita un instant, puis courut vers la grotte en mettant ses pouces à l'abri de ses poings fermés. Les effluves pestilentiels le suffoquaient à mesure qu'il s'avançait, guidé par la lumière. C'était une senteur de chairs en décomposition, sulfureuse et un peu sucrée. Malgré la tiédeur de la grotte, le garçon frissonnait. Prudemment, il passa la tête derrière un petit pan de roche qui faisait saillie.

A la lueur de la lanterne posée sur le sol, il vit le dos d'un homme penché sur une femme. Celle-ci était allongée par terre et, la tête renversée, se cambrait en criant de douleur. Ses longs cheveux noirs étaient étalés en éventail ; quand elle tourna son beau visage supplicié vers Chiffon, des vagues languissantes frémirent dans la chevelure lustrée.

L'homme, soudain conscient de la présence du garçon, pivota sur ses talons. La lumière chaude de la lanterne éclaira un instant son profil, mais quand il lui fit face, ses traits furent noyés dans l'ombre. Avec terreur, Chiffon vit qu'il était couvert de sang, du visage aux mains, et le devant de sa robe n'était plus qu'une tache couleur rubis. L'homme s'écria :

— Enfin quelqu'un ! Allez chercher de l'aide, elle est en train d'accoucher !

Affolé par tant de sang, bouleversé par ce spectacle interdit, le garçon bondit hors de la caverne. Ignorant l'orage, il se précipita en direction du village. Il était redescendu au niveau de la route quand il entendit pleurer un enfant.

Lorsqu'il revint avec une sage-femme trouvée avec peine dans le village, il n'y avait plus un bruit.

— Dépêche-toi, la vieille, fit-il, si tu te traînes encore comme ça, c'est sûr qu'elle va se vider de son sang !

Ce qui était vrai : sur le sol rougi de la caverne, ils virent les corps ensanglantés d'une femme nue et d'un petit garçon né sans bras ni jambes. Mais celui-ci avait déjà quatre ou cinq ans, et tous deux avaient été haineusement battus.

*

— Ces faits remontent à cinq ans, dit le maire Lê. On ne retrouva sur place que ce panier couvert et le médaillon que voici. L'enfant était couché dessus. Dans la caverne, un feu brûlait encore. Des vêtements, ainsi que la carcasse d'un deuxième panier, achevaient de s'y consumer…

Le mandarin soupesa le pendentif, qui se présentait comme un petit ovale d'argent vieilli. Une pierre verdâtre, incrustée dans le médaillon, lança un reflet terne lorsqu'il l'inclina.

Le mandarin Tân s'appuya contre le dossier inconfortable de sa chaise.

— Il faudra montrer ce bijou aux orfèvres. Sait-on qui étaient les victimes ?

— Non, hélas, et ce n'est pas faute d'avoir essayé d'obtenir des témoignages, déplora le maire Lê. Le crieur public est passé dans les moindres hameaux pour en faire l'annonce, mais c'était comme si cette femme n'existait pas.

— Décrivez-moi l'aspect de cette femme. D'après ce que vous dites, elle était belle.

Le maire Lê détourna les yeux.

— Il n'y a que Chiffon qui ait entrevu son visage, et d'après lui, oui, elle avait des traits exquis. Mais pour nous autres, arrivés plus tard sur place, hélas, Maître… son visage n'était plus qu'un amas de chairs ravagées. L'enfant, lui, portait des coups surtout sur l'arrière de son corps.

Une belle femme massacrée, le visage tailladé. Un petit enfant roué de coups, mais sur le dos, comme si le meurtrier n'avait pu supporter la vue de son visage monstrueux…

— La grotte se trouvait près du débarcadère des bacs, dit le mandarin. Il se pourrait que la femme ait été une voyageuse venue d'une lointaine région. Je suppose que l'enfant était transporté dans ce panier.

Il en souleva le couvercle, mais aussitôt relâché, celui-ci se referma avec un claquement.

Voilà qui est curieux, se dit le mandarin Tân, il n'y a pas moyen de maintenir le couvercle ouvert. Le petit a dû voyager dans le noir, comme si on le cachait.

— Le rapport dit que la jeune femme était nue quand on l'a retrouvée morte. Avait-elle ses vêtements quand le domestique Chiffon l'a vue pour la première fois, allongée sur le sol de la grotte ?

— Le garçon n'a pas été d'une grande aide. Il se rappelait que la femme était habillée de gris et que l'homme avait une robe sombre, mais c'est tout.

Ayant laissé le mandarin Tân réfléchir un instant, le maire dit doctement :

— Voici ce que votre prédécesseur, le mandarin Pham, a pensé de l'affaire : cette jeune femme et son enfant viennent de traverser la Rivière des Tortues quand un inconnu, excité par sa beauté, l'entraîne dans la grotte pour abuser d'elle. Elle se débat, ses habits se déchirent. Ayant assouvi son désir coupable, l'homme la bat à mort, mais est interrompu par Chiffon. Il le renvoie sous un prétexte astucieux, achève son crime et tue l'enfant ensuite.

Le mandarin Tân murmura pensivement :

— Oui, c'est bien une voyageuse. Les deux paniers se portaient sans doute accrochés à un fléau d'épaule. Dans l'une des nacelles, la femme avait couché l'enfant, bien dissimulé sous le couvercle, dans l'autre, qui devait être assez lourd pour faire contrepoids, elle avait placé leurs affaires de voyage, les vêtements brûlés dont vous m'avez parlé. En revanche, je ne crois pas que l'homme ait agi sur une impulsion, séduit par une belle inconnue, comme le pensait le mandarin Pham. Le meurtrier a commencé sa mise à mort avant de la déshabiller : Chiffon en a été témoin. Alors pourquoi avoir dénudé cette femme après sa mort ? Pourquoi avoir brûlé les effets des victimes si ce n'est pour empêcher leur identification ? Sans doute le meurtrier connaissait-il cette femme, ou était-il un de ses proches : si elle devait être reconnue, il serait certainement suspecté. D'autre part, ce crime n'a pas été commis dans un moment d'égarement. Non, le meurtrier a agi en toute lucidité : admirez avec quelle présence d'esprit il a renvoyé le domestique Chiffon au moment même où il donnait la mort !

Le maire haleta :

— Son prétexte était justement de simuler une naissance, alors qu'il tuait l'enfant et la mère ! Croyez-vous que c'est le même homme qui a commis les crimes contre les petits du monastère ?

— Cinq ans après, chercherait-il à reproduire son premier crime ? fit le mandarin en hochant la tête. Que s'est-il donc passé pour qu'il recommence à tuer ? Maire Lê, si nous ne trouvons pas la solution rapidement, il y a fort à parier qu'il ne s'arrêtera pas là !

IX

Tu avais promis de m'appartenir, et je t'avais sui-
vie là où commençait l'eau noire, sur les rives bruis-
santes de vie, en cette nuit qui aurait dû sceller nos
destinées.

— Suis-moi, m'avais-tu lancé, en prenant le che-
min qui serpentait entre les roseaux.

D'un geste aguichant qui dévoilait la finesse de
ton poignet, tu avais montré le lac où dansait le mince
croissant de la nouvelle lune.

J'avais toujours eu peur de cette eau qui me brû-
lait comme la morsure d'un serpent, qui me léchait de
sa langue acide, ouvrant toutes les plaies de mon
corps à son simple contact. Mais cette nuit-là, mon
corps avait oublié cette familière irritation, obnubilé
par une autre démangeaison, nouvelle et combien
plus profonde.

Je t'avais regardée te détourner avec une désin-
volture qui me rendait fou, j'avais suivi le balance-
ment de tes hanches avec une fureur qui m'était
jusqu'alors inconnue. De cette nuit je garde le sou-
venir de mes sens exacerbés, aiguisés comme les ins-
tincts d'une bête enragée. J'entendais la voix
saccadée des grenouilles cachées dans la vase, le

roucoulement rauque d'un oiseau nocturne. D'entre les senteurs mêlées – la fragrance ténue des nénuphars et la sève odorante des joncs – je distinguais ton parfum qui me faisait délirer, une trace de jasmin de Chine, le fantôme d'un parfum qui s'obtient en écrasant du doigt un bouton à peine éclos. Et dans l'ombre des saules, alors que tu levais le bras, j'avais cru voir – là où chaque jour mes yeux s'attardaient à ton insu – la naissance d'une poitrine qui avait nourri mes rêves.

Je t'ai poursuivie à travers les roseaux, plein de maladresse et ivre de folie. Tu riais en défaisant ta tunique, et j'en ai senti un coup au cœur, moi qui t'avais maintes fois déshabillée en rêve. Nue, tu t'es jetée dans le lac, et l'eau s'est refermée sur ta nudité comme pour me narguer encore davantage. J'ai plongé dans les flots, ignorant le feu liquide qui me consumait par toutes les blessures, n'écoutant que ce désir impérieux que j'avais de toi.

Je te tenais presque dans mes bras, libéré en cet instant de mon pauvre corps déchiré et habillé d'une radiance virile, je te tenais, et je ne t'aurais lâchée que quand les étoiles seraient devenues cendres et la lune poussière.

Puis j'ai senti une onde passer, s'enroulant autour de mes jambes en feu, j'ai touché de mes maigres doigts la soie de tes cheveux, et l'instant d'après tu étais sur la berge, ruisselante et rieuse, alors que je me noyais dans les flammes aqueuses, la gorge pleine de rage et les membres transis de haine.

L'homme relut son texte avec une indicible fureur. Il cassa son pinceau d'un geste délibéré. De sa main tachée d'encre, il écarta sa tunique brodée et gratta une plaie purulente dont le pus se teinta de noir à mesure qu'il la frottait. Ayant senti sous l'ongle une plaie qui se refermait, il en arracha la croûte et la fit voler. Elle vint se coller sur le manuscrit. Il éclata d'un rire dément et souffla la lampe à huile.

X

Le visage crispé de piété, l'entrepreneur Ngô faisait ses dévotions à ses ancêtres. Sur l'autel se dressaient, fichées avec raideur dans leurs socles sculptés, les tablettes funéraires de ses aïeux sur quatre générations. Gravées dans du bois de jujubier ou de santal, des inscriptions donnaient avec emphase les qualités des défunts. Tout en enfumant l'air de vapeurs d'encens, Monsieur Ngô marmonnait des prières destinées à prouver aux disparus son attachement indissoluble.

— Père, dit-il à une stèle en santal odorant, qui semblait le regarder sévèrement, je ne suis que ton méprisable fils. Accepte, je te prie, les médiocres offrandes que voici.

Entre les fleurs fraîches, il déposa de minuscules pichets d'alcool, un plateau de fruits qu'on appelait les « mains de Bouddha », des soucoupes de riz grillé et de petits pâtés à la viande. L'odeur alléchante des nourritures pour l'au-delà se mêla avec bonheur au parfum de l'encens. Puis il s'éloigna de trois pas, à reculons, et se prosterna, son fort postérieur dévotement agité.

Voilà un rituel rondement mené, se dit-il avec satisfaction.

Il se releva, le regard parcourant avec fierté la salle de réception qu'il ne devait qu'à son talent d'entrepreneur. Il songea avec rancune : Père n'était qu'un imbécile de lettré sans ambition ni possessions, s'enorgueillissant de ses poèmes aussi futiles que la fumée de benjoin. Il ne m'a laissé, à moi, son fils aîné, que ses élucubrations de vieux fou et la lamentable masure familiale.

Cette masure, l'entrepreneur Ngô l'avait grandement améliorée : ayant abattu dans sa jeunesse ce qu'il restait des murs vénérables, il avait progressivement fait édifier sur trois côtés d'une cour carrée des bâtiments aux proportions majestueuses, mais d'une élégante simplicité. Face à face, l'aile des hommes et celle des femmes étaient reliées par la salle de réception, immense préau bordé d'un triple alignement de colonnes massives en lilas de Chine. Les meilleurs artisans avaient sculpté sur toute leur hauteur des motifs bénéfiques en forme de volutes de fumée et de queues de poisson. Les belles ciselures semblaient prendre vie et s'envoler avec grâce jusqu'aux poutres porteuses.

Le riche négociant surveilla avec attention le travail des servantes dans la cour. Elles nettoyaient les pavés à grandes volées d'eau qui s'écrasaient en gerbes argentées entre les énormes pots plantés d'arbustes vigoureux. Du quartier des cuisines s'élevaient les voix excitées des domestiques pour qui la journée serait un défi : il s'agissait de savoir qui allait proposer le plat de crabes le plus subtil, à qui reviendrait la palme des plus savoureuses nouilles, qui présenterait, ronds et dorés, les pâtés croustillants dont on se souviendrait lors des prochains festins. Car le mandarin Tân allait être convié à un banquet de bienvenue des plus fastueux, qui lui révélerait l'éminente situation de l'entrepreneur Ngô.

L'ennui, c'est que le protocole veut que le mandarin militaire Quôc soit, lui aussi, invité, songea Monsieur Ngô. Frémissant de dégoût à la pensée du conseil communal qui avait failli tourner au conflit ouvert, il pensa avec quelque malaise aux répugnants enfants du Temple de la Grue Ecarlate.

Il partit à la recherche de son fils Cerf-Volant. Il l'avait chargé de prononcer le soir même un discours de bienvenue à l'assistance qui serait conquise par sa radieuse beauté, et il s'attendait à ce que l'enfant répète son texte toute la journée, jusqu'à le savoir à la perfection. Ayant dépassé le quartier des domestiques et avancé dans les hautes herbes qui poussaient à l'abandon au fond de sa propriété, Monsieur Ngô trouva le garçonnet le nez levé, musardant. Le père observa en cachette l'enfant qui, lassé d'admirer les nuages effilochés dans le ciel serein, se mit à la recherche de grillons. Il s'agissait de fouiller dans leurs minuscules souterrains avec un brin d'herbe pour en déloger les occupants. Mis face à face, les insectes belliqueux se jetaient l'un sur l'autre en un combat à mort.

— Comment ? s'exclama l'entrepreneur Ngô en se redressant de toute sa taille. Je te trouve encore à gaspiller ton temps – mon temps – à des occupations d'imbécile !

Cerf-Volant baissa la tête sans protester, pendant que son père continuait ses invectives :

— Je t'offre l'occasion de briller devant les notables ce soir, et tout ce que tu vas faire, c'est me faire mourir de honte. Ah, il est intelligent, le fils que voilà ! Tu es beau, ça, c'est incontestable, mais quelle nullité en calcul et en calligraphie ! C'en est consternant. Une honte pour notre nom, un déshonneur pour les ancêtres. Tiens, j'en ai mal au ventre, quand j'y pense.

L'enfant croisa les bras sur la poitrine, dans une attitude de résignation. En fils respectueux, il ne devait pas répondre aux critiques de son père, même pour se défendre. Faisant preuve d'une grande cruauté mentale, l'entrepreneur envoya un dernier trait assassin :

— Qu'as-tu à regarder autour de toi, pauvre nigaud ? Tu cherches ta mère ? Mais tu sais bien qu'elle ne t'aime pas plus que moi, va !

Eclatant en sanglots, l'enfant s'enfuit à travers les herbes qui poussaient presque à hauteur d'homme, acérées et mouvantes. De grosses plantes velues laissèrent des boules noirâtres accrochées au bas de ses vêtements. Cerf-Volant s'arrêta devant une cahute au toit de palme, dont les marches s'écroulaient dans la végétation. Devant la porte entrebâillée se balançaient avec nonchalance des pavots en forme de bols, couleur de lait et de chair de papaye. D'immenses libellules irisées fendaient l'air de leurs ailes diaphanes, se posant quelquefois sur des ombrelles dentelées larges comme des parasols. Les éclats de voix s'élevant du quartier des serviteurs paraissaient venir de loin, portés par un vent hésitant.

Le garçon poussa la porte branlante, en murmurant :

— Mère !

La femme qui se tenait dos à l'entrée était somptueusement vêtue d'une robe de soie grise à larges pans. Ses cheveux, retenus en un lourd chignon par un bandeau couleur de prune mûre, avaient l'éclat d'une aile de scarabée. A l'appel de l'enfant, elle se tourna avec un sourire qui disparut lorsqu'elle le reconnut.

*

Jasmin, l'enfant servante, disposa sur le plateau en étain le nécessaire pour le cérémonial du bétel : le pot à chaux rebondi dans lequel était fichée une cuillère, le couteau pour couper les noix d'arec, la boîte en cuivre dans laquelle elle avait plié les feuilles de bétel en forme de gracieux oiseaux, le crachoir pour recueillir la chique rouge. En arrivant dans la vaste salle de réception, elle se dirigea précautionneusement vers les grands bancs de bois aux dossiers fastueusement sculptés où les maîtres s'étaient installés avec leurs invités. Monsieur Ngô avait endossé une riche robe moirée, dont le reflet rougissait son teint déjà sanguin. Sa barbe sombre ressortait avantageusement sur cet écrin somptueux. Quant à Madame Ngô, sa beauté diaphane se passait de luxe ostentatoire : les couleurs les plus sobres seyaient à son air perpétuellement absent. Le couple faisait face aux invités d'honneur, les administrateurs de la province.

— Votre demeure rivalise avec les plus beaux palais ! s'exclamait le mandarin Tân avec admiration, laissant ses yeux errer sur les poutres d'où pendaient des bannières ornées de caractères bénéfiques. L'artiste qui a une si belle calligraphie doit au moins être un grand maître !

L'entrepreneur Ngô se rengorgea :

— Mon vénéré père était un fin intellectuel, mais je ne lui ai guère fait honneur en préférant le négoce aux lettres. Depuis le royaume des ancêtres, il aura au moins la consolation de voir sa petite-fille chérie,

Caprice, croître en beauté et sagesse. Elle ne fera pas mentir sa noble souche.

La jeune fille, qui était installée dans un coin de la pièce, tel un bibelot que l'on expose, s'agita inconfortablement sous le regard du mandarin. On l'avait revêtue pour l'occasion d'une tunique à cinq pans brochée, couleur cerise, serrée à la taille d'une large ceinture de soie jaune. Un pantalon souple bleu sombre et des pantoufles de cuir verni complétaient la toilette d'apparat. La servante Jasmin lui avait relevé les cheveux en deux torsades brillantes retenues au-dessus des oreilles par de longues épingles de lapis-lazuli. Une enfant magnifique, issue d'une souche littéraire sans tache, se dit le mandarin Tân, pensif.

Le mandarin militaire Quôc, imposant dans son costume officiel, fronça le nez.

— Accordez-vous tant d'importance à la naissance, Monsieur Ngô ? Votre vie serait-elle tracée par celle de vos ancêtres ?

— Quels propos étranges, Commandant Quôc, fit l'entrepreneur Ngô avec un rire sonore. Je crois, comme la plupart des gens, que la valeur d'une personne est déterminée par son ascendance et se reflète dans sa descendance. Le sang de nos pères coule dans les veines de nos enfants. Je suis le fils d'un homme estimable, et mes enfants sont sans reproche. Ne croyez pas que je me vante, mais enfin, Commandant Quôc, je me sens béni par Bouddha. Oui, je dois avoir bien du mérite, pour être récompensé par des enfants aussi parfaits !

Il s'inclina devant Madame Perle, la femme de l'officier, avec un sourire suave, et ajouta :

— Enfin, même moi, je préférerais une perdrix qui ne pond pas à une poule qui lâche des œufs pourris.

Aïe, se dit le lettré Dinh, voici que l'entrepreneur se moque du commandant Quôc, qui n'a pas de descendance.

L'officier faillit se lever, mais un serviteur vint à petits pas annoncer l'arrivée des autres invités : une foule de notables accompagnés de leurs épouses, depuis le chef de la guilde des céramistes jusqu'au maître d'école Ba. Car l'entrepreneur Ngô, magnanime, voulait régaler de ses largesses aussi bien ses admirateurs que ses détracteurs.

Après les salutations d'usage et la distribution de présents, les invités furent conduits à la vaste table parée de fleurs et de fruits pour le festin. Monsieur Ngô, submergé d'orgueil, imagina l'éblouissement de ses convives quand ils verraient la vaisselle de prix et goûteraient aux nourritures sublimes.

Car c'était un banquet d'une richesse inouïe, dressé pour quatre-vingts personnes, où les mets s'enchaînaient dans une fastueuse harmonie. Même les plats dans lesquels ils étaient servis sortaient de l'ordinaire : de véritables antiquités en grès bruni, griffé de motifs gracieux de poissons-combattants.

On trouvait la succession canonique des saveurs et des textures, l'amertume des œufs de poisson se mariant avec la douceur des citrouilles, la fraîcheur salée des oursins relevée par l'acidité du citron vert confit. Le mandarin Tân, assis à la place d'honneur, se laissait resservir sans protester, alors que Dinh, installé par les hasards du protocole devant le secrétaire Sam, restait muet, les baguettes oisives.

Le jeune secrétaire Sam était en effet charmant, ce soir. Autour de son visage ovale, ses cheveux raides étaient parfaitement lissés et ramenés en un épais chignon bas. Sa tenue gris perle était rehaussée de caractères brodés de fil rouge, formant les mots *Sages Pensées*. Dinh ne pouvait détacher son regard d'un aussi séduisant spectacle.

Même la brève apparition d'un Cerf-Volant en habits de fête, tel un petit dieu radieux, ne put le distraire. Les autres convives, eux, eurent le souffle coupé devant cet enfant délicieux qui débitait d'une voix fluette un compliment bien tourné.

— Bravo, cher Ngô, disait-on, tu es comme le paon du palais : tu as une belle demeure et une descendance aussi chatoyante que toi-même !

— Je dois ma fortune et mon enfant à la bienveillance de Bouddha, répondait l'heureux homme avec une fausse modestie flagrante. Mais avant de passer au dessert, j'aimerais faire honneur à la lune.

A son signe, deux domestiques surgirent de l'ombre qui baignait les recoins de la salle. Ils firent coulisser d'un geste dramatique les panneaux de bambou qui formaient le mur avant de la pièce. Les convives, regardant par la vaste baie ainsi ouverte, admirèrent l'éclat de la lune, immense au-dessus du portail de la demeure. Les lampions rouges qui ourlaient en double rangée les toits des deux ailes de la maison se balançaient dans la brise tiède. Ils illuminaient la cour, tout éclairée des rayons de lune, comme un décor de théâtre.

— Magnifique, Ngô ! Que la lune te soit faste !

On avait posé sur de petites tables des lanternes dans lesquelles l'air chaud faisait tournoyer des figurines collées sur un cerceau en rotin. Le mandarin, tout en savourant les gâteaux tendres qui étaient à présent servis avec du thé brûlant, se sentit envahir par un délicieux bien-être. Son regard se porta, fasciné, sur les ombres qui dansaient sur les murs de la pièce : le

Lièvre blanc pourchassait le Crapaud à trois pieds, alors que le Vieillard de la lune remuait son ventre rebondi.

Dans la cour, on avait dressé une estrade, et allumé de petites lampes sur le devant de la scène. Une troupe de musiciens prit place et, devant les auditeurs attentifs, ils attaquèrent une mélodie nostalgique. Un narrateur en robe longue, portant un chapeau noir à grandes ailes, déclamait des vers de son cru d'une voix aux accents mélodramatiques, qui oscillait entre le chant et la récitation. Remuant ses larges manches comme des ailes de papillon, il allait et venait en se déhanchant. De temps à autre, il cessait d'agiter sa guitare ronde à manche court et en tirait des notes aigrelettes. Le suivant pas à pas, un jeune compagnon ponctuait ses paroles en frappant dans un tambour. L'orchestre, composé de cithares à marteaux et de hautbois à manche, soutenait la voix du récitant avec conviction.

— Du théâtre chanté ! s'exclama le mandarin Tân, ravi.

Au cours de la représentation, la petite servante Jasmin vint se prosterner devant Monsieur Ngô. Elle chuchota humblement, prenant garde de ne pas déranger les spectateurs :

— Maître, Madame a disparu. J'ai cherché dans sa chambre…

— Comment ? s'exclama Monsieur Ngô en assenant un coup d'éventail sur la tête de l'enfant servante. Tu devais la surveiller !

Le mandarin Tân, assis à côté du maître de céans, avait entendu. S'inclinant vers son hôte, il dit à voix basse :

— Que se passe-t-il, Monsieur Ngô ?

— Ce n'est rien, fit celui-ci, en cachant sa contrariété. Ma femme est tombée malade il y a quelque temps, un coup de fièvre sans gravité, mais elle en est demeurée très affaiblie. Aussi je m'inquiète quand elle s'éclipse ainsi. Si vous voulez bien m'excuser… Continuez à apprécier le spectacle que j'ai commandé en votre honneur.

Sur ce, il se leva, rassembla les plis de son ample robe et sortit sans bruit.

Les autres invités ne remarquèrent pas son absence, captivés qu'ils étaient par la représentation magistrale. Mû par une vive curiosité, le mandarin Tân décida, lui aussi, de partir à la recherche de Madame Ngô.

Dans les cuisines, il rencontra un domestique, à qui il réclama une lanterne.

Tant pis si j'enfreins les règles du savoir-vivre, se dit-il, mais le trouble de l'entrepreneur dépasse la simple contrariété. Pour ainsi quitter un spectacle d'exception, il devait être bouleversé, avoir peur même. Craint-il que le meurtrier rôde autour de la demeure ?

Il entendit un certain remue-ménage autour des cuisines, et entrevit la large silhouette de l'entrepreneur qui s'agitait avec véhémence – sans doute en train d'accuser ses domestiques d'incompétence. Le mandarin Tân décida d'entamer ses recherches ailleurs. Sans le savoir, il s'enfonça vers les limites de la propriété. Il lui semblait en effet percevoir un faible bruissement dans les herbes, à peine audible entre les notes musicales qui saturaient l'air.

— Tiens, Cerf-Volant ! Que fais-tu ici ? fit-il en trébuchant sur l'enfant allongé dans la menthe odorante.

Les épaules de l'enfant remuèrent, et le mandarin Tân comprit qu'il sanglotait.

— Vraiment, mon petit, il ne faut pas rester là. Ne pleure pas, tu as très bien récité ton discours, tout à l'heure. Même moi, j'en fus ébloui, et le Bouddha m'est témoin que je suis un juge sévère !

Cerf-Volant eut un pauvre sourire blafard dans la lumière flottante de la lanterne.

— As-tu vu ta mère ? Ton père la cherche.

— Je sais où elle est, dit Cerf-Volant. C'est son endroit secret, une masure où j'allais jouer souvent, étant tout petit. Elle m'y accompagnait ; nous étions très heureux, alors.

— Veux-tu dire que tu es malheureux, à présent ?

— Hélas, Maître, depuis que ma mère est tombée malade, elle n'a plus toute sa tête. Et mon père me méprise.

— Ne dis pas de bêtises, voyons ! Il n'y a qu'à le voir pour comprendre combien ton père est fier de toi !

— Vous croyez, Maître ? demanda l'enfant dont les traits s'éclairèrent.

— Mais oui ! Il est des personnes dont l'amour ne peut être que pudique. Il a peut-être une attitude bourrue, comme cela, mais au fond, c'est pour mieux tremper ton caractère et faire de toi un homme de force et de courage.

Comme il dispensait ainsi ces sages paroles, le mandarin Tân, guidé par le garçon, arriva à la cahute abandonnée. Derrière les murs de jonc, quelqu'un allait et venait. Le mandarin entra dans la pièce.

Visiblement, dans le temps, cette cabane devait servir de logement à un domestique. Un lit de camp aux pieds de bambou se dressait encore dans un coin de la salle et un miroir ébréché pendait au mur. Une bassine depuis longtemps sèche avait contenu de l'eau pour la toilette, divers ustensiles rouillés s'entassaient sur des étagères branlantes.

Madame Ngô, inconsciente de la présence du nouveau venu, avait l'air de chercher quelque chose de petit. Elle soulevait des tas de chiffons, faisait mine de regarder sous le lit, remuait les nattes jetées par terre. Le mandarin vit qu'elle riait.

— Madame ! dit-il en s'éclaircissant la gorge.

Elle leva vers lui son beau visage hilare et, ravalant un rire de gorge, pouffa :

— Je ne trouve pas mon fils. Il joue encore à cache-cache, le petit chenapan !

Cerf-Volant se montra de derrière le dos du mandarin Tân, mais la belle femme se détourna, et continua en gloussant son jeu étrange.

XI

Méditation Lascive, bonze de la Grue Ecarlate, était assis sur les talons, guettant avec impatience le retour des enfants qui servaient chez Madame Printemps la gargotière. D'habitude, ils rentraient très tôt ; aussi ne fut-il pas surpris de les voir déboucher les premiers dans l'enceinte. Balançant leurs têtes déformées au bout de leurs longs cous, ils progressaient, les mains serrées sur le ventre.

Le bonze se redressa de toute sa hauteur et son ombre trapue leur masqua, tel un parasol gigantesque, le soleil encore radieux de cette fin d'après-midi.

— Qu'avez-vous pour moi ce soir ? gronda-t-il d'une voix pleine de menaces.

Comme à l'accoutumée, l'enfant le plus grand essaya de s'esquiver, mais Méditation Lascive le prit de vitesse. D'un brusque écart sur ses jambes courtaudes, il intercepta le fuyard et ricana :

— C'est la même histoire tous les soirs. Tu n'as pas compris qu'à tous les coups je gagne ?

Les enfants haussèrent les épaules en silence, résignés. De dessous leurs hardes, ils sortirent les victuailles qu'ils avaient protégées avec tant de soin. Méditation Lascive se félicita de sa grande chance : la gargotière avait laissé les enfants emporter une énorme saucisse de chien, ainsi que trois œufs à peine bouillis. Il était temps qu'il mette la main sur ce goûter : son estomac criait famine. Plus tôt dans la journée, alors qu'il était descendu en ville faire sa quête, il n'avait presque rien trouvé de mangeable : quelques gorgées d'alcool au fond de soucoupes oubliées par des charretiers pressés, des croupions de canard cireux qui pleuraient leur graisse, des nouilles sautées subtilisées à un richard presque moribond.

Laissant partir les enfants avec des menaces pour la forme, Méditation Lascive se rencogna contre un mur protégé par une urne immense et s'accroupit, prêt à déguster les friandises. Délicatement, il cassa la coquille d'un œuf. Il ne fallait pas répandre le jaune moelleux qui brillait, presque liquide, à travers le blanc translucide. Il avait toujours eu un faible pour les œufs, que l'on pouvait préparer d'une infinité de façons : battus en omelette, mélangés en quelque soupe claire et odorante, confits dans une barrique de sel et de cendres pour donner un jaune tirant sur l'or, dur et savoureux, dans les œufs de cent ans. Et même crus, ils vous coulaient dans la gorge comme un riche breuvage ou un élixir mielleux. Les yeux à demi fermés, le bonze porta à ses lèvres arrondies la coquille cassée avec précaution.

— Espèce de fiente de poule ! Tu t'écartes de ton régime végétarien !

Le bonze ouvrit des yeux ahuris. Un coup de savate avait fait voler l'œuf qu'il tenait. Comme dans un cauchemar, il le vit décrire une lente parabole avant de s'écraser sur le mur devant lui. Horrifié, il reconnut le Second du monastère à ses chevilles musculeuses. Deux autres bonzes l'encadraient, rendant la fuite impossible. Comment avaient-ils trouvé sa cachette ? Il lut sur leurs visages haineux la soif de sang. Comme une cane qui rassemble ses petits, Méditation Lascive se jeta sur les deux œufs restants, espérant les sauver des brutes en robe de moine.

— Tiens, prends ça, crapaud difforme !

Un coup de bâton admirablement précis envoya un œuf rouler dans la poussière, où, fêlé, il répandit son contenu. L'infortuné bonze poussa un cri venu des entrailles :

— Mon goûter !

— Mange plutôt ça, bouseux !

Une volée de bambous s'abattit sur sa tête rasée. Dans un effort pour se protéger le crâne, il dut lâcher le dernier œuf qui finit sous la savate du Second. Quant à la saucisse de chien, échappée des plis de sa robe de chanvre, elle dévala l'escalier de sortie, tel un tronc déraciné, en direction de la vallée.

Finalement, roué de coups, le rêve d'un en-cas copieux envolé, le bonze affamé s'abandonna aux mains cruelles de ses tortionnaires et, les bras ligotés, pathétique, se laissa mener chez le Supérieur.

*

Le novice les vit arriver tous deux à pied, alors que le soir tombait sur l'enceinte qui bourdonnait encore de prières. Leur haute stature, leurs habits officiels se détachaient sur la masse des fidèles qui allaient, le dos rond, quémander la bienveillance des dieux. Derrière eux, deux serviteurs chargés de petites malles constituaient leur seule escorte. Qu'ils semblaient invincibles, debout dans cette ultime lumière dorée du jour, où la poussière du chemin,

114

remuée, faisait comme une vapeur ! Son cœur tressaillit lorsqu'ils s'approchèrent de lui et, de leurs voix jeunes et fortes, lui expliquèrent qu'ils souhaitaient un lit pour la nuit. A leur prestance, il sut qu'il fallait en avertir le Supérieur.

Grande Vie Intérieure quitta sa table de travail. Regardant par la fenêtre en direction du Pavillon au Phénix, il reconnut la silhouette du jeune lettré Dinh. Cette fois, il était accompagné d'un homme de belle allure qui tournait la tête en tous sens, l'air de chercher quelque chose. Finalement, le nouveau mandarin veut se mesurer à nous, se dit-il. Ramenant à lui les pans de sa robe grossière, le Supérieur s'avança en souriant vers les pèlerins pour leur souhaiter la bienvenue.

— Le Bouddha laisserait-il un être humain avaler tant de nourriture en si peu de temps ? demanda à voix basse Sagesse Retenue à son voisin.

Ils se tenaient dans l'ombre, à l'écart de la table où le mandarin Tân et le lettré Dinh prenaient le repas, invités par le Supérieur du monastère. Le mandarin menait une conversation polie avec Grande Vie Intérieure, tout en étendant le bras vers les légumes en conserve au goût relevé.

— Regarde cette récolte de champignons en filaments qu'il gobe en deux bouchées, ces carrés de soja macéré qui disparaissent aussitôt servis. L'appétit de cet homme n'a pas de limite, c'est déplorable.

Sagesse Retenue se lamentait pour les réserves si longues à constituer et si chères à obtenir. Le vieux bonze calculait avec désespoir le nombre de repas que le mandarin était en train d'engloutir entre deux phrases compassées.

Son compagnon, Odeur de Vice, serrait les poings. Ce mandarin, que l'on prétendait si perspicace, remonterait-il jusqu'à leur faute ?

Le mandarin Tân se reposa sur son dossier et dit au Supérieur :

— Je vous remercie de m'avoir permis de faire une retraite dans votre monastère, Grande Vie Intérieure. Après toutes ces affaires de meurtre, il me fallait un endroit calme pour réfléchir. Et si mes réflexions n'aboutissent pas, j'ai encore l'espoir que Bouddha m'inspire un rêve prémonitoire dans lequel le meurtrier sera désigné.

Le Supérieur eut un sourire bienveillant où perçait néanmoins un soupçon d'ironie.

— Vous serez toujours le bienvenu chez nous, Maître. Vous nous honorez de votre présence, et c'est une agréable surprise pour moi de voir que la méditation vous tient tant à cœur.

Il regarda Dinh qui mâchait stoïquement des lanières fibreuses de bambou séché.

— C'est d'autant plus agréable que j'avais rencontré Monsieur Dinh dans des circonstances moins flatteuses. Vous étiez venu plus ou moins pour nous épier, si je me souviens bien ?

— Si je voulais épier quelqu'un, ce serait le bonze cuisinier, rétorqua Dinh. Il a décidément trouvé le secret de la préparation des légumes : impossible de les avaler sans les avoir consciencieusement savourés et longuement tenus en bouche.

Le magistrat intervint d'un ton affable :

— En tout cas, ce repas végétarien est fort nouveau à mon palais. Je conçois à présent qu'une nourriture aussi légère et simple favorise la méditation et conduit à la vertu. Il est clair que vous prônez tous le spirituel au détriment du charnel. Le chemin menant à la sagesse semble bien passer par l'ascèse et l'abnégation. Justement, je vous demanderai de m'excuser, car j'aimerais réciter quelques prières dans le silence de la chambre que vous avez bien voulu mettre à ma disposition.

Sur ce, le mandarin Tân se leva, suivi de Dinh. Après une longue courbette, ils s'engagèrent dans le couloir étroit qui menait à la sortie.

Dinh glissa à l'oreille de son ami :

— Il était captivant, ton discours sur la vertu et l'ascèse. On dirait que les textes des concours te reviennent à l'esprit. Mais tu aurais dû voir les regards furieux du moine derrière le pilier. Apparemment, le chemin de la sagesse ne conduit pas à la sérénité.

Le mandarin Tân le fit taire alors qu'ils débouchaient sur la cour :

— Admire l'esthétique du site, Dinh, et imprègnetoi de la paix des lieux.

Un vol léger de pipistrelles les frôla avant de quitter l'enceinte et de gagner la cime d'un flamboyant. Seuls sur l'esplanade venteuse, les deux hommes sentirent la lourde odeur des brûle-parfums sur les autels surchargés. Ils entendirent, entre deux coups de tambour à prière, la voix des bonzes invisibles qui psalmodiaient d'un ton monocorde. Un souffle d'air frais, passant à travers les buissons, s'engouffra entre les colonnes rebondies qui bordaient la cour en double rangée et fit chanter les carillons de bois accrochés aux toits.

Leurs pas résonnèrent sur le sol dallé lorsqu'ils traversèrent la terrasse pour regagner leurs chambres. Contiguës, elles donnaient sur l'allée couverte qui entourait la cour centrale.

Dinh s'étonna :

— Mais, n'allons-nous pas visiter le monastère ?

— Je viens de prendre connaissance du rapport de Monsieur Sam ; excellent, du reste. Il décrit dans les détails les travaux gigantesques à prévoir ; il est inutile d'aller vérifier tous ces points. D'ailleurs, on sent bien la décrépitude des bâtiments dès que l'on quitte la cour de façade, fit le mandarin Tân en montrant du doigt quelques statues ébréchées.

— Moi, je maintiens que ces bonzes cachent un secret au sein même de ces bâtiments, insista Dinh. Vois comme ils sont fuyants et retors.

— C'est juste. Mais notre présence parmi eux les incite à la prudence et je n'espère surprendre aucun secret par moi-même. Tu ne penses quand même pas que les bonzes vont se relever cette nuit et jouer du fouet, nous sachant parmi eux ?

— Alors, tout ce que nous gagnerons de notre excursion parmi les bonzes, c'est de nous étouffer sur des mets filamenteux. Mais nous ne découvrirons rien ici sur les meurtres. J'aurais souhaité un dénouement moins pitoyable.

— Moi, en tout cas, je ne me relèverai pas ce soir, sauf pour boire, car ces choux épicés sont si salés que j'ai l'impression d'avoir pris de la saumure de poisson avec le repas.

Saluant Dinh d'un bref mouvement de tête, le mandarin Tân entra dans sa chambre.

Les serviteurs avaient déballé sa malle et allumé les lampes à huile. La vaste pièce, réservée aux pèlerins de marque, portait les témoignages de l'ancienne splendeur du monastère. Dragons et rameaux feuillus se mêlaient en s'enroulant autour de piliers en bois de rose. A la simple lueur des flammes, les peintures bouddhiques qui ornaient les cloisons développaient la pureté de leur dessin, mais leurs couleurs passées attestaient du temps enfui. Le mandarin Tân, allongé sur son lit un peu dur, admira un instant les gravures en fleurs de lotus sur les poutres apparentes, huma la brise du soir qui apportait le parfum languissant de magnolias tardifs, et souffla ses lampes.

La terre était recouverte d'une croûte blanche, craquelée en mille endroits comme une céramique chinoise. Les arbres étaient écorchés et blancs, brûlés par un vent sec qui dévalait de la montagne sans végétation. Il cherchait en vain de l'ombre pour l'abriter de la réverbération du soleil sur la croûte. Titubant dans la fournaise, il tomba face contre terre. La surface était dure, faite de cristaux laiteux. Il y apposa la langue, une langue qui lui semblait enflée, prête à éclater, tellement il avait soif. C'était du sel. Il errait dans un paysage de sel. Soudain, il entendit le bruit de l'eau lapant un rivage invisible. Il leva la tête, et vit une grande étendue liquide, où se bousculaient des vagues argentées. Il se traîna à genoux jusqu'au bord du lac, s'étonnant un peu de son aspect visqueux et brillant, et y plongea son visage, la bouche ouverte. L'espace d'un instant, il vit son reflet, et derrière lui, le soleil, comme s'il regardait dans un miroir.

Il crut que ses poumons allaient éclater : il avait bu du métal liquide et salé.

Le mandarin Tân se réveilla en sueur, la bouche sèche et brûlante. Il cligna des yeux : la chambre était obscure, un rayon de lune glissait sur le marbre du sol. Il s'empara d'un bol de thé froid, craignant un moment que le liquide ait un goût de métal. Il avala tout ce qui restait dans la théière, heureux de sentir une bienfaisante fraîcheur dans sa gorge.

Que les esprits arrachent les membres de celui qui a préparé ces maudits choux vinaigrés et en fassent leur festin ! pensa-t-il, furieux.

Maintenant, il s'agissait de retrouver le sommeil. Le magistrat se mit sur son flanc gauche, dans la position du Lézard qui Digère. Inutile de rester dans la même posture que précédemment : cela le plongerait dans le même rêve atroce, et ce n'était pas cela son plus grand désir.

Mais le Lézard qui Digère ne ramena pas le sommeil, et le mandarin dut se résoudre à se mettre sur le ventre, dans la position de l'Anguille sous la Vague. Un léger vent cognait les stores baissés qui cliquetaient de manière obsédante.

— Misérables bonzes, il vous en cuira de perturber la tranquillité d'un magistrat de la cour. Si le coupable est l'un de vous, je le condamnerai à manger des choux assaisonnés de sel à tous les repas, fit-il tout haut.

Son cerveau vengeur et fatigué s'ingénia alors à imaginer des supplices plus affreux les uns que les autres, et pris dans l'engrenage de pensées sans logique, il commença à sombrer dans le sommeil. Alors qu'il envisageait l'écartèlement par six paires de buffles, un grattement à la porte le fit sursauter.

Irrité, le mandarin Tân sauta du lit et ouvrit la porte sans aménité.

Dans la lumière tremblotante de la lampe à huile qu'il levait à son large visage, un bonze massif attendait, le dos courbé.

— Bonsoir, Maître, fit-il d'une voix basse, pleine de conspiration contenue. Puis-je solliciter un entretien avec vous ?

En voyant le mandarin grimacer avec exaspération, le moine enchaîna rapidement :

— Je pense pouvoir vous aider dans l'affaire des meurtres.

— J'ose espérer que vos révélations méritent que l'on réveille un magistrat au repos, fit le mandarin Tân sévèrement.

— Ce que j'ai à vous dire pourrait bien me coûter ma place dans ce monastère, Maître, fit l'autre d'un ton onctueux.

— C'est bon, entrez vite, je vais réveiller mon ami.

Le magistrat frappa à coups discrets contre la porte voisine, et au bout d'un long moment, Dinh apparut.

— Tu ne me déranges pas pour aller te chercher du thé ou une gourmandise nocturne, au moins ? demanda-t-il, maussade.

— Ce sera pour la prochaine fois. Mais maintenant, il s'agit de faire des civilités à un bonze qui se targue de connaître des détails concernant les meurtres.

Nouant ses longs cheveux d'un geste expert, Dinh suivit le mandarin.

En les entendant venir, le bonze reposa précipitamment la statuette dorée qui servait de presse-papiers et se campa près de la fenêtre. La lumière de la lune joua sur son crâne chauve, sans adoucir les contours brutaux de son visage. Le nez épaté était avalé par l'ombre, mais sur la peau grêlée, illuminée de biais, ressortaient nombre de cratères et cicatrices.

Le mandarin fit entrer Dinh qui s'assit sur le bord du lit, et lui-même s'installa dans un fauteuil. Il s'adressa au bonze d'une voix officielle :

— Nous vous écoutons. Essayez d'être concis et exact.

S'inclinant d'un air faussement humble, le bonze Méditation Lascive, car c'était lui, commença :

— On m'appelle Pensée Vertueuse, et j'étais un bonze errant avant d'être récemment recruté par le bonze Supérieur. Bien que nouveau, j'ai remarqué certaines pratiques étranges dans ce monastère. Comme j'ai entendu que vous enquêtiez sur les meurtres, je me suis dit que je pourrais aider la justice à traquer les coupables. Il me semble en effet que les bonzes sont davantage portés sur la violence que la douceur. Ils se montrent fort habiles dans le maniement du fouet, je peux vous le certifier.

— Insinuez-vous qu'ils fouetteraient les enfants ? fit le mandarin.

— Et encore s'ils se limitaient à les battre ! Vous êtes-vous demandé comment des créatures aussi mal conformées pouvaient se déplacer avec autant d'aisance ? Croyez-moi, ce n'est qu'au prix d'un entraînement exténuant avec les bonzes, qui les font sauter des murs, ramper sous les escaliers, grimper aux portiques… Et gare à celui qui ne se meut pas assez vite ! Le bambou sifflant s'abat aussitôt sur son dos !

Le bonze fit saillir ses lèvres turgides.

— Enfin, il y a quelques mois, le Supérieur les a jugés prêts pour partir à la conquête de la ville. Ils gagnent leur vie à de menus travaux, prennent leurs repas chez l'employeur et reversent leurs gains à la bonzerie. Cela n'a l'air de rien, mais c'est un revenu important pour notre monastère.

— Je vois, fit le mandarin Tân. Ces pratiques ne sont pas tolérables, si les enfants ne sont pas apparentés aux bonzes.

— Je ne peux dire d'où viennent ces enfants ; cela ne fait qu'un an que l'on m'a recruté. Tout ce que je sais, c'est qu'ils ont tous à peu près dix ans. Avec leurs difformités, ils ont dû être abandonnés par leurs familles, ce sont des enfants qu'on ne montre pas.

Le mandarin Tân regarda longuement Méditation Lascive, et demanda brusquement :

— Et à vous, ils reversent quelque chose ?

La question surprit le bonze, qui réfléchit et dit doucement :

— Je ne demande rien pour moi que je ne puisse partager avec mes frères. Au contraire, je les défends des coups des autres moines. Vous ne trouvez pas curieux, vous, que des moines s'entraînent à longueur de journée aux arts martiaux ? D'après ce que j'ai pu voir, il s'agit d'un ordre venu de Chine, dont les coups sont particulièrement fulgurants.

— Vous-même, vous avez l'air de bien connaître ces pratiques de combat, fit le mandarin.

— Oh, vous savez, quand on a été bonze errant, on ne peut que se familiariser avec toutes les formes de violence.

Dinh se pencha vers le bonze dont le ventre saillait.

— Cependant, vous ne me paraissez pas un adepte d'arts martiaux.

Le bonze passa une main rude dans sa nuque et prit un air offensé.

— Je n'ai pas dit que j'étais expert en la matière, seulement que je sais reconnaître quand un coup fait mal.

— On dirait que vous ne vous sentez pas chez vous ici. Vous n'avez pas la parole tendre quand vous évoquez vos frères bonzes. Serait-ce parce que, à peine rentré, vous allez être renvoyé ? demanda le mandarin.

Le moine s'agita, changea de pied, se tourna vers la fenêtre ouverte et dit :

— C'est moi qui souhaite quitter ce milieu suspect et reprendre ma liberté. La route m'appelle, Maître, et j'ai de nouveau envie de côtoyer le petit peuple qui se montre généreux avec moi quand je viens l'édifier dans la rue. En réalité, j'aspire à professer ma foi dans le lointain royaume des Khmers. Seulement, si ces moines brutaux me retrouvent…

Comme le mandarin Tân faisait mine de ne pas comprendre, il expliqua :

— Accordez-moi votre protection, Maître, et je trahirai mes frères.

Le mandarin acquiesça solennellement. Avec un sourire sournois, le bonze écarta les plis de sa robe de chanvre et produisit une clé.

*

Abritant une chandelle qui répandait une lumière insignifiante, Méditation Lascive les emmena dans des dédales noyés d'obscurité. Pour ne pas le perdre de vue, ils devaient presser le pas, car malgré sa corpulence, le bonze avançait aussi sûrement qu'un scarabée dans les hautes herbes. Ils s'étaient dirigés vers une cour intérieure plus désaffectée que les autres, au vu de la végétation folle qui venait habiller les bouddhas de pierre et faisait du jardin un océan de verdure. Au fond de la cour, une petite bâtisse en mauvais état laissait échapper une lueur par ses murs délabrés. La bougie montrait un chemin peu utilisé qui se faufilait dans la végétation comme ces

124

méandres lumineux qui se dessinent quelquefois dans les mers.

Arrivés sur le seuil, Méditation Lascive se retourna d'un air entendu vers le mandarin et le lettré Dinh, puis introduisit sa clé dans la porte.

Ils pénétrèrent dans une pièce incongrue, dont l'élégance jurait avec la vétusté des lieux : les murs tapissés de rayonnages déversant des rouleaux par centaines indiquaient qu'elle abritait un esprit porté sur les écrits, et de petites statuettes en or, posées avec goût à côté de vases en porcelaine, trahissaient un certain amour des belles choses. Un arôme délicat de jasmin s'élevait d'un nécessaire à thé en grès pâle orné de caractères moulés. L'homme assis à la table, apparemment perdu dans l'étude d'un texte, se leva à leur entrée, après avoir replié avec soin le rouleau. Un peu plus jeune que le Supérieur du monastère, il avait des traits distingués et des yeux plus rêveurs aussi.

— Voici Esprit Ineffable, bonze de notre temple, fit Méditation Lascive à ses compagnons.

Le mandarin et Dinh le saluèrent avec déférence, impressionnés malgré eux par l'ambiance studieuse de la retraite. Dinh admirait l'abondance des rouleaux, car seules les bibliothèques officielles pouvaient en contenir autant.

— Le mandarin Tân et le lettré Dinh aimeraient en savoir davantage sur les Rejets de l'Arbre Nain, continua Méditation Lascive, et vous les connaissez particulièrement bien, à ce que j'ai pu comprendre.

Le bonze eut un sourire qui illumina sa figure d'ascète, et hocha la tête.

— Bien sûr que je les connais. Ils sont tous nos enfants. Ils nous doivent quasiment leur existence, voyez-vous. Ce sont de braves petits, à qui nous espérons trouver une famille, un jour ou l'autre. En attendant, je leur prodigue une instruction modeste, mais qui pourra leur servir plus tard, quand ils feront leur entrée dans le monde.

Il fit un geste large qui embrassa la pièce. Désignant une étagère particulièrement bien remplie, Esprit Ineffable poursuivit :

— Voilà, par exemple, tout ce qu'ils doivent savoir sur les textes sacrés de Bouddha. A apprendre par cœur, j'insiste bien là-dessus. Là-bas, ce sont les rudiments de calcul et de géométrie qui leur sont inculqués, et près de la fenêtre, vous avez des traités de philosophie qui sont enseignés aux plus doués.

— Mais, j'ignorais tout cela ! s'exclama le mandarin. Je pensais que les enfants étaient simplement hébergés dans le monastère, et contre le maigre salaire qu'ils ramènent de la ville, et que par ailleurs, vous les dressiez à coups de bâtons.

— Ce ne sont que des rumeurs que nous faisons courir, Maître, répondit le moine avec un sourire indulgent. Il n'est pas bon de dire que nous gâtons ces enfants, car les mauvaises langues pourraient en déduire que nous les utilisons pour notre propre satisfaction, si vous voyez ce que je veux dire. En fait, ils sont assez choyés ici, car comme je vous l'ai dit, ce sont pratiquement nos enfants. Qui donc s'occuperait d'eux si ce n'est nous ? Le Bouddha ne dit-il pas que les parents se doivent de mettre leurs enfants sur le chemin de la vie ?

— Vous auriez pu nous raconter tout cela, au lieu de répéter simplement les rumeurs, dit le mandarin Tân, irrité, à Méditation Lascive qui avait pris une statuette finement sculptée dans ses mains grossières.

Celui-ci se contenta de hausser les épaules, un sourire narquois aux lèvres.

— Savez-vous à quel moment les Rejets de l'Arbre Nain sont arrivés au temple ? demanda le mandarin.

Esprit Ineffable rejeta la tête en arrière et rit doucement. Lissant sa tunique d'une main décharnée, il parut s'abîmer dans un songe lointain.

— Comment les pauvres humains continueraient-ils à vivre sur cette terre hostile si nous, moines vertueux, ne priions pas pour nos semblables ? Pensez-y, Maîtres, chaque fois que la vie vous comble ! Nous implorons Bouddha pour que les récoltes soient bonnes, pour que les épidémies épargnent la cité. Justement, c'est grâce à une prière que les enfants sont arrivés chez nous. Un jour, il y a une dizaine d'années…

Le moine s'interrompit, songeur, et le mandarin se dit qu'enfin ils allaient apprendre d'où venaient les Rejets de l'Arbre Nain. Si le récit de ce moine pouvait éclaircir le mystère de leur existence, il avancerait d'un pas de géant vers la solution de ces meurtres, pensa-t-il, fébrile.

— Nous avions prié avec plus de ferveur que d'habitude, car il y avait des bruits de malheurs au-delà des frontières. Les autels étaient chargés d'offrandes, l'encens brûlait sans discontinuer. Après une nuit passée en invocations, nous nous endormîmes, épuisés. En rêve, nous avons entendu des vagissements d'enfants, un signe du Ciel.

Les yeux d'Esprit Ineffable se mirent à briller avec intensité. Les deux visiteurs, muets, guettaient les paroles du moine. Méditation Lascive avait l'air d'écouter à moitié, occupé à soupeser avec insolence un vase de prix.

— Le lendemain, une belle dame, élégamment vêtue, demanda à accoucher au temple. Comme son ventre ceint de pourpre et d'or était mûr à point, nous l'avons vite installée dans une aile privée. Aussitôt sur sa couche, elle donna le jour à ses enfants.

— Ses enfants ? demanda le magistrat.

— Mais oui ! Ses cinquante enfants, tous plus difformes les uns que les autres.

— Quoi ! s'exclama le mandarin Tân. Ne vous avisez pas de vous moquer de nous, car nous représentons l'Empereur lui-même !

— Je suis tout à fait sérieux, Maître, répondit l'autre sans se départir de son calme. Ils sont sortis de la même femme, tous les Rejets de l'Arbre Nain : c'est la dame à la ceinture pourpre et or elle-même qui leur a donné naissance, je vous le jure. Et tout monstrueux qu'ils aient été, nous les avons aimés dès le début, car ils représentaient une réponse divine à nos prières. C'est pour cela que nous sommes devenus leur père et leur mère, et que nous nous devons de prendre soin d'eux.

— Il suffit ! tonitrua le magistrat. Je ne donne pas cher de votre tête si vous persistez à répéter ce conte invraisemblable devant le tribunal impérial.

Esprit Ineffable prit un air étonné et ouvrit ses paumes en signe de bonne foi.

— Cela s'est passé de cette manière, Maître.

Le mandarin, abasourdi par tant d'impertinence, quêta du regard Dinh qui fronçait les sourcils. Méditation Lascive arborait un rictus qui lui tordait le gras du menton.

— Et comment expliquez-vous la mort ignominieuse des deux enfants que nous avons retrouvés ?

Le moine émit un claquement de langue, et eut un sourire bénin.

— Encore des rumeurs, je vous dis, Maître. Tout le monde ici sait qu'ils sont repartis chez leur vraie mère ce matin même pour se reposer. Morts ? C'est impossible, ces enfants sont immortels. Pensez-vous, ils ont été conçus par une prière à Bouddha ! Et d'ailleurs, on sait que la mort défigure les corps, et comment détruire davantage ces corps ravagés, je vous le demande ? Non, rassurez-vous, ils reviendront prochainement, et puis, souvenez-vous qu'ils ont des examens à passer. Ils ne vont pas échapper si facilement aux questions de géométrie que je leur ai concoctées, allez !

Effaré, le mandarin se tourna vers Méditation Lascive qui maintenant pouffait dans sa main. Il constata, un peu tard, que le pinceau que tenait Esprit Ineffable était sec, et que la pierre à encre n'avait pas encore servi. Dinh, n'y tenant plus, se précipita sur le rouleau sur lequel travaillait le bonze à leur arrivée, et le déroula. Il était vierge. De même que tous les rouleaux qui s'alignaient sur les étagères de la pièce.

*

— La route est bien longue, nous aurions dû demander des chevaux, fit Dinh alors qu'ils redescendaient vers la ville à contre-courant des premiers fidèles.

— Moi-même je suis un peu faible, acquiesça le mandarin. Je n'ai pas encore digéré le cuisant épisode d'hier soir.

Dinh tourna vers lui des yeux troubles, bordés de rouge :

— L'infâme Pensée Vertueuse s'est vraiment moqué de nous. Qui aurait pensé que le bonze Esprit Ineffable était fou à lier ?

Le mandarin Tân toussota, encore honteux de leur crédulité.

— Je voulais tellement croire que la solution allait s'offrir à nous, grâce à ce moine qui avait l'air si sérieux et si intelligent. Mais maintenant, j'ai compris qu'il nous faudra toute notre vivacité d'esprit pour venir à bout de ces énigmes, et qu'il est vain de compter sur le hasard pour nous livrer la réponse toute prête.

— C'est comme pour les concours triennaux, Mandarin Tân, répondit Dinh. Rien ne sert d'avoir des prières dans la bouche, si l'on n'a rien dans la tête.

Le magistrat se tapa le front, agacé.

— Nous nous sommes comportés comme les derniers des imbéciles. La pièce meublée telle une bibliothèque royale, l'atmosphère raffinée et le moine si digne... Comment dit-on déjà ?

Le fard ne fait pas la courtisane
Et l'habit ne fait pas le bonze.

Les premiers toits aux tuiles rouges apparurent entre les collines verdoyantes, puis ce furent les jardinets qui poussèrent leurs taches pourpres et jaunes à travers la brume. Le mandarin respira avec passion l'air déjà tiède.

— Nous aurions quand même dû remarquer que les quartiers étaient bien trop luxueux pour un moine ordinaire. Depuis quand possèdent-ils des bibelots coûteux et des vases de collection ?

« Il doit être bien atteint à l'étage supérieur, continua le mandarin en se tapotant la tempe, pour débiter pareilles sornettes. Cinquante enfants sortis d'une même mère, non mais, je te demande un peu...

— Tiens, même un esprit aussi superstitieux que le tien n'a pas trouvé cette histoire convaincante ? demanda Dinh, ironique.

— C'est qu'il aurait fallu davantage que quelques prières marmonnées pendant une seule nuit, je veux dire. Logiquement, ils auraient dû faire des offrandes, et à plusieurs divinités, de surcroît.

Ils marchèrent un moment en silence, repensant aux paroles d'Esprit Ineffable. Vraiment des incohérences sans fondement. Des enfants vomis par le même ventre et qui ne mouraient jamais, était-ce quelque chose qu'un être normal peut admettre ?

— Hum, fit le mandarin au bout d'un moment. Et si une partie de son histoire était vraie ?

— Quelle partie ? Celle où ils sont immortels ? Ou celle où ils naissent déjà difformes ?

— Non, non : as-tu remarqué comme le bonze ne cessait de répéter que les moines étaient leurs parents ?

Dinh dit d'un ton dégagé, ses préjugés contre les religieux refaisant surface :

— Cela ne fait que confirmer ce que je sais déjà de ces Têtes Chauves. Ils mangent gras et fréquentent la femme comme tout un chacun.

Le mandarin riposta :

— Comme tout un chacun, tu y vas un peu fort, mon ami Dinh. Non, il a insisté sur la responsabilité des moines envers ces enfants difformes. Pourquoi ? Quels liens existent entre eux ?

— Tu sais, je crois qu'il prétendait avoir de l'importance pour ces petits parce que précisément personne ne s'intéresse à lui. Tu as constaté comme moi que le chemin qui va à la bâtisse d'Esprit Ineffable est aussi fréquenté que celui qui mène à l'école pendant l'époque des moissons. D'ailleurs, les rouleaux vierges attestent clairement qu'il s'occupait de l'instruction des enfants comme moi je m'occupe de défendre nos bonnes vieilles traditions. Et en plus, le pauvre fou était gardé sous clé, non pour protéger sa retraite, mais pour qu'il ne s'échappe point. Si les méditations du saint homme arrivent à élever son esprit, alors le pet d'une blatte peut éteindre les lanternes !

— Je n'en suis pas aussi certain que toi, Dinh. Il doit y avoir une autre façon d'interpréter son récit, mais laquelle ?

Le magistrat émit un rire amer, non dénué d'admiration.

— En tout cas, ce brigand de Pensée Vertueuse nous tient. Maintenant, il nous faut vraiment lui donner notre protection pour qu'il aille se faire moine au Cambodge. Sinon, cette malheureuse histoire va faire le tour de la ville plus vite que le plus juteux des commérages... Mais cela m'étonne tout de même qu'un être aussi fourbe que lui souhaite à ce point s'exiler au royaume des Khmers fous pour continuer sa vie religieuse.

Dinh laissa tomber de la voix neutre de celui que la vie n'étonne plus :

— Là-bas, la tradition veut que les moines déflorent les vierges de douze ans.

XII

— Après une marche harassante dans la montagne, la jeune fille se rendit compte que sa vieille mère était devenue aveugle de faim. Elle tenta bien de ramasser quelques baies, mais les ravins étaient arides. En désespoir de cause, elle rassembla du petit bois et alluma un feu. S'emparant d'une hache, elle se coupa le bras gauche et le fit rôtir. Alors, elle le présenta à sa mère aveugle comme un lièvre qu'elle venait de tuer, et la vieille dame fut ainsi sauvée.

L'enfant se tut. Il leva furtivement les yeux sur le maître d'école Ba qui affichait une mine imperturbable, puis baissa la tête sur son rouleau.

— Que pensez-vous du travail de votre camarade Pastèque ? demanda Monsieur Ba à la cantonade. Ce petit essai montre-t-il de manière originale et personnelle l'étendue de l'enseignement fondamental du Maître Confucius ? Autrement dit, en quoi son texte illustre-t-il la piété filiale ?

Les écoliers se taisaient, flairant le piège. Assis en tailleur, ils formaient des arcs de cercle devant leur maître. Ils gardaient les épaules humblement arrondies, avec l'air de réfléchir intensément. La tiédeur de la terre battue sous leurs fesses, la fraîcheur de l'air emprisonné dans les cloisons de torchis, l'immobilité absolue de leurs membres, tout cela les aurait plutôt incités à la rêverie, sinon à la sieste. Mais la crainte de leur maître mobilisait leurs réflexions stériles : un bras suffit-il à nourrir une vieille dame paresseuse ?

Dans le silence, on entendait presque tomber les poils des chiens galeux qui rôdaient dans la cour.

— Alors je commenterai moi-même, dit Monsieur Ba finalement.

Soulagés, les regards se posèrent sur son crâne au sommet dégarni, couronné de longs et fins cheveux.

— Elève Pastèque, ton texte est, ma foi, bien écrit. Court, mais couvrant l'essentiel.

Les enfants hochèrent la tête, tout joyeux.

— Cependant…

Pastèque vit l'orage s'amasser lentement dans le front bombé comme les flancs d'une marmite alors que les yeux brillants du maître lançaient des éclairs meurtriers. Il se sut perdu.

— Ta mère, d'où vient-elle ?

— De… de la province du Sud, bégaya l'enfant.

— Curieux, ça, moi aussi j'en suis originaire, susurra Monsieur Ba. Et pour m'édifier, ma mère me racontait cette histoire. La tienne aussi, n'est-ce pas ?

Comme l'enfant ne répondait pas, le maître d'école se leva, les cheveux hérissés de colère. Il tonitruait :

— Comment oses-tu prétendre tienne cette fable superbe dont la beauté réside dans l'ultime sacrifice de soi ? Dans ton cerveau de simplet, jamais ne germera l'idée du suprême renoncement !

Terrible comme le typhon, il souleva Pastèque par l'oreille et le traîna vers le coin de torture réservé aux cancres, tout en grondant :

— Ta piété filiale à toi, c'est de couvrir de honte tes parents ? Que penseront-ils quand ils apprendront par ma bouche que tu n'es qu'un usurpateur sans vergogne ni talent ? Si tu dois voler, que ce soit au moins discrètement !

Monsieur Ba laissa choir son élève à genoux sur une écorce de durian tout hérissée d'épais piquants et, d'une rude poussée sur les épaules, le planta solidement sur les pointes acérées. D'un geste menaçant, il l'y consigna. Puis, hoquetant de rage, une salive dense aux coins des lèvres, il se retourna et cria :

— A qui le tour ?

Soulevant sous ses sandales de paille de petits nuages turbulents de terre rougeâtre, le maître parcourut une première fois les rangées d'enfants dont les échines s'étaient de nouveau courbées. Par une inspiration malsaine, il voulut attiser sa colère purificatrice et s'arrêta, mains croisées dans le dos, devant son souffre-douleur, un gaillard monté en graine.

— Caillou ! A toi l'honneur.

L'élève frappé par le sort déroula sa copie, s'éclaircit la gorge et lut d'une voix qui tremblait un peu :

— Le fils unique se promenait en barque avec ses parents. Ils avaient apporté des filets de pêche, et ramassèrent dans l'après-midi une belle cargaison de poissons. Ils en avaient tellement pris que le fond de la barque commença à céder. Alors le fils aîné jeta ses parents à l'eau, et accomplit ainsi le plus beau geste de piété filiale qu'on puisse contempler sur terre.

Les camarades de Caillou étaient pétrifiés d'effroi. Mais celui-ci poursuivit :

— En effet, s'il n'avait noyé que l'un de ses parents, l'autre en aurait conçu un chagrin mortel. Et s'il s'était lui-même sacrifié, qui donc aurait honoré la mémoire de ses parents, une fois ceux-ci morts ? N'oubliez pas que seul un fils peut pratiquer le culte des ancêtres et prier pour leur paix dans la mort. Je soutiens donc qu'il a agi pour le mieux.

Incrédules, les autres élèves n'osèrent applaudir devant cette solution audacieuse, guettant d'abord l'approbation de leur maître.

— Viens ici, Caillou, dit Monsieur Ba avec un sourire mince.

Comme le garçon s'exécutait, il lui prit le coude avec douceur. Puis, d'un geste rapide, il lui leva le bras ; de l'autre main, il lui saisit entre le pouce et l'index un tendre morceau de l'aisselle, tout en lui imprimant une torsion vicieuse.

— Bougre d'idiot ! fit-il en fulminant. Tu n'as pas pensé qu'il pouvait rejeter les poissons à la mer ?

La douleur fit jaillir des larmes dans les yeux de Caillou. Il vit à travers une nappe liquide les faces ahuries de ses camarades, et la silhouette de Pastèque agenouillée sur son tapis d'épines. Comme le maître d'école continuait à pincer de plus belle, il lui sembla que des fourmis lui creusaient la chair. Il cria de désespoir :

— Confucius a dit : *Les parents craignent par-dessus tout que leur fils ne soit malade !*

Mais Monsieur Ba ne lui laissa pas le temps de s'expliquer.

— Hors d'ici ! fit-il en le jetant, aisselle noircie, dans la cour.

Son acte accompli, il se retourna vers ses victimes potentielles, l'œil méchant. Il allait prendre la parole, quand la cloche émit un tintement étouffé.

— La classe est finie. Demain, il faudra méditer la parole de Confucius : *J'ai peut-être autant d'érudition*

136

qu'un autre, mais je ne suis pas encore parvenu à agir en homme honorable.

Comme la pièce se vidait, le maître d'école se ressaisit. Sa fureur était passée, laissant place à une colère sourde, qui le taraudait douloureusement à la gorge.

Voyons la citation de Caillou, se dit-il. *Les parents craignent par-dessus tout que leur fils ne soit malade.* C'est clairement une citation véridique. Ainsi, les parents veillent sur la santé de leur enfant ; c'est donc faire preuve de piété filiale que de s'accorder à leurs soucis et de prendre soin de sa propre santé. Le fils aîné a dû garder les poissons nécessaires à sa subsistance… Ce Caillou n'a pas tort, après tout.

Le maître d'école haussa les épaules. Il songea encore :

Et pas un de ses camarades pour le défendre ! Ces bons à rien sont restés là à me fixer de leurs yeux d'abeilles, bombés et stupides, mouillant leurs fronts étroits de terreur !

Il s'avança sur le seuil de la salle de classe, considérant d'un air morose les chiens faméliques qui se roulaient dans la poussière, l'air souffreteux. Des poules en liberté s'attaquèrent aux racines du manguier étique, puis se dispersèrent sans but aux quatre coins de la cour. Il pensa encore à ses élèves sans cervelle, et secoua la tête avec irritation.

Comme l'après-midi était bien avancé, il se rappela son rendez-vous avec le commandant Quôc. Il aplatit ses cheveux, essuya son front large et partit en direction de la ville.

*

— Par ici, Mère Printemps, fit le commandant Quôc, en voyant la gargotière s'avancer avec un plateau fumant.

La commère aux hanches épanouies eut un sourire rusé :

— Pas avant que vous promettiez d'envoyer vos gars manger chez moi.

— Alors j'espère que vous m'avez accommodé les meilleurs morceaux de la bête.

— Vous pensez bien : il n'y a que du râble et des cuisses, le tout a mijoté deux heures avec des châtaignes d'eau grillées, dit-elle en soulevant le couvercle du pot.

Le beau militaire huma avec satisfaction le plat délicat, guettant à la dérobée l'envie des autres clients. C'était un régal hors du commun, qu'on ne se permettait qu'une fois l'an, à condition d'en avoir les moyens ! Mais, insensible à la dépense, cet homme vigoureux s'offrait fréquemment cette friandise. Du coin de l'œil, il vit entrer le maître d'école Ba qui tournait la tête en tous sens, ses longs cheveux flottant derrière lui.

— Vous voilà, Commandant Quôc, dit-il, je vous cherchais devant la gargote.

— La seule place libre sur le devant était coincée contre le tas de pelures d'oignons, expliqua l'officier, hautain. Je n'allais pas gâcher ce plat sublime par des effluves contraires ! Je vous en laisse ?

— Non, non, fit le maître d'école qui avait sa fierté. J'ai plutôt envie d'une soupe. Mais, que mangez-vous donc ?

— C'est du chien sauvage à langue noire, attrapé dans les plaines qui bordent la mer de Chine par le neveu de la Mère Printemps.

Seul un dépravé peut se vanter de manger ce genre de gourmandise, se dit le maître d'école en fronçant le nez.

A la vue du maître Ba, la gargotière se rappela soudain que la bande de chiens errants s'était déplacée vers l'école ; son neveu aurait intérêt à les capturer avant qu'ils ne migrent ailleurs. Souriante, elle vint prendre sa commande.

Les deux hommes entamèrent leur repas, puis le commandant Quôc dit d'une voix pleine de menaces :

— L'entrepreneur Ngô est reparti à l'attaque, en essayant de séduire notre mandarin par un banquet fastueux.

— Voyez-vous, je crains que cette manifestation d'opulence n'ait diminué les chances de ma pauvre petite Pinceau Trempé. J'ai eu beau sacrifier les cochons et les volailles que m'ont offerts mes nullités d'élèves, le banquet que j'ai réussi à produire est loin de rivaliser avec celui de l'entrepreneur Ngô ! Le jeune mandarin aura vite fait de l'oublier.

Le commandant Quôc ricana :

— Croyez-vous donc être le seul à qui l'entrepreneur Ngô ait joué ce tour ?

Comme le maître Ba ne comprenait pas, il précisa :

— Vous semblez quelque peu obtus, pour un maître d'école. N'avez-vous rien remarqué de particulier, avant-hier, dans la liste des convives ?

Les sourcils du maître Ba se rapprochèrent jusqu'à se toucher, signe d'une intense réflexion.

— Non, vraiment, il y avait toutes sortes de notables.

— Mais tous les notables n'étaient pas là, n'est-ce pas ? Par exemple, pourquoi le maire Lê était-il absent ? Et parmi les invités, beaucoup ont une ou plusieurs dents contre l'entrepreneur. Ce n'est pas curieux, ça ? Pourquoi leur faire l'amitié d'un tel régal ?

— Eh bien... dit enfin le maître d'école, après un long silence perplexe.

— Je vais vous aider ! fit le commandant Quôc, impatienté par tant de faiblesse intellectuelle. Parmi les chefs de famille conviés, combien d'entre eux ont une fille aînée à marier ?

— Par mes ancêtres !

— Justement, cher Ba ! Beaucoup des invités ont, comme vous, une fille aînée, entre quinze et dix-huit ans, qui leur reste sur les bras, qu'ils cherchent à pousser dans ceux d'un mandarin impérial – celui-ci ne pouvant se contenter, c'est bien connu, d'une fille cadette. Or, par ce repas digne des princes, l'entrepreneur se moque d'eux : « Regardez comme je suis prospère, comme ma fille est magnifique » – entre nous, Monsieur Ba, elle est bien mieux que n'importe laquelle des filles de la province, non ? « Et puis, avec un fils aussi mignon, ma souche n'est-elle pas remarquable, digne d'un émissaire impérial ? »

Une ombre pleine de ressentiment passa dans les yeux furieux du maître d'école. Il finit par se résigner.

— Bon, c'est clair, aucun de nous n'a la moindre chance. Mais vous, Commandant Quôc, pourquoi vous a-t-il invité ? Vous n'avez pas d'enfant, me semble-t-il.

— Pur protocole, répondit l'autre en haussant les épaules. Ce fils de chienne a insulté mon épouse. Nous verrons à laver l'affront.

Le militaire posa ses baguettes et caressa la poignée du sabre qui pendait à ses hanches.

— Pourquoi cette inimitié ?

— Vous le savez aussi bien que moi. Il est l'appui le plus solide des bonzes dans la ville, sans doute parce qu'il fricote je ne sais quoi avec eux… Je dévoilerai leurs manigances, puis je les chasserai, dans l'illégalité, s'il le faut. Car il est hors de question que ces religieux-là viennent prendre de l'influence dans la cité.

— Ceci nous amène à la raison de notre rendez-vous… commença le maître d'école.

Mais il fut interrompu par la gargotière qui venait, un pichet d'alcool à la main, avec l'air de celle qui veut bavarder.

— Vous savez qu'un des Rejets de l'Arbre Nain s'est encore fait tuer il y a trois jours ?

— Ah bon ? fit le maître d'école. C'est bien étrange. Mais il faut dire, ce ne sont que des êtres sans éducation.

— S'ils n'ont pas d'éducation, se révolta la femme, c'est bien parce qu'on les a abandonnés !

— Dites donc, la Mère Printemps, c'est que les parents devaient être bien monstrueux pour avoir produit des avortons pareils ! s'écria le maître d'école Ba.

— Tout de même, dit la gargotière, s'il n'y avait pas eu les bonzes…

— Allons, les bonzes en ont fait leurs esclaves. Vous serez d'accord avec moi pour dire que cela sent la perversion… D'ailleurs, voyez comme ces prétendus religieux cachent dans leurs larges manches leurs mains perdues de débauche.

Le commandant Quôc, qui n'avait rien dit, éclata :

— Allez-vous-en, la vieille ! Je n'ai pas de temps à perdre avec une femelle de votre espèce !

Ainsi rabrouée, la gargotière se promit de lui réserver les plus mauvais morceaux à sa prochaine visite.

— Nous disions donc, reprit le maître d'école, que vous allez nous débarrasser des bonzes…

— Oui, et avec joie, fit le commandant Quôc.

— Mais par quels moyens ?

Pour toute réponse, l'officier tendit la main avec un sourire qui découvrait ses dents acérées. Le maître d'école soupira et sortit de sa manche élimée deux ligatures de sapèques. Comme l'officier ne retirait toujours pas sa paume, Monsieur Ba, après un court débat intérieur, rajouta une troisième ligature.

— N'ayez crainte. Elles seront bien employées. Car vous n'êtes pas seul à vouloir entretenir notre groupe de pression.

— Que voulez-vous dire ? s'inquiéta le maître d'école. Un groupe de pression ? Une milice ?

— Bien vu. Une milice qui chassera ces infâmes moines de la région. Nombre de respectables citoyens, comme vous, ont déjà versé leur contribution, afin que mes projets voient le jour.

— Qui sont ces personnes qui s'associent ainsi à nous ? J'espère que…

Le mandarin militaire se leva, l'air courroucé. Il jeta les trois ligatures de sapèques sur la table branlante.

— Vous me faites confiance, ou vous reprenez votre mise.

— Elles sont à vous, fit Monsieur Ba d'une voix résignée.

— Bon, lâcha l'autre, riant avec sarcasme. Pour faire fonctionner votre esprit un peu faiblard, voici un indice : certains de nos alliés étaient invités par l'entrepreneur Ngô en personne, à son banquet ostentatoire !

Le commandant Quôc quitta la gargote avec un ricanement sinistre. Il appréciait pleinement l'ironie de l'histoire.

*

Vêtu du vert mandarinal, la tête ceinte d'une coiffe de crin noir, le mandarin Tân pénétra dans la caserne par les grandes portes gardées de soldats à la mine impassible. Debout près des immenses lions en marbre, ils semblaient faits eux-mêmes de pierre, immobiles et silencieux. A l'arrivée du magistrat, ils se raidirent et présentèrent leurs respects. Le mandarin remarqua leur mise impeccable et leur uniforme bleu nuit souligné d'une bordure argentée. A leur poitrine, ils arboraient un insigne en forme de serpent, ce qui le surprit.

Tiens, le mandarin militaire Quôc promeut donc un ordre interne, car il n'existe pas de grade officiel à l'emblème du serpent, pensa-t-il. Il faudra lui en demander la signification tout à l'heure.

Venu en visite de courtoisie, comme il est coutume de le faire entre mandarin civil et mandarin militaire, il se proposait intérieurement de jauger un peu le fonctionnement de la caserne, car bien que ce fût le domaine du commandant Quôc, il se devait de connaître l'administration de tous les organes de sa cité. Pour l'instant, le mandarin Tân ne pouvait que constater la bonne tenue des hommes, martiaux au point de paraître rébarbatifs. Au greffe, les employés étaient d'humeur plus détendue, quoiqu'un peu guindés dans leurs habits officiels. Mais ici, les soldats avaient l'air de prendre au sérieux leurs fonctions, et s'ils arboraient une expression froide et brutale, le mandarin l'attribuait à leur travail. D'ailleurs, la caserne lui semblait bien plus calme que le greffe, qui résonnait souvent du bruit de discussions oisives et des rires qu'on essayait de faire taire, de crainte que le maire Lê ne se mette à sévir. Cependant, pour l'heure, cette visite était l'occasion pour le mandarin Tân d'approcher son collègue militaire, dont les propos menaçants à la sortie du conseil communal l'avaient piqué à vif. Il n'était pas question de se laisser intimider par un soldat quand on représente l'ordre civil, et s'introduire sur son terrain était une sorte de provocation à laquelle le commandant Quôc ne resterait sans doute pas insensible.

Un garde à la démarche hachée le guida vers la salle centrale, en passant par la grande cour dallée, dépourvue d'arbres et écrasée de soleil, parsemée simplement de quelques jarres où poussaient des plantes grasses. De chaque côté s'élevaient des bâtiments aux fenêtres étroites, sobres et pratiques. Ils gravirent des marches, puis s'engagèrent dans un couloir ouvert qui longeait la cour.

Au bout, la salle principale de la caserne s'ouvrait comme un antre de fraîcheur. Le mandarin sentit un souffle froid en émaner et se plut à rester un moment dans la brise. Dans la pénombre de la pièce, penché sur un plan, le commandant Quôc était en train de discuter avec un aide. Même voûté, il en imposait avec ses épaules développées qui soutenaient solidement un cou musclé. Le mandarin Tân, ennemi du laisser-aller corporel, admira en lui-même la carrure de son collègue, et se dit qu'il respirait une force qu'il ne fallait pas sous-estimer.

A l'annonce de l'arrivée du mandarin Tân, le commandant replia la carte et renvoya son aide. Lissant sa tunique, il s'inclina.

— Soyez le bienvenu dans la caserne des Cobras Combattants, dit-il. Je me réjouis de votre visite : elle ne fera que renforcer le lien entre l'armée et le peuple par nos personnes interposées.

Ses yeux, méfiants malgré les paroles de bienvenue, trahissaient sa gêne. Sans doute se demandait-il si le mandarin Tân allait aborder le sujet du Temple de la Grue Ecarlate et rappeler les propos agressifs qu'il avait tenus l'autre soir. Mais le magistrat se contenta de rendre la civilité.

— Je suis impressionné par l'aspect impeccable de vos troupes, Commandant Quôc. Elles ont l'air très disciplinées et bien préparées. Je me demandais justement en quoi consistait leur entraînement, car il est réconfortant de savoir que la cité est protégée par des hommes connaissant leur métier.

Le commandant eut un sourire qui plissa sa peau grêlée. Pour l'instant, il n'était pas question de s'affronter sur le cas du temple, et il sembla baisser sa garde. Embrassant la cour d'un geste ample, il dit :

— Je mets un point d'honneur à soigner leur préparation physique, car on ne sait jamais quel danger peut menacer une cité comme la nôtre, bien placée sur les rives d'une rivière commerçante, et point de passage incontournable vers les montagnes du Nord. Les invasions barbares ne sont pas inconnues dans la région, comme nous l'indiquent les textes historiques, et même des troubles internes peuvent se fomenter pour peu que notre vigilance faiblisse. C'est pourquoi leur programme d'entraînement est des plus poussés : ils doivent être en mesure de répondre au moindre problème, et ceci dans les délais les plus courts.

Ses mâchoires puissantes se contractèrent, faisant saillir les muscles de son visage, et son regard se durcit.

— Mais je suis d'avis que la force dissuade la force, et que nous ne devons pas attendre que l'on nous fonde dessus pour réagir. Il faut inspirer la peur pour faire fuir les ennemis potentiels.

Le mandarin Tân ne l'interrompit pas, bien qu'ayant une autre opinion sur le sujet, mais ce n'était pas le moment de disserter avec le commandant Quôc. Celui-ci prit son silence pour un assentiment, et poursuivit :

— Puisque vous semblez vous intéresser à la matière, Maître, je vous propose de faire un bref tour de la caserne, afin que vous constatiez vous-même les moyens que nous déployons pour être les meilleurs.

Le commandant Quôc tourna les talons, et d'un pas ferme le mena à travers des couloirs silencieux avant de s'arrêter à une porte décorée de pointes métalliques. Poussant le battant des deux mains, il pénétra dans la vaste pièce, suivi du mandarin Tân. Ils se trouvaient dans une salle équipée de divers agrès qui sentait la sueur et la souffrance. Cinq militaires en nage s'en servaient à tour de rôle. Une espèce de cheval empaillé, que le soldat devait franchir les pieds joints et sans élan, permettait de renforcer les muscles du jarret. L'un des officiers, attaché par les pieds à deux anneaux en fer, essayait de relever lentement son torse pour que sa tête touche enfin ses genoux. Un autre, debout avec les bras et les jambes écartés, subissait les assauts d'un sac de sable gros comme un veau qui pendait à une corde, et qu'un compagnon lâchait sur lui en poussant des cris rauques.

— Un excellent exercice pour le ventre de l'un et les bras de l'autre, commenta le mandarin militaire Quôc.

Le mandarin Tân se demanda à quoi servaient les autres appareils : une chaîne dont les maillons épais semblaient noircis de sang séché, un bélier hérissé de piques sur lesquelles pendaient encore quelques lambeaux d'étoffe.

Mais déjà son collègue l'entraînait vers une autre salle : dans celle-ci, un militaire campé sur ses jambes, les yeux bandés, était la cible vivante de deux compagnons, qui lui lançaient à tour de rôle des javelots à la pointe acérée. Bien que ne voyant pas arriver les projectiles, l'homme en percevait le sifflement et, pivotant rapidement sur lui-même, parvenait à les écarter en vol. Le mandarin hocha la tête, consterné. C'était là un mouvement que seuls les maîtres de combat arrivaient à dominer parfaitement. Connu sous le nom de l'Eventail des Dagues, il était enseigné seulement aux plus méritants.

— Comment se fait-il que vos hommes aient une si bonne pratique des arts martiaux, Commandant Quôc ? N'est-ce pas là l'une des bottes jalousement gardées des maîtres ?

Surpris, le commandant le regarda :

— J'ignorais qu'un mandarin civil pouvait être connaisseur des ces pratiques martiales. Mais vous avez raison : nous travaillons ces mouvements, car ils se montrent très utiles dans le corps à corps. Moi-même, j'ai bénéficié de ces enseignements durant mes études militaires, et ici, nous avons mis sur pied une petite section spécialisée dans les arts martiaux, dont la mission est d'effectuer des patrouilles de reconnaissance sans avoir à transporter des armes lourdes et encombrantes.

— Sans doute êtes-vous les seuls dans les environs à avoir une telle maîtrise, ce qui explique l'efficacité de vos troupes.

— Exact, répondit le commandant d'un ton péremptoire. Je vous le répète, nous sommes les meilleurs, et c'est pour cela que nous arrivons à maintenir l'ordre dans cette ville qui voit passer des marchands venus d'on ne sait où, des immigrants louches, à qui nous inspirons le désir d'aller s'installer ailleurs, sans parler de la racaille chinoise qui doit être cantonnée dans les bas-fonds.

— Mais pour un travail aussi difficile, avez-vous assez d'hommes ?

— Bien sûr, rétorqua le commandant Quôc en se redressant. Nous devons refuser des candidats chaque année, tellement la fonction est réputée parmi les jeunes gens de la ville.

Le mandarin Tân prit un air étonné, et dit :

— Pourtant, la caserne me semble bien vide, car à moins qu'ils ne soient tous à table, je ne vois pas beaucoup de soldats dans les locaux.

Il y eut l'ombre d'une hésitation dans le regard du commandant, mais il répondit aussitôt :

— Vous êtes un observateur hors pair, cher collègue. En effet, ils sont pour la plupart en mission de surveillance à travers la cité. Grâce à ces patrouilles permanentes, nous évitons des ennuis plus gênants par la suite.

— Ah, je comprends. Sans doute est-ce pour cela que vous avez instauré un ordre interne. Car je n'ai pu que remarquer l'insigne du serpent qu'arboraient vos hommes.

Le commandant Quôc eut un battement de cils de trop.

— Décidément, rien ne vous échappe, Mandarin Tân. Oui, j'ai effectivement pris l'initiative de mettre en place cet emblème qui permet de rallier les hommes sous une même cause. De même que le serpent se faufile partout, invisible, nous nous insinuons parmi la population, silencieux et vigilants. Et de même que sa détente est foudroyante, notre frappe ne pardonne pas. Alors, gare à ceux qui se dressent sur notre chemin !

Si le mandarin Tân perçut la menace latente que cachaient ces paroles, il n'en laissa rien paraître, et ce fut d'un pas décidé qu'il quitta la caserne après des formules convenues.

XIII

Odeur de Vice, bol de prière dans une main, badine de rotin dans l'autre, déambulait à pas lents dans le pavillon des Rejets de l'Arbre Nain. Les enfants avaient pris position chacun devant son grabat, tête baissée, redoutant la revue quotidienne que le Second effectuait avec une sévérité inaltérable.

— On ne mange pas devant moi, petit monstre ! tonna-t-il en surprenant Calebasse en train de porter à sa bouche une boulette de riz gluant. Un coup de trique suivit aussitôt, envoyant le repas de l'enfant à travers la fenêtre.

Le bonze, les deux mains prises, rajusta d'un coup d'épaules sa robe grossière qui le serrait aux entournures. Plus menaçant que jamais, mis en colère par cette grave offense, il grogna :

— Vite, vos sous, je n'ai pas toute la nuit. Les prières de l'heure du Cochon m'attendent.

Pendant un long moment, on n'entendit que le tintement de dizaines de sapèques docilement déposées dans la coupelle de cuivre. Il ne faisait pas bon garder au fond de sa tunique une pièce oubliée, car l'œil vigilant du bonze était prompt à compter la recette, malgré la lumière blafarde qui régnait dans le dortoir.

Faisant trébucher l'argent dans le bol de prière, Odeur de Vice eut un rictus sardonique. Les gains pécuniaires, c'était de la broutille, une simple compensation pour les quelques nattes infestées de puces suceuses de sang. Il attendait une autre sorte de gratitude de la part de ses petits protégés, pour leur avoir trouvé à grand-peine un métier en ville. Il fit volteface, parcourant en sens inverse l'allée centrale. L'air qu'il déplaçait dans son mouvement balaya les enfants d'un souffle mauvais.

— Toi, fit-il à Peigne Croûteux, à toi de commencer ce soir.

L'enfant fit un pas en avant, croisa les bras sur la poitrine en signe de grand respect, et débita d'une voix monocorde :

— A midi, j'ai vu ma patronne, la gargotière Printemps, préparer un plat pour le commandant Quôc. Le chien qu'elle avait dépecé avait la peau galeuse, et elle n'a pas pris la peine de gratter les plaies.

— Miam, miam ! ricana Odeur de Vice.

Il songea : ce fat de mandarin militaire l'aura bien mérité, s'il lui pousse des bubons sur la Tige de Jade, ou plutôt sur le Ver à Soie. Quant à la gargotière, il serait facile, en temps voulu, de la menacer d'une comparution devant la cour mandarinale pour empoisonnement d'un officiel.

Bourru, il donna de petites tapes avec le bâton sur la tête pelée de Peigne Croûteux.

— Un bon point pour toi d'avoir dénoncé les agissements du bonze Pensée Vertueuse, cela nous a permis de lui servir le châtiment qu'il méritait. Seulement, tu l'as laissé faire pendant des mois. A l'avenir, c'est sur-le-champ qu'il faudra nous rapporter de tels méfaits.

Il assena un coup sec sur l'épaule de Peigne Croûteux pour illustrer son propos.

— Sachez, enfants, qu'il vous en coûterait tout autant qu'au frère renégat de détourner une partie de vos gains, ou de garder des informations pour vous. Le Supérieur et moi devons tout savoir de ce qui se passe en ville.

Se campant devant Ombre de Singe, il tonitrua :

— Toi, tu as intérêt à avoir trouvé mieux que la dernière fois. Que fait le tailleur Tau à part boire et parier sur les coqs ?

— J'ai constaté, Maître, que mon patron garde les chutes de tissu précieux, même conséquentes, au lieu de les restituer à ses clients. Et aujourd'hui j'ai vu son jeune jardinier Jujubier se déshabiller. J'ai reconnu l'étoffe de son caleçon : c'était la soie pour les pantalons de l'orfèvre Hoa.

Ce salaud de Tau est-il intime avec un mignon ? s'interrogea Odeur de Vice.

A voix haute, il ordonna à Ombre de Singe :

— Demain, tu fouilleras dans les malles du jardinier Jujubier pour creuser davantage cette affaire prometteuse. Si tu détectes dans son linge de corps le coup de patte du tailleur, alors là, nous tiendrons du concret.

Il suffit ensuite au bonze d'un regard pour interroger les autres enfants. Les uns après les autres, ils sortirent du rang pour parler, humblement inclinés, selon un rituel immuable.

— Moi, commença Spatule, j'ai fait un peu de calcul. La semaine dernière, le marchand d'alcool Riêu a reçu trois jarres d'alcool de ginseng très cher. Il en a vendu l'équivalent d'une jarre, mais il en reste toujours trois en réserve. Il a coupé l'alcool de ginseng avec de l'alcool de riz.

Encore un cas de fraude à ajouter sur la liste déjà longue des tromperies de ce négociant en alcools, se dit le bonze avec satisfaction.

— Mon maître, le chef de la guilde des orfèvres, Monsieur Hoa, est parti livrer des bijoux à un client de la Province de Noble Bannière, dit ensuite le minuscule Cédrat Fripé. Il était escorté par un soldat.

Un nouveau tour du Ver à Soie militaire ! s'exclama en lui-même le bonze, fiévreux. Il va lui en coûter, de débaucher les serviteurs de l'Empereur pour des besognes privées !

— Combien l'orfèvre Hoa a-t-il payé son escorte ? demanda-t-il.

L'enfant annonça un montant exorbitant. Le Second siffla entre ses dents. Il le tenait, ce bon Ver à Soie ! Déjà, la semaine précédente, l'officier avait prêté une poignée d'hommes au propriétaire Long pour déloger d'une métairie une famille de paysans paresseux. Usant de son ascendant sur ses soldats, le militaire Quôc les vendait en effet au plus offrant, s'enrichissant ainsi sur le dos de l'Empereur lui-même. C'était un cas limite d'insubordination à l'autorité. Très, très intéressant...

Calebasse s'éclaircit la gorge.

— C'est toujours la même chose chez l'habilleur des morts Mignon. Mon patron renifle les morts et les détrousse à l'occasion. Aujourd'hui, il a rasé les cheveux d'une pauvre mendiante pour les vendre en perruque.

— Bah ! fit Odeur de Vice, magnanime, voilà qui ne me paraît pas trop grave.

Enfin, il se planta devant La Cendre, petit aveugle dont la peau grise se desquamait. Son meilleur espion, le fleuron de sa troupe. Les clients du lupanar où il travaillait en début de soirée étaient abusés par sa cécité, et ne se cachaient pas de ce petit domestique à l'air discret. Mais son ouïe aussi aiguisée qu'une dague pouvait plus sûrement encore leur être fatale. Car s'il n'y avait rien de honteux à fréquenter les dames qu'on paie, il en allait autrement quand des pratiques particulières s'ébruitaient.

L'enfant nomma les visiteurs qu'il avait reconnus à leurs voix. Comme on pouvait s'y attendre, nombre de coolies et de petits commerçants se complaisaient dans des ébats tarifés. Mais de bons pères de famille, branches maîtresses de leurs clans, se laissaient également aller à des comportements que le Bouddha réprouve, ne parlons pas du Maître Confucius. Odeur de Vice se frotta les mains en pensée. Il y en avait pour tout le monde, vraiment, il devait aller consigner tout cela sans plus tarder sur ses rouleaux avant de les soumettre à un Supérieur secrètement ébloui.

Ver à Soie fut encore une fois mentionné, et le bonze jubilait. Apparemment, c'était un régulier du lupanar, et ses goûts étaient des plus exécrables.

— Rien sur le mandarin Tân ? Ni sur son freluquet d'inspecteur des études ? demanda Odeur de Vice, plein d'espoir.

— Non, Maître, mais c'est vraiment curieux, quelque chose d'inattendu s'est produit. Une jeune fille, j'en mettrais ma main au feu, est venue épier les couples en pleine action. Elle se tenait dans un coin de la galerie, regardait à travers un store. Ce n'est pas bien, n'est-ce pas ?

— Non, en effet, c'est fort vilain… Mais, tu dis, une jeune fille ? Très jeune ? s'exclama le bonze, le cœur bondissant dans la poitrine.

— Toute jeune, c'est certain, j'ai effleuré comme par mégarde sa main : une peau douce comme un pâté de riz. Et sa voix, si enfantine… Car elle parlait tout en regardant. Elle n'arrêtait pas de marmonner des obscénités.

*

A pas pressés, Odeur de Vice se dirigea vers le pavillon du Supérieur, certain de posséder des révélations de bonne tenue, transcrites scrupuleusement sur son rouleau de papier. Son excitation le portait plus vite que le vent, il filait avec assurance à travers les couloirs obscurs et sautait impatiemment les escaliers effondrés. Le Supérieur le regarda entrer, sans même un sourire ; son visage portait les marques d'une profonde préoccupation.

Grande Vie Intérieure prit des mains du Second le rouleau chiffonné, le déroula et fronça les sourcils. C'était une pauvre littérature, où les caractères tracés avec maladresse étaient constellés de fautes. Le Second n'est pas imbattable sur le plan intellectuel, déplora-t-il en lui-même. En revanche, les nouvelles semblaient très riches.

— Que pensez-vous de la fille de Monsieur Ngô, qui va épier les ébats obscènes ? se félicitait Odeur de Vice.

— C'est insoupçonnable, et inespéré, concéda le Supérieur.

Sa main fine se tendit vers une coupe de thé fumant, qu'il but pensivement. Une expression de fureur contenue passa sur son visage ascétique.

— Sais-tu, frère Second, que le frère geôlier n'a pas retrouvé la clé ?

— La clé de chez frère Esprit Ineffable ? s'exclama Odeur de Vice, interloqué.

— Ce matin, il a fallu défoncer la porte pour lui permettre de sortir se soulager, dit le Supérieur d'un air sombre. Le malheureux a beau se croire pur esprit, il a fini par ressentir cruellement les affres du corps.

— Le frère geôlier est pourtant très fiable, remarqua le Second. On lui aurait donc volé la clé ?

— Je le crains.

— De toute façon, Esprit Ineffable ne s'est pas échappé, vous le savez bien.

— Certes, fit le Supérieur. Espérons tout de même qu'il n'ait pas reçu de visite inopinée, car notre pauvre frère fou aime parler. Et ce qu'il raconte réserve parfois des surprises.

XIV

— Maître Dinh, allez-vous donc encore au temple ? s'étonna l'intendante Carmin, en courant un peu pour rattraper Dinh, qui remontait la route à grands pas.

— Ah, Carmin, c'est le mandarin Tân qui le veut. J'ai ordre d'assister à l'entraînement des bonzes.

— Vous avez bien quelque chose à demander au grand Bouddha ? Sur terre, il n'y a personne qui n'ait un vide à combler.

Carmin est presque jolie, avec sa taille fine et ses épaules graciles, se dit le jeune homme en regardant la servante de plus près. Celle-ci avait revêtu des habits moins chatoyants qu'à l'accoutumée, et le bleu sombre de sa tunique seyait à son teint clair. Par quelle chance le vieil intendant s'est-il trouvé une épouse aussi jeune ? pensa encore Dinh. A voix haute, il répondit :

— Moi, vous savez, je ne crois pas que les prières puissent modifier le cours de notre vie : elle est déjà écrite comme le trajet des choses célestes. Une prière pourra-t-elle faire se rencontrer la lune et l'étoile polaire ? Ce que nous pouvons faire, c'est vivre en personnes honorables, en élevant notre esprit et en vénérant nos parents.

La foule compacte essayait de passer par l'étranglement du portail. Dinh se trouva serré contre Carmin, et joua des coudes pour s'ouvrir un chemin. L'intendante avait l'air un peu défaite et regardait autour d'elle, intimidée.

— Maître Dinh, pensez-vous que ma prière ait des chances d'être exaucée ? Il y a tant de monde, tant de vœux formulés…

— C'est comme je vous disais, Carmin, fit Dinh en riant.

Le jour s'était à peine levé que la première cour du Temple de la Grue Ecarlate était déjà tout enfumée d'encens et que les offrandes empaquetées s'entassaient sur les plateaux. Les bonzes dirigeaient les fidèles vers les salles de prière, avec une mine sérieuse et compassée.

— Vous voilà toute pâle, Carmin, remarqua Dinh. Venez par ici, nous aurons plus d'air.

En familier des lieux, Dinh la guida vers une petite terrasse latérale, où s'allongeait l'ombre d'un figuier verdoyant. Carmin s'éventa en s'asseyant sur un banc de pierre. Elle dit :

— Je vous prie de me laisser vous confier ce qu'à aucun autre homme je n'oserais dire, car vous êtes bon et me semblez étrangement différent des autres.

Comme Dinh ne bronchait pas, l'intendante poursuivit :

— Après des années d'attente infructueuse, me voilà porteuse d'une bonne nouvelle.

— Je vous en félicite. La lignée de l'intendant Hoang sera donc perpétuée de noble manière. Ne dit-on pas que c'est dans les vieilles huîtres que l'on trouve les plus belles perles ?

— Je crains fort qu'il ne s'agisse de l'unique bourgeon sur la branche sèche. L'arbre tutélaire de mon mari manque de sève, se plaignit la jeune femme. C'est donc la dernière chance pour lui d'avoir un enfant mâle qui puisse accomplir le culte des ancêtres de notre clan, lorsque nous ne serons plus là.

— Si vous venez prier Bouddha pour avoir un garçon, je dois vous prévenir qu'il n'entend qu'une fois sur deux.

— Non, non, vous n'y êtes pas. J'ai appris en ville une chose assez merveilleuse concernant ce temple : il paraîtrait que les bonzes proposent une cure miraculeuse qui permet d'avoir justement un garçon. Elle est chère, mais j'ai ici quelques bijoux.

Elle sortit à la dérobée de sa manche un petit sac qui, entrouvert, laissa briller des éclats précieux : des boucles d'oreilles ouvragées, des broches où s'enroulaient des billes de jais, un bracelet épais d'un vert opalin.

— C'est beaucoup d'argent, fit Dinh en sifflant. Prenez garde qu'on ne vous trompe pas sur cette cure.

— Les serviteurs de Bouddha sont au-dessus des bassesses de l'homme commun, affirma Carmin.

— Ecoutez, Carmin, reprit Dinh que le prix des bijoux impressionnait, je vous accompagne chez le Second du monastère, que je connais un peu. J'ai mes entrées ici, et je serai plus rassuré pour vous.

L'intendante suivit docilement le lettré, à trois pas derrière lui. Ils s'arrêtèrent à l'entrée de la dernière cour, celle qui bordait l'enceinte. C'était de loin la plus vaste de toutes, et elle servait d'évidence de terrain d'entraînement aux bonzes.

— Ce sont vraiment de beaux hommes, chuchota Carmin, le souffle coupé.

Les plus jeunes moines avaient enlevé leurs tuniques en chanvre et, torse nu, se tenaient en rang, jambes écartées, prêts à affronter leur instructeur. L'ascèse et le rythme de vie rigoureux avaient sculpté leurs corps en des formes harmonieuses et des contours fermes. Le travail journalier au soleil avait donné à leur peau des couleurs qui allaient du rose crémeux au noir d'ébène, en passant par le cuivre poli et l'or brun. En plein effort, leurs muscles fins brillaient de sueur.

Incroyables, ces Chinois ! pensa Dinh, admiratif. Pourvu que leurs visages juvéniles ne se durcissent pas comme celui de leur brutal Second...

Odeur de Vice, car c'était justement lui l'instructeur, brandissait un large sabre et fit un signe de tête. Un des jeunes moines sortit du rang et s'élança vers lui en trois bonds aériens. Prenant un appui sur le ventre du Second, il s'éleva dans les airs, où il décrivit une trajectoire gracieuse. En retombant, il dégagea le sabre des mains épaisses avec un coup de pied léger, dont l'impact était parfait. L'arme fila vers le ciel. Ebloui par le soleil, le jeune homme tenta de la rattraper, mais elle se présenta à lui par la lame. Il referma rapidement ses mains à plat. Cette prise fut insuffisante pour résister à la poigne du Second qui s'était retourné, le dos très droit, pour agripper le sabre par la poignée lors de sa descente. Victorieux, il pressa le fil de la lame contre la gorge du novice en roucoulant :

— La prochaine fois, si tu es encore vivant, n'envoie pas le sabre vers le soleil.

Humilié, le jeune homme regagna l'extrémité de la rangée, méditant l'enseignement de son maître.

Ce fut le tour d'un autre jeune bonze de s'attaquer au Second, qui avait repris sa pose initiale, les bras au-dessus de la tête, le sabre levé. Dans sa lente approche vers son adversaire, le novice gardait les genoux très écartés, le bassin oscillant près du sol, les bras arqués en une parodie de danse. Le Second, les yeux baissés sur le jeune homme, comme fasciné, ne contrôla plus l'immobilité du sabre, l'espace d'un battement de paupières. L'imperceptible déséquilibre le surprit, et il leva les yeux. Ce fut suffisant pour le garçon : d'un insensible appel de ses pieds posés à plat sur le sol, il bondit, jambes écartées, pour s'arrimer à la taille musculeuse du maître, tandis que ses bras se refermaient sur son cou de taureau. Pour se dégager de l'amant importun, Odeur de Vice se jeta de tout son poids sur le ventre. Mais le dos arrondi du jeune bonze, en touchant le sol, se détendit souplement comme une liane qu'on libère : desserrant son étreinte, il envoya son aîné faire une lourde culbute au ras des pavés. Le sabre glissa au loin.

En se relevant, les deux adversaires se saluèrent, le beau novice incliné avec respect devant le maître vaincu. Le héros égratigné émit un grognement bourru, et décréta une pause. Les jeunes gens refluèrent près du puits pour se rafraîchir.

Avisant les deux spectateurs, le Second vint à eux en quelques enjambées.

— J'espère que vous vous êtes bien distrait au spectacle de jeunes gens en mouvement, fit-il à l'adresse de Dinh.

— J'y ai pris en effet plus de plaisir que je ne le pensais, répondit le lettré. Mais je suis venu accompagner cette jeune femme qui souhaite vous parler d'une cure miraculeuse…

Le bonze se tourna vers Carmin et dit :

— Je suis désolé, Madame, nous n'effectuons plus ces cures.

— Mais, j'ai de l'argent…

— M'avez-vous compris ? Nous ne pouvons rien faire pour vous.

Il s'efforça de se radoucir :

— Vos offrandes au Bouddha seront en revanche les bienvenues. Maintenant, si vous voulez bien m'excuser, je dois reprendre l'entraînement.

Dinh s'attarda un instant à admirer les évolutions pleines d'audace des bonzes. Carmin, elle, se désolait et secouait la tête en marmonnant :

— C'était ma dernière chance.

— Avant de redescendre au palais, je vous invite à vous restaurer dans le monastère, Carmin. Cela vous soulagera de votre travail, pour une fois.

*

Sagesse Retenue, le vieux bonze cuisinier, reconnut le lettré qui, l'avant-veille, accompagnait le mandarin glouton. Un moment inquiet, il se rappela que l'appétit du jeune homme était raisonnable ; ce fut donc avec amabilité qu'il s'approcha des deux convives déjà attablés.

— Que souhaitez-vous manger, Maître et Maîtresse ?

Carmin se récria :

— Je ne suis qu'une pauvre femme, je ne permettrais pas qu'un noble bonze me traite de Maîtresse !

Le vieil homme sourit avec indulgence.

— Nous voudrions encore de ce plat végétarien que vous avez mijoté la dernière fois. Car c'est un repas que le mandarin Tân a trouvé inoubliable.

Enchanté, le cuisinier les servit et les regarda manger. Dinh tendit la main vers le pichet d'eau fraîche et dit :

— Vénéré Bonze, cette jeune femme est venue dans ce monastère afin de suivre la cure pour laquelle il est célèbre.

— Hélas, Maître, il y a bien longtemps que nous ne la proposons plus, et c'est fort dommage, car les pèlerins affluaient de toute la province et propageaient notre notoriété largement au-delà de cette ville.

— Je constate que le temple reste toutefois très fréquenté…

— Cela n'a plus rien à voir. Les seuls fidèles qui viennent encore sont originaires d'ici. Ils ne louent plus les chambres, l'hôtellerie reste inoccupée pendant de longs mois. A l'époque, elle ne désemplissait pas, et je dois bien l'avouer, cela faisait rentrer de l'argent.

— Je ne comprends pas pourquoi vous avez cessé ces activités si intéressantes. Il y a certainement de la demande.

— Vous ne poseriez pas cette question, si vous aviez connu la terrible sécheresse de l'année du Chat, dit le bonze en prenant place à la table comme s'il avait une longue histoire à conter.

Au début de leur grossesse, les dames désireuses d'un enfant de sexe masculin logeaient dans les ailes réservées aux visiteurs. Pendant plusieurs semaines, elles se baignaient dans des bassins d'eau de source et suivaient un régime d'aliments préparés à base de cette même eau. La clientèle était aisée, car bien peu de familles pouvaient rassembler assez de richesses pour payer une cure aussi coûteuse. Les maris accompagnaient souvent leurs épouses, ce qui procurait au monastère des revenus supplémentaires en repas servis et en chambres louées. Sans compter que les parents comblés couvraient le temple d'offrandes à la naissance de leur fils.

Mais vint la funeste année du Chat, où le Ciel décida de punir les hommes pour leur insouciance. Il était déjà trop tard quand on s'inquiéta de l'absence de la pluie qui déferlait régulièrement de la mer de Chine, gonflée par sa longue course au-dessus de l'air humide des océans. Les hommes se mirent à scruter les nuages qui semblaient aussi secs que la poussière soulevée sur les chemins. On s'adressa alors aux sorciers et aux mages qui préconisèrent de stériles sacrifices. La sécheresse s'était installée, et ni les cris, ni les prières ne purent arrêter le terrible désastre qui s'abattit sur la Province de Haute Lumière.

La forêt fut la première à souffrir. Les palmes gracieuses se refermèrent comme des poings de vieillards. Les lianes souples qui enlaçaient les hauts arbres se délitèrent en poudre impalpable qui aveuglait les voyageurs. Puis d'inexplicables feux explosèrent çà et là, chassant les villageois de la jungle, étouffant les petits animaux dans leurs terriers. L'air, perpétuellement saturé de fumée, tendait un voile pernicieux et blanc sur le ciel malade. Le soleil, encore haut dans sa course, prenait alors la couleur du Cœur de Bouddha, et se couchait noir comme un âtre éteint.

La belle terre arable de la vallée jaunit et se craquela en profondes fissures assoiffées d'eau. Faute d'irrigation, faute de lumière, les récoltes moururent sur pied, et le bétail affamé errait dans les campagnes moribondes, avant de tomber dans la dernière agonie.

Quelques-uns des citoyens les plus riches rassemblèrent leurs possessions et s'exilèrent dans des contrées plus clémentes. Les hommes moins fortunés, eux, réussirent à survivre, car les rivières étaient encore peuplées de poissons, mais leurs familles furent souvent éprouvées. Car on racontait que les matrices de nombreuses femmes, comme en accord avec la nature implacable, abritaient des enfants qui mouraient dès leur naissance.

Le moine essuya ses yeux larmoyants de sa manche grossière, en exhalant un soupir apitoyé.

— Notre pauvre monastère eut aussi à souffrir, puisque les bassins d'eau s'évaporèrent d'un coup, dit-il.

— Vous voulez dire que la source du monastère s'est tarie ? demanda Dinh, incrédule.

— Je n'ai pas dit cela, rectifia le vieux bonze. Il n'y a pas d'eau miraculeuse dans le monastère même. Elle provenait de la Source du Dragon Retourné, dans les montagnes du Nord. A ma connaissance, elle coule encore, et est toujours utilisée pour ses pouvoirs magiques. Mais la route qui y mène est des plus malaisées, dangereuse même, car on dit que d'infortunées femmes gravides, pressées de s'assurer une descendance masculine, ont disparu à jamais dans les abîmes hérissés de rochers qui bordent la route. Il y a de cela une vingtaine d'années, la compassion de notre Supérieur, Grande Vie Intérieure, pour ces malheureuses lui a inspiré un songe fantastique. Dans ce rêve envoyé par Bouddha, il s'est vu nageant dans des bassins d'une eau limpide qui prenait la forme d'un dragon. L'animal fabuleux le caressait de ses écailles liquides en susurrant :

> *Petites gouttes d'argent*
> *Font des coffres d'or.*
> *Petits garçons de chair,*
> *Nés de gouttes d'argent.*

« C'est alors qu'il entra en contact avec un tout jeune homme, seul citoyen assez téméraire pour se lancer dans l'entreprise périlleuse du convoi de jarres de la source vers le monastère. Il mit sur pied une expédition pour accompagner deux de nos bonzes dans leur quête. Il fallait voir cette équipe, faite des meilleurs chevaux, des coolies les plus fiables, menée par un jeune homme plein d'audace ! Et quand revenaient triomphalement les lourdes jarres pleines à ras bord, les témoins applaudissaient. Ils entonnaient des chants d'allégresse lorsqu'elles étaient versées dans les bassins du monastère. Mais les hommes d'équipage essuyaient leur sueur en souriant et étaient déjà prêts pour un nouveau départ ! Ah, Maître, c'était là un spectacle réjouissant, non dénué de grandeur ! Les fidèles se pressaient à nos portes, remplissant, en accord avec le songe du Supérieur, les coffres du monastère. Nous avons connu alors nos années d'opulence.

Cependant, le vieux bonze Sagesse Retenue, d'un geste large, embrassa la cour à présent envahie d'herbes, les grands bâtiments délabrés, et continua :

— Le temple s'agrandissait sans mesure, nous recrutions nombre de novices motivés. Hélas, nos réserves d'eau s'asséchèrent l'année du Chat. Comble de malheur, le jeune entrepreneur Ngô essuya de lourdes pertes d'argent, et cessa de convoyer l'eau de la source. Depuis, il ne s'est trouvé personne d'assez hardi pour reprendre cette affaire. Vous m'en voyez aussi désolé que vous, Maîtresse.

— Voilà donc comment l'entrepreneur Ngô a commencé à bâtir sa fortune, murmura Dinh pensivement. L'année du Chat… Nous sommes l'année du Buffle, cela fait donc dix ans que cette cure n'existe plus. Pauvre Carmin, vos renseignements ne sont pas très frais !

XV

L'homme qui allait à grandes enjambées à travers les ruelles grouillantes ne portait pas de lanterne, mais son allure était fière et pleine d'assurance. De temps à autre, il saluait quelques badauds d'un aimable signe de tête, sans ralentir ses pas qui le conduisirent rapidement en dehors de l'enceinte de la ville. La route n'était pas déserte, car citadins et paysans se rendaient encore aux nombreux pagodons illuminés, disséminés autour de la bourgade. Peu à peu, cependant, l'animation décrut, et l'homme se retrouva bientôt seul sur le chemin herbeux qui menait au quartier flottant planté en bordure du lac. La lueur d'une lune rougeâtre le guida un instant, puis il fit route d'un pas déterminé vers les lumières oscillantes du village lacustre.

Ce bas quartier avait, dans la vraie ville, la réputation de loger une racaille irrécupérable de brigands. Il s'agissait en réalité de simples pêcheurs dont le courage se limitait à dévaliser des vieilles montagnardes égarées qui auraient pris leurs paillotes hirsutes pour un marché flottant. Les familles de ces pauvres hères ne reculaient devant aucun sacrifice pour glaner çà et là quelques sapèques ; aussi les citadins pouvaient-ils trouver quantité de corps juvéniles pour l'amusement, à condition de ne pas craindre de s'y faire détrousser.

Les bateliers qui revenaient d'une pêche nocturne sur le lac, abordant nonchalamment les trottoirs en bois pourri, virent une haute silhouette qui remontait rapidement les planches disjointes en les faisant résonner. Elle était illuminée par intermittence par des lampions crevés suspendus à l'entrée des cabanes, et cet éclairage haché lui conférait une démarche saccadée, d'un attrait irréel. Le nouveau venu dépassa les pêcheurs en faisant voler derrière lui les pans de sa tunique lourde, et des effluves d'un parfum raffiné chatouillèrent leurs frustes narines. Intrigués, ils suivirent du regard ce citadin qui, chose rarissime, s'aventurait en solitaire dans les bas-fonds. Ils n'osèrent cependant s'attaquer à lui, car sa carrure indiquait l'homme bien portant.

L'eau clapotait doucement contre les pilotis qui soutenaient les trottoirs. Le commandant Quôc sentait les piliers s'enfoncer légèrement sous sa foulée martiale. Parvenu devant une maison flottante décorée de fleurs des marais, il cria :

— Hé là, la Mère Curcuma !

La tenancière du lupanar de bas étage se précipita, ayant reconnu la voix du puissant mandarin militaire. Elle s'inclina plusieurs fois, puis se retourna vers le fond de la maison en donnant l'ordre à ses filles de venir. Aussitôt, une dizaine d'ombres s'élancèrent vers la porte, se bousculant pour atteindre la sortie au plus tôt, au risque de faire tanguer le bateau-maison.

— Je vous ai trié les filles, comme vous les aimez, dit la Mère Curcuma, en levant sa lanterne au niveau des visages des femmes.

168

La faible lueur éclairait une succession de traits ingrats, à peine améliorés par un maquillage de poudre blanche et rose. Les filles de joie baissèrent les yeux, elles si effrontées d'ordinaire, devant le beau visage d'homme qui les scrutait.

— C'est très bien, je prends ces trois-là, dit Monsieur Quôc en désignant des femmes maigres et mal nourries.

— Ce sera comme vous l'avez décidé, répondit la Mère Curcuma en cachant sa joie, car jusqu'à présent, le commandant Quôc s'était limité à une paire de filles.

Elle pivota vers les autres femmes et, les rudoyant un peu, dit :

— Prenez vos affaires, et dégagez.

Elle-même escorta le client à l'intérieur du bateau, dont la cabine se présentait comme une assez grande salle, mais extrêmement basse de plafond, très obscure malgré les quelques lampions accrochés aux poutres noircies. Le mandarin militaire ne daigna pas examiner le lit sordide qui servait aux ébats tarifés, et se déclara satisfait d'emblée, dans sa hâte de conclure l'affaire.

— Pour cette fois, dit encore la Mère Curcuma, mon mari vous conduira loin sur le lac, ce sera très agréable, vous verrez.

— C'est bon. Va-t'en maintenant, répondit-il.

Il sentit le bateau quitter le quai à faible allure, puis, sous les coups de perche du Père Tru, glisser doucement en direction du milieu du lac. Il posa sur le plancher le ballot qu'il portait sous le bras, et en sortit une étoffe épaisse qu'il étala de manière à recouvrir la natte, vraisemblablement infestée de punaises, du bordel flottant. Remontant sur le pont, le commandant

Quôc vit s'éloigner les taudis, ramassés comme une seule ombre au pied des collines noires. Il se tourna vers les trois femmes qui, intimidées, s'étaient regroupées autour du Père Tru, à l'arrière du bateau. Celui-ci mâchouillait entre ses gencives plantées de rares dents une chique de bétel qui donnait à ses lèvres une couleur de sang. Avec un sourire égrillard, le Père Tru salua le client, en poussant du coude la première fille. Ses pommettes saillantes lui faisaient un faciès étrange, et ses hardes de campagnarde pendaient tristement à ses épaules étiques. Comme elle s'avançait avec une hésitation de vierge de bonne famille, le Père Tru lui souffla :

— N'aie pas peur, il a bonne réputation.

*

— Ils mettent beaucoup de temps, fit la prostituée Mouche, qui était la dernière à passer.

Le bateau se balançait lourdement sous l'activité ininterrompue que les amants de passage déployaient, et le Père Tru n'avait cessé de ricaner depuis que Lune d'Or était revenue auprès d'eux, les yeux rêveurs.

— C'est un homme qui vous ferait aimer le métier ! s'exclama-t-elle en s'accroupissant sur les talons et en glissant une main frémissante entre ses cuisses noueuses. Tous les sauvages qui me sont passés dessus, en un va-et-vient frénétique, ne pensaient qu'à eux. Ce monsieur, lui, m'a donné du plaisir, pour une fois.

Elle éclata de rire en voyant la mine interloquée de Mouche, et lui assura que le plaisir existait aussi pour les femmes, en effet, elle le verrait bien.

Justement, la simple claie de bambou qui servait de porte à la cabine coulissa, et Rainette, jambes

flageolantes, vint s'abattre auprès de ses com-
pagnes. Sa gorge maigre se soulevait dans un
rythme apaisé et une nouvelle beauté inondait ses
traits simiesques. Elle poussa Mouche vers la
chambre en disant simplement :

— Amuse-toi bien !

Mouche s'arrêta sur le seuil de la cabine, attendant
de l'homme allongé sur la couche qu'il lui fasse signe
de venir. De lui, elle ne vit d'abord qu'une silhouette
sombre tapie dans l'ombre, mais quand il se releva sur
un coude, la lumière des lanternes lécha son torse où
saillaient des muscles épais tapissés de poils longs et
luisants. Il avait dénoué son chignon, et une mèche de
cheveux soyeux lui retombait sur la moitié du visage.
Il n'était plus tout jeune, mais dans sa maturité, ses
traits étaient encore agressifs et empreints d'une poignante séduction.

— Approche-toi.

Elle entra à son tour dans le petit cercle de
lumière, détournant les yeux de la beauté trop virile de
son client. Celui-ci se mit sur son séant et examina la
jeune femme. Elle avait une toute petite tête, avec des
traits ramassés comme un poing fermé, et une coiffure
qui tirait sa peau vers l'arrière du crâne, dégageant un
front minuscule et fuyant.

— Comment t'appelles-tu ?

— Je suis Mouche, Maître.

— Alors, Mouche, je vais te demander d'oublier
que tu es une femme de peu, d'accord ?

— Que voulez-vous dire, Maître ? Je suis pourtant
douée pour faire plaisir aux petits enfants.

Elle tendit la main vers « l'enfant » en question,
mais l'officier fut plus rapide. Il arrêta son geste en
disant d'un ton ferme :

171

— Jamais de ça. C'est moi qui mène la danse.

Il serra avec force le poignet de Mouche, et dit encore :

— Tu dois te comporter en femme passive, et ne pas baver comme une chienne.

Comme elle acquiesçait de toute sa laideur pleine de bonne volonté, il sourit avec satisfaction. Il écarta alors l'encolure de la robe sordide de Mouche, en humant son odeur poissonneuse de fille qui se néglige. Pourtant, la pauvreté des vêtements informes était trompeuse, car là où l'on se serait attendu à trouver un corps efflanqué et mal balancé, se cachaient en vérité des formes minces, mais presque parfaites. Incrédule, le commandant Quôc regarda de haut en bas sa compagne, des épaules fines aux hanches subtiles ; les courbes à peine esquissées donnaient à la prostituée un air d'enfant.

Il hésita un moment, puis se mit à caresser sa poitrine juvénile avant de l'allonger sur le lit. Il passa des lèvres mouillées sur la ligne médiane de son joli corps, fit courir un index humide selon un tracé ondulant jusqu'à la pointe de ses orteils. Mouche se sentit mordillée aux seins, puis sur le ventre, tandis que brusquement deux mains expertes fourrageaient le bas de son dos. Le mou balancement du bateau lui parut soudain accompagner les caresses de son client, et ce fut docilement qu'elle se prêta aux attouchements étranges. De petits pincements, suivis de coups de langue, réveillèrent ses sens blasés, et elle se mit à désirer avec passion cet homme inconnu. Mais il avait décidé de la faire languir, car il la tint tout à coup à distance, tout en malaxant sa chair ferme, griffant sa peau tendre de ses ongles longs et durs. Comme elle n'en pouvait plus d'impatience, le client ramena son visage au niveau du sien et sembla examiner sa laideur avec attention, tout en la suppliciant de plaisir. Elle se dit, les yeux renversés, la sueur au front, qu'il allait la tuer de désir, mais, plongeant en elle, ressortant pour l'agacer, puis revenant la chatouiller, il ne fit qu'enfler la vague insoutenable qui allait l'emporter. Elle gémit, tourna la tête, libérant un chaos de cheveux sur l'étoffe veloutée de la couche. Ses yeux rencontrèrent ceux de l'homme qui avait dans le regard un éclat brûlant. Quelque chose dans ses mâchoires contractées fit presque peur à Mouche au moment où une bouffée de plaisir la secoua. Alors, sentant qu'il voulait se dégager, elle noua ses chevilles dans le dos de son amant, et empoigna la garde rebondie de son Epée de Jade, tout en donnant des coups de reins rapides et lascifs sous lui. Sa main libre tâtonna sous le lit, où elle réservait pour les meilleurs clients un olisbos rempli de lait de bufflesse tiède. Hardie, elle l'enfonça dans la porte de derrière de son compagnon, qui, étonnée, s'ouvrit toute grande. Une lueur de surprise passa dans les yeux en amande de l'homme. Il rugit, hors de lui, dans une salve de spasmes libérateurs.

Mouche roula sur l'homme qui gisait à présent sur le dos, les membres frissonnants, et se mit en devoir de le suçoter, mais une main se referma sur ses cheveux et tira son cou en arrière.

— Sale gueuse !

Elle reçut une gifle à toute volée, qui lui dévissa presque la tête. Ses épaules glissèrent sur l'abdomen visqueux de son client. Elle tenta de se justifier, mais il s'était relevé en un clin d'œil et l'avait retournée sur le ventre. Alors, montant à cru sur ses fesses, il se mit à cogner sur son dos avec ses poings durs.

— Mêle-toi de tes affaires, face de fouine ! grondait l'homme. Sorcière lubrique !

— Je vous en supplie ! cria Mouche entre deux sanglots. Vous me faites mal !

Un coup plus fort que les autres fit craquer un os dans son épaule et lui arracha un hurlement. Alors, l'homme attrapa son long turban abandonné au coin du lit et, s'en servant comme d'un bâillon, la réduisit au silence. Il enleva enfin sa masse de son corps, lui intimant de rester immobile. Elle essaya de voir s'il partait, en s'appuyant sur ses coudes et en regardant à travers ses larmes pardessus son épaule. L'homme, qui s'était éloigné, était revenu avec plusieurs fines lanières de cuir.

— Ne bouge pas ! fit-il entre les dents, tout en lui liant mains et jambes.

Le fouet siffla et s'abattit vivement sur les fesses secouées d'une tremblante soumission. La fille se tordit de douleur, cependant que d'autres coups retombaient avec fureur sur ses reins meurtris. Elle crut échapper au châtiment en roulant sur le dos, mais à présent c'était son ventre que le fouet touchait avec une régularité vengeresse. L'homme semblait avoir la folie dans les yeux, pendant que sa bouche légèrement prognathe se renversait de colère.

— Arrête de te tortiller, sale chienne !

A califourchon sur son ventre, il s'acharna sur chacun de ses seins en broyant les tétons entre des doigts d'une puissance incroyable, s'arrêtant seulement pour lui administrer un coup de poing sur le nez. Les yeux exorbités, la peau brûlante, le souffle coupé par le poids de son bourreau, la victime agita les jambes qu'elle avait longues, et décrocha la lanterne qui oscillait au-dessus de la couche. L'huile se déversa sur la literie, qui prit feu aussitôt.

*

— Hé, les filles, ça vous dirait de me comparer à ce Monsieur ? dit le Père Tru en faisant mine de défaire son pantalon.

Depuis le départ de Mouche, Lune d'Or et Rainette n'avaient eu à la bouche que les exploits de l'étalon à forme humaine, aussi le blatelier commençait-il à avoir des idées de luxure. Bien qu'il sût qu'avec les vilaines employées de sa femme, il n'y avait pas à se gêner, il hésitait à abandonner le gouvernail, car son ménage n'avait que ce bateau pour assurer le commerce des plaisirs, et le vent nocturne lui paraissait un peu contraire. Si l'affaire peut se conclure le temps qu'il faut pour cuire un œuf, se disait-il, ça pourra passer.

Cependant, depuis quelques instants, une agitation insolite à l'intérieur de la cabine en faisait trembler les fragiles parois.

— Dites donc, il y va fort, le client ; pourvu qu'il ne casse pas les montants du lit !

Des secousses d'ampleur croissante témoignaient d'emportements sensuels apparemment extatiques, et le Père Tru, se sentant une envie de voyeur, se glissa en direction de la cabine pour risquer un œil par un petit orifice aménagé entre deux planches non jointives.

— Au feu ! cria-t-il en apercevant des flammes folles.

Lune d'Or, la bouche arrondie de terreur, attrapa un seau et puisa de l'eau du lac. Rainette et le Père Tru firent coulisser la porte et s'élancèrent à l'intérieur de la chambre, puis s'arrêtèrent, interdits. De hautes flammes jaillissaient de la couche, où se débattait une forme, ligotée aux pieds et aux poings. Elle poussait des grognements terrifiés, tout en essayant de s'écarter du feu qui l'encerclait. Debout dans l'ombre, le client achevait de s'habiller, nouant tranquillement sa ceinture.

Lune d'Or, courant de toutes ses jambes, lança son seau d'eau sur le feu et enveloppa Mouche d'une couverture pour étouffer les flammes. La pauvre fille, les cheveux roussis, la peau soulevée de cloques toutes fraîches, sanglotait sur les épaules de son amie, tandis que le Père Tru, servile, se tournait vers le client en demandant :

— Sans doute, c'est un accident ?

L'homme eut un sourire effroyable et répondit :

— Elle a eu tant de plaisir qu'elle en a sauté au plafond. C'est dangereux, toutes ces lanternes nues sous un toit si bas.

Il se baissa pour enfiler ses coûteuses bottes, arracha de son ballot un coupon de soie claire, qu'il jeta sur Mouche. Le tissu se déplia en l'air, et recouvrit la fille de joie comme un linceul de princesse.

— Tiens, voilà pour ta frayeur, dit-il, et il rit encore en voyant l'étoffe se teinter de rouge sur les plaies ouvertes.

XVI

Après l'heure de la sieste, le lettré Dinh se mit en route. Un peu guindé dans sa tunique officielle qui lui donnait l'air d'un jeune étudiant sérieux, il coupa à travers la ville pour rendre visite au maître d'école Ba. En tant qu'assistant du mandarin Tân, il avait pour mission de surveiller l'état de l'enseignement dans la région, et de s'assurer que les programmes dressés par les édits de la cour étaient respectés. Dinh ne dédaignait pas cette promenade à l'heure tranquille où les échoppes commençaient à rouvrir après l'interruption du déjeuner suivie d'un long moment de repos.

Ses pas le menèrent dans le quartier des tailleurs, qui étaient déjà à pied d'œuvre, équipés de ciseaux gigantesques et de rubans gradués. Accroupies près des cadres en bambou tendus de tissu, de jeunes brodeuses se remettaient à leurs motifs de phénix en vol. Les rues commençaient à s'animer, à mesure que les boutiques s'ouvraient. Des enfants en vêtements de couleur vive couraient d'étal en étal, des paysannes coquettes se promenaient, une ceinture aux teintes joyeuses autour de la taille. Le sourire aux lèvres, elles regardaient passer ce grand homme à la démarche souple et aux pommettes saillantes.

Secouant la tête, il leur rendait le sourire, mi-moqueur, mi-désolé.

Il dépassa des échoppes de fleuristes, où des têtes frisées de chrysanthèmes trônaient près de sulfureuses orchidées, passa devant des boutiques exposant des articles en cuir, depuis la simple bourse à la ceinture ornementée. Sous de minces frangipaniers, un confiseur était installé. Accroupi entre ses nasses, il s'activait à souffler du sucre, à la grande joie d'un attroupement d'enfants. Les petits poussaient les plus grands afin de voir, et leurs fesses laissées nues par le traditionnel pantalon fendu frétillaient d'impatience. Lorsque prenaient forme, bulle après bulle, au bout de la paille de l'artisan, oiseaux, dragons ou poissons, des murmures enchantés parcouraient l'assistance.

Au bout de la longue allée bordée de tamariniers, la maison du maître d'école se dressait, austère. Dinh allongea le pas et resserra son catogan d'un geste adroit.

*

Monsieur Ba ne le vit pas venir, car il était au fond du jardin, occupé à sermonner Caillou, son élève rétif et pourtant prometteur. Certes, les idées du garçon étaient originales, mais ce n'était pas l'originalité qui allait le conduire aux concours triennaux. Lui-même le savait bien : ayant passé des nuits entières à apprendre les textes par cœur, il avait passé les épreuves les yeux bouffis et la tête vide. S'il avait été un peu plus endurant, sans doute aurait-il pu briguer une place honorable, et qui sait, peut-être aurait-il même été reçu à la faveur d'un désistement ou d'une mort accidentelle. Mais de ceci il était maintenant certain : il ne fallait pas montrer d'idées fantasques, elles n'étaient bonnes qu'à se mettre les examinateurs à dos, car ils ne s'attendaient qu'à l'application simple et rigoureuse des concepts traditionnels.

Donc, en cette chaude journée, il se faisait un devoir de dresser ce chenapan de Caillou qui s'imaginait qu'avec ses interprétations audacieuses des textes de Confucius, il allait s'en sortir avec brio.

— Pour la onzième fois, je te demande, élève Caillou, qu'est-ce qui montre que Maître Confucius prônait les études ?

Solidement attaché au tronc du banian et habillé d'un simple pagne, Caillou n'en menait pas large.

— Il a la manche droite plus courte que la gauche, répondit-il, craignant le pire.

— Essaie encore, espèce d'abruti ! fit Monsieur Ba, assenant un coup de canne dans les mollets liés.

Caillou, écœuré, donnait des réponses de plus en plus incongrues, fatigué d'essayer de deviner ce qu'attendait le vieux fou.

— Mais enfin ! s'égosillait le maître furieux. Ce n'est pas avec des répliques débiles que tu vas passer les concours, maudit enfant ! Pense qu'avec un peu d'application tu pourrais devenir mandarin civil et nourrir tes pauvres parents qui doivent regretter de t'avoir mis au monde. Et même si tu es recalé aux examens, tu pourrais toujours espérer un poste de mandarin militaire avec ton grand gabarit et tes muscles épais.

— Je veux être paysan comme mon père, fit le garçon, s'insurgeant.

— Imbécile ! Tu veux donc vivre comme une bête, en craignant que le soleil brûle les récoltes, ou que la pluie noie les cochons ?

Il cingla le torse nu de Caillou d'un coup bien senti. Celui-ci, n'en pouvant plus, cracha par terre avec insolence.

— Ah, c'est comme ça que tu prends les choses, petit vaurien ! Alors, tu vas voir comment on obéit au maître Ba.

Se baissant, Monsieur Ba ramassa un petit seau rempli d'eau sucrée qu'il agita devant le nez de Caillou. Prenant un petit pinceau, il se mit à en badigeonner le corps de son élève qui protesta en gigotant vigoureusement.

— Si les fourmis de feu, qui ne vont pas tarder à t'escalader, ne te dévorent pas le cerveau, peut-être trouveras-tu la bonne réponse à la question classique : « Qu'est-ce qui montre que Maître Confucius prônait les études ? » fit Monsieur Ba en ricanant.

Se retournant, il vit la haute silhouette de Dinh qui attendait sur le perron. Il donna rapidement un dernier coup de pinceau aux oreilles de Caillou qui avalait des jurons en essayant de se défaire de ses liens, et s'en fut avec ces paroles :

— Je reviendrai te voir avant qu'il ne reste de toi qu'une grande charpente décharnée, va !

*

Dinh regarda le maître d'école s'approcher sur des jambes arquées comme des pinces de crabe. Ayant ramené ses maigres cheveux filandreux sur son gros front bombé, et essuyé sa tunique tachée d'eau sucrée, il était presque présentable quand il salua son visiteur :

— Maître Dinh, quel honneur de vous accueillir dans mon humble masure ! Ce n'est pas souvent qu'un

180

officiel vient voir un maître d'école, qui pourtant s'efforce de produire une promotion d'élèves pas trop sots.

Dinh s'inclina et répondit :

— Justement, en tant qu'assistant du mandarin Tân, j'ai pour devoir de suivre les programmes enseignés dans notre juridiction. Voyez-vous, les académiciens de la Capitale sont très pointilleux sur le respect des normes qu'ils ont établies, car elles garantissent une génération d'étudiants aptes à passer les concours triennaux.

— Ah, ces concours ! soupira le maître Ba, en le conviant à s'asseoir dans une chaise dos à la fenêtre. On nous dit toujours qu'il faut y présenter le plus grand nombre de candidats possibles, mais si vous saviez comme il est difficile de faire rentrer la morale de Confucius dans ces petites têtes rasées de gamins des champs ! Ils ne sont pas toujours de mauvaise volonté, mais il est rare qu'un fils d'agriculteur puisse s'élever intellectuellement au point de devenir lettré. C'est une question de souche, voyez-vous. A parents illettrés, enfants ignorants.

Dinh pensa au mandarin issu d'une famille de paysans, et qui était loin d'être inculte, mais il ne contredit point Monsieur Ba, lancé sur son sujet favori.

— Il leur faut un temps infini pour assimiler les petits problèmes d'arithmétique sur la surface des toitures des temples, mais quand il s'agit de resquiller au marché en rendant mal la monnaie, là ils sont imbattables ! Il leur faut du concret, car leurs esprits bornés vivent au quotidien, alors, qu'ont-ils à faire de la vertu d'humanité ou des maximes des hommes saints ?

— Cependant, vous devez tout de même avoir quelques élèves passables, car dans le nombre, il y a toujours une proportion de doués.

— Oh, j'ai un cas comme cela, mais figurez-vous que le garnement se montre rétif et dur de la tête, malgré un fonds assez prometteur. Il croit en connaître plus que les Anciens, donnant des interprétations quelquefois saugrenues après des explications pas trop ridicules.

— Et comment faites-vous pour lui faire aimer les études ? demanda Dinh, intéressé.

Il se rappela qu'enfant, il avait lui aussi eu quelques réticences à accepter la logique rigide qu'imposaient ses maîtres, et qu'il avait fallu nombre de coups de règle pour qu'il se plie à leur discipline. Ce n'était cependant qu'une façade par laquelle il sauvait les apparences, mais en lui-même, il continuait à formuler sa propre version, plus audacieuse, des faits. Et maintenant il se demandait si Monsieur Ba, peut-être plus éclairé que ses propres maîtres, avait des méthodes moins douloureuses pour amener ses élèves aux textes anciens.

Monsieur Ba se rengorgea :

— Pour les faire rentrer dans les textes de Confucius, rien ne vaut un dressage serré. Quelques coups de fouet ici et là, une séance de méditation sur une peau de durian bien piquante, voilà des arguments auxquels ces pitres sont sensibles. Si vous essayez de les raisonner, en leur faisant miroiter un avenir plein d'honneurs, vous perdez votre temps. Ils ne réagissent qu'à la souffrance physique, ces galapiats.

— Mais agissez-vous de même avec vos élèves les plus doués ? fit Dinh, déçu.

Par-dessus l'épaule de son visiteur, Monsieur Ba apercevait Caillou qui se tortillait, toujours attaché à l'arbre. Les fourmis de feu avaient sans doute déjà atteint le sommet de la tête du petit drôle, et avaient piqué au hasard pendant leur ascension. Sûrement qu'à l'instant il devait regretter d'avoir débité toutes ces sornettes au lieu de prêter attention aux pensées classiques.

— Que croyez-vous donc ? s'exclama le maître d'école. Avec les plus intelligents, il faut être dix fois plus sévère, car quand ils sont réfractaires, ils vous trouvent des arguments tellement alambiqués qu'il faut réfléchir pour pouvoir les contester. Tenez, j'en ai justement un qui m'a fait perdre toute une matinée avec la simple question : « Qu'est-ce qui montre que Maître Confucius prônait les études ? », qui est pourtant une notion des plus connues.

Dinh eut un sourire, et dit d'un ton léger :

— Tout le monde sait en effet que sa manche droite est plus courte que la gauche.

Monsieur Ba lui décocha un regard noir que Dinh ne comprit pas, et se mit à bougonner que les jeunes gens étaient décidément insolents.

Pour meubler l'inconfortable silence qui s'installa, Dinh reprit :

— Le but de ma visite est de commenter avec vous le nouvel édit de l'Empereur concernant les programmes de l'année prochaine. Tenez, voici votre copie, et ensemble voyons s'il subsiste des points obscurs.

Un domestique apporta un plateau garni de graines de pastèques grillées, rouges et salées à souhait, pour accompagner le thé noir.

Quand ils eurent fini par s'accorder grossièrement sur l'interprétation des desiderata de l'Empereur, Dinh replia ses rouleaux, prêt à partir. En lui, il reconnaissait que le maître d'école, bien que trop respectueux de la pensée des Anciens, avait de bonnes connaissances.

— N'avez-vous pas un fils à qui vous pouvez inculquer tout votre savoir, Monsieur Ba ?

— Malheureusement je n'ai qu'une fille prénommée Pinceau Trempé, à qui j'espère trouver un prétendant de choix, car la jeunesse que je vois passer entre mes mains me déçoit au plus haut point. Il faut dire qu'elle a de la souche, ma fille, et cela me ferait de la peine de la voir se soumettre à un étalon sans cervelle, si vous voyez ce que je veux dire.

Après un moment d'hésitation, il baissa la voix.

— Entre nous, j'ai caressé le rêve de voir notre mandarin s'intéresser à elle, car elle est très jolie, vous savez. Sa mère, originaire du Nord, lui a légué toute la beauté légendaire des femmes de cette région. Une alliance avec un magistrat ne ferait que générer une lignée où l'intelligence se joint à la beauté.

Dinh ne dit mot, se rappelant que le mandarin Tân s'était plaint des assiduités de la part des pères de jeunes filles de quinze ans.

— Mais bon, soupira Monsieur Ba, notre magistrat ne s'est pas montré très ému en voyant ma fille.

Il posa ses mains sur ses genoux, un peu gêné. Mais une idée lui traversa l'esprit, car il reprit, l'œil brillant :

— Vous savez, j'avais pensé au mandarin, mais en réalité, tout lettré non marié me conviendrait tout à fait. Vous, par exemple, vous êtes libre, il me semble ?

Comme Dinh ne répondait pas, le regard errant sur un vase posé sur la commode devant lui, Monsieur Ba enchaîna :

— Je vous assure que Pinceau Trempé est une fille très bien élevée, et véritablement mignonne à souhait. Peut-être pourriez-vous la rencontrer à l'occasion d'un dîner ?

— Non, vraiment, Monsieur Ba, dit Dinh avec un vague sourire. Je ne crois pas que cela soit envisageable.

Le maître d'école ne put cacher sa déception. Sa mèche retombant lamentablement sur le front, il murmura :

— Quel dommage ! J'avais fait la même demande à Monsieur Sam, qui est fort instruit et beau garçon, et il m'a donné une réponse identique. C'est à croire que personne ne veut de ma pauvre fille !

Conciliant, Dinh lui dit :

— Il ne faut pas perdre espoir, Monsieur Ba. Il suffit de présenter à votre fille le meilleur de vos élèves, qui méritera peut-être son amour.

Il se leva pour prendre congé de son hôte, qui avait l'air de ruminer sa proposition.

— Hum, si vous avez raison, il faut que je m'occupe de quelque chose que j'ai laissé au fond du jardin, fit Monsieur Ba en se mettant sur ses pieds précipitamment. Venez, je vais vous reconduire.

Ce fut avec une hâte incompréhensible pour Dinh que le maître d'école le poussa presque vers la porte. Il le mena aussi vite que possible vers le grand portail, courant presque devant son visiteur.

Mais une silhouette cabossée qui se dessina derrière la grille le fit ralentir. Monsieur Ba se tourna vers Dinh et lui dit :

— C'est un comble ! Voyez comme cet éclopé vient me harceler. Il me suit, j'en jurerais. Hier soir, il est venu me demander de vieux rouleaux de textes pour les lire après son travail chez l'habilleur des morts Mignon. Je l'ai renvoyé chez lui, vous pensez bien !

Clignant des yeux pour mieux voir la figure derrière les arbustes, Dinh reconnut Calebasse qui traînait des savates, en attendant que Monsieur Ba soit seul.

— Mais c'est une excellente idée qu'il a eue, ce petit ! fit-il, enchanté qu'un enfant demande à lire. Vous devriez lui donner les textes qui vous restent de l'an dernier, cela lui sera utile.

— Pas question ! s'exclama le maître. Comment voulez-vous que les textes sacrés rentrent dans cette tête difforme ? Sous ce front bosselé à l'excès et monstrueusement gonflé, pensez-vous que les idées trouvent leur place ? Non, non, ce n'est pas à moi de m'occuper d'infirmes. Je gère une pépinière de futurs magistrats du royaume.

Avec ces paroles, il ouvrit la grille pour laisser passer Dinh, et la referma en la claquant brutalement.

*

Sur le chemin du retour, Dinh aperçut une silhouette élégante accompagnée d'un enfant à la tête basse.

Mais je connais cette allure raffinée, pensa Dinh en plissant les yeux. Serait-ce le jeune secrétaire de l'entrepreneur Ngô ?

En se croisant, les deux hommes se saluèrent amicalement. A la mine sombre de Cerf-Volant qui ouvrit à peine la bouche, Dinh demanda :

— Qu'a donc votre neveu, Monsieur Sam ? Est-il souffrant ?

Monsieur Sam secoua sa longue tresse, et poussa doucement l'enfant par les épaules.

— Va devant, Cerf-Volant, je te rejoindrai dans quelques instants.

De manière inattendue, le secrétaire se livra au lettré qu'il avait rencontré récemment au banquet de son beau-frère l'entrepreneur Ngô.

— Cerf-Volant est un enfant mélancolique, expliqua-t-il. Depuis que sa nourrice est partie, il se croit abandonné.

— Mais ses parents ont l'air très fiers de lui.

— Justement, ils l'élèvent avec sévérité afin qu'il soit digne de leur nom. Il n'avait que cinq ans quand on lui a retiré les attentions de sa nourrice, et dès lors, il n'a plus été question de tendresse, mais d'instruction et de discipline. D'ailleurs, nous allons de ce pas chez Monsieur Ba, qui dispense des cours très prisés sur des sujets pointus.

Dinh regarda les traits sculptés de son interlocuteur et fut sur le point de lui raconter sa récente visite au maître d'école, mais l'autre enchaîna :

— Je ne comprends pas que ma sœur, la mère de Cerf-Volant, soit si distante avec lui. Ne dit-on pas que l'amour maternel nourrit plus qu'un bol de riz ?

Dinh aurait volontiers poursuivi la conversation, mais comme l'enfant leur jetait des regards impatients depuis le févier ombragé où il était adossé, les deux hommes durent écourter à contrecœur leur entretien et reprirent chacun leur chemin.

XVII

Les jours qui suivirent n'apportèrent rien de concret. Muni du médaillon trouvé dans la grotte des chauves-souris, un enquêteur avait fait le tour des orfèvres de la province. Ceux-ci s'étaient accordés pour dire que le bijou était ancien, de ceux qui se transmettent de père en fils, sans autre valeur que sentimentale. L'un d'eux avait même reconnu dans l'agencement des gravures le caractère énigmatique et à demi effacé : *Première Epée*.

— Certainement un sobriquet, remarqua Dinh. Car comme nom de clan, c'est invraisemblable.

— Il ne reste plus qu'à espérer que le chef de la guilde des orfèvres, Monsieur Hoa, saura ce qu'il en est, répondit le mandarin Tân. Car j'ai compris qu'il s'est absenté momentanément, afin de faire une précieuse livraison dans la province voisine.

Le mandarin Tân et le lettré Dinh étaient inconfortablement installés dans la salle des Archives, occupés à remettre de l'ordre dans les documents laissés en souffrance par la démission du secrétaire Sam. Voyant que les employés peu zélés tournoyaient, les bras ballants, le mandarin Tân voulut donner l'exemple. Dans un geste théâtral, il déchira sa manche droite.

— A l'instar de Maître Confucius, raccourcissons notre manche afin que la main droite soit plus libre à l'ouvrage, dit-il d'une voix forte.

S'octroyant une petite pause, il marmonna comme pour lui-même :

— Nous sommes à la recherche d'un monstre à figure humaine qui a sauvagement assassiné une femme et un enfant il y a cinq ans, et qui, de manière apparemment inexplicable, recommence à tuer. Ses victimes sont difformes de naissance, sauf la jeune femme.

Dinh leva la main pour l'interrompre :

— Qu'est-ce qui te rend certain que c'est le même meurtrier ?

— Il y a dans ces actes haineux la même fascination pour la violence. Tu penses peut-être qu'un deuxième meurtrier aurait pu s'inspirer des anciens crimes ? Mais pour savoir que la femme et l'enfant avaient été complètement défigurés, d'après le maire Lê, il fallait être dans l'équipe des enquêteurs de l'époque, car ce fait, trop choquant, avait été gardé secret. Ainsi, les seuls à le savoir étaient : le maire Lê, le défunt mandarin Pham, les veilleurs qui ont enlevé les corps. Il est peu vraisemblable que cette découverte ait fait des émules parmi ceux-ci…

— Le domestique Chiffon et la sage-femme qui sont arrivés à la grotte auraient pu en parler autour d'eux.

— Non, car à la vue du sang, ils se sont aussitôt enfuis pour appeler au secours. Les villageois avaient bien trop peur pour s'aventurer dans la grotte, et le maire Lê a dû se fâcher pour que les veilleurs se décident à y entrer.

— Il ne fait donc plus de doute que nous recherchons un seul et même homme – qui d'ailleurs a tout fait pour que l'identification de la femme soit impossible.

— C'est pourquoi nous sommes en train de remuer toutes ces archives, acquiesça le mandarin Tân. Puisqu'il a semblé si crucial à l'assassin de dissimuler l'identité de l'inconnue à l'enfant, c'est sans doute que la clé du mystère réside en l'origine de cette femme et des enfants difformes. Voyons donc si on peut trouver trace de leur naissance dans les registres.

Un long silence studieux tomba sur le greffe. Méthodiquement, les deux hommes parcoururent les livres à présent soigneusement classés.

— Rien de particulier dans la Province de Haute Lumière, fit Dinh en refermant le dernier registre. Ni la première petite victime, ni les enfants du monastère ne sont mentionnés dans les archives. Ce qui semble confirmer le fait qu'ils soient originaires d'une autre province.

— Voire même d'une autre ethnie, dit le mandarin Tân. Leurs traits sont déformés, leurs corps atrophiés : ceci pourrait indiquer leur appartenance à un peuple voisin, ou à une tribu montagnarde. Il y aurait même la possibilité que le meurtrier ait défiguré volontairement la femme dans le but de cacher ses origines ethniques !

— Mais dans ce cas, comment tous ces enfants ont-ils pu se retrouver dans nos contrées ?

— J'ai d'abord pensé qu'ils pouvaient avoir été emmenés en quelque sorte dans les bagages des bonzes, originaires de Chine, comme tu le sais. Cependant, cela fait des dizaines d'années que l'ordre de la Grue Ecarlate s'est établi ici.

Les deux hommes hochèrent la tête, muets.

— Nous pourrions aussi tenter de comprendre la personnalité de l'assassin. En réunissant suffisamment d'éléments concrets, peut-être pourrons-nous en dégager un portrait grossier, proposa Dinh.

— Fort bien, dit le mandarin Tân. C'est un homme dans la force de l'âge que Chiffon avait entrevu, il faut à présent lui ajouter cinq ans. Il devait aussi résider dans la province, pour avoir choisi la grotte aux chauves-souris pour abriter ses actions criminelles. Elle est tellement à l'écart de la route qu'on ne peut tomber dessus par hasard.

« Ensuite, cette personne a plaisir à voir souffrir ses victimes, tu seras bien d'accord là-dessus. Il faut donc que nous revoyions les plaintes qui ont été enregistrées pour violences physiques. En outre, au fond de lui, cet homme se croit invincible : il ne fait rien pour cacher ses crimes, je crois presque qu'il me défie. Sinon, pourquoi a-t-il recommencé à tuer au moment même où j'entrais en fonction ?

— Il faut tout de même penser qu'il y a une motivation derrière ces actes, fit Dinh. J'ai peine à croire qu'un individu, aussi cruel soit-il, puisse tuer sans que cela serve ses intérêts.

— Je vois deux raisons pour lesquelles on peut souhaiter la mort de ces enfants, dit le mandarin Tân après réflexion.

« Première hypothèse : le meurtrier est un citoyen qui veut voir fermer le temple. En tuant les enfants, il me dit : "Voyez comme ces enfants troublent l'ordre public ! Plus de temple, plus d'assassinats, fin de l'affaire." Deux personnes en particulier ont montré une insistance excessive.

« Le maître d'école Ba prétend que l'état du temple mérite qu'on l'abandonne. Une bien noble préoccupation pour cet homme qui n'attache de l'importance qu'à la production d'un parfait candidat bachelier ! Or, tu sais comme moi que les textes de Confucius qu'il enseigne sont en contradiction avec les doctrines bouddhiques prônées par les moines : la pensée de Confucius est pure philosophie et rejette les éléments magiques d'une croyance religieuse. Peut-être le maître d'école veut-il éloigner des rivaux susceptibles de contaminer la pensée des enfants qu'il se targue de former aux Classiques ? Tuer les enfants des bonzes revient pour lui symboliquement à dominer l'enseignement monastique.

— Un meurtre symbolique ? Cela me paraît peu probable, marmonna Dinh.

Le mandarin Tân poursuivit :

— La deuxième personne à vouloir chasser les bonzes est le mandarin militaire Quôc. Là, les motifs sont clairs : le deuxième homme de la Province de Haute Lumière ne veut pas que les bonzes entraînés à de surprenantes techniques de combat puissent supplanter l'armée régulière. Il pourrait même y avoir un autre motif de conflit, mais cela semble sans importance, tellement l'animosité du militaire à l'égard des bonzes est flagrante. De plus, il a envers moi une attitude pleine de défi qui frise l'insolence.

— Justement, je te rappelle l'affaire en souffrance, intervint Dinh. Notre commandant est accusé par la prostituée Mouche de violences incompatibles avec le métier. Celui-ci nie tout en bloc, se moquant même des allégations portées contre lui. Il prétend que la laideur de la fille dissuaderait plus d'un client.

— Très intéressant, fit le mandarin. N'as-tu pas trouvé de témoins pour soutenir l'accusation ?

— Hélas, les habitants du village lacustre de Mouche ont peur des représailles du militaire.

— Si cela était vrai, nous aurions trouvé quelqu'un que la laideur met hors de lui. Un bon candidat meurtrier.

Après un silence, le mandarin Tân reprit son raisonnement.

— Il reste aussi les personnes qui, tout en souhaitant le départ des bonzes, ne sont pas venues m'en informer, ce qui semble normal pour un criminel.

« Deuxième hypothèse : les Rejets de l'Arbre Nain, maintenant suffisamment grands pour venir travailler en ville, deviennent très dangereux pour notre mystérieux assassin. Ils sont en effet introduits au sein même des secrets de leurs patrons. Qui se méfierait des petits protégés des bonzes ?

« Seulement, je ne vois pas bien en quoi les événements d'il y a cinq ans interviendraient dans une querelle actuelle… Car je suis persuadé que les quatre meurtres sont reliés.

De la rue montaient les bruits de l'animation vespérale. De vives discussions éclataient devant les étals du marché installé sur la place de la ville. Un colporteur, spécialisé en produits exotiques, criait à tue-tête :

— Du benjoin de Sumatra pour chasser les succubes ! Une petite fumigation suffit à les déloger de la grotte de vos femmes ! Clous de girofle, directement importés des Moluques, pour noircir vos barbes et parfumer votre souffle !

— Ce marchand ambulant m'amuse, dit Dinh, égayé par ces cris. Connais-tu le poème de Yüan Chen ? C'est une satire du négociant mercantile, mené par l'appât du gain de par le monde :

A la recherche de perles, il exploite la glauque mer
Il rassemble ses perles, et monte à Ching et Heng.

Au septentrion, il achète les chevaux de Tangut,
A l'occident, il capture les perroquets du Tibet,
Le linge de feu du Continent des Flammes,
Des tapisseries parfaites du Pays de Shu ;
De belles esclaves de Yüeh, à la peau onctueuse ;
Des garçons de Hsi, au front clair et aux yeux brillants.

— Que dis-tu là, Dinh ? s'exclama le mandarin
Tân.

Il se balança sur son siège, malmenant des pieds
qui grinçaient en rythme. Sourcils froncés aux paroles
de son compagnon, il dit enfin :

— Les bonzes auraient-ils acheté ces enfants à
un marchand d'esclaves ? Réfléchis, Dinh, tout
semble concorder : des enfants sans racines qui tri-
ment pour enrichir le monastère, un entrepreneur
qui depuis des dizaines d'années voyage au-delà
des limites du royaume, faisant occasionnellement
des affaires avec les bonzes. Une marchandise en
vaut une autre, et pourquoi pas la chair humaine,
pour un homme sans scrupules ? Tu m'as dit que les
comptes du monastère avaient périclité après la
sécheresse de l'année du Chat. Comme par hasard,
voici les petits qui entrent en scène. Les moines
ont-ils songé à d'autres sources de profit ? Et si ce
que prédit le mandarin militaire Quôc est fondé,
ont-ils des vues belliqueuses pour leurs petits protégés ?

— Le trafic d'esclaves est en théorie réprimé par
la loi, remarqua Dinh. Il est interdit d'arracher à sa
famille un individu sans son consentement. Cependant, les parents ont le droit de vendre leurs enfants à
un employeur. Rien ne prouve que cela n'ait pas été le
cas. Les parents devaient être même contents d'être

ainsi soulagés de leur vilain fardeau. Les bonzes n'ont pas dû payer trop cher.

Le mandarin Tân jeta rapidement quelques notes sur sa feuille, l'air préoccupé. Dinh avait raison, était-il si sûr que le négociant Ngô ait effectivement vendu des enfants ? Et si oui, comment le prouver ? En fait, est-ce que cela avait même un lien avec les assassinats ?

Les deux lettrés avaient fini de consulter le monceau d'archives qui couvraient les naissances et les décès des vingt dernières années. Un travail titanesque qu'ils avaient résorbé somme toute en peu de temps. Faisant craquer ses vertèbres par une torsion qui le soulagea, le mandarin Tân se leva. Une ombre passa sur son visage. Il y avait quelque chose de particulier dans ces documents, un motif qui revenait avec une consternante régularité. C'était insolite, inattendu, et pourtant, le mandarin Tân n'arrivait pas à préciser ce détail. Au sein même des archives, un indice ténu avait laissé dans son esprit une impression fugace. Le cœur serré, il se demanda s'il ne faisait pas fausse route.

XVIII

— Par ici, dans la grande salle, dit l'intendant Hoang en précédant les serviteurs de l'Empereur sur la longue volée de marches.

Avec un gémissement rauque, les deux hommes se penchèrent de concert pour déposer leur lourd fardeau, un coffre de belle taille, solidement lié à deux perches parallèles servant au portage. Dégageant leurs épaules noueuses, ils épongèrent leurs fronts dégouttants de sueur.

— Une longue marche dans la poussière brûlante a mis mes pieds à vif, dit le plus jeune en montrant ses talons gris et crevassés à l'intendant Hoang.

Celui-ci gardait un air soucieux tout en conduisant les porteurs aux cuisines :

— Nous avons prévu pour vous une petite collation, car avant de vous renvoyer chez l'Empereur, mon maître voudra préparer quelques cadeaux de remerciement.

L'intendant trouva le mandarin Tân méditant au bord de l'Etang aux Lotus. Assis dans l'ombre fraîche d'un bosquet, il avait posé une tablette garnie de papier et d'encre sur ses genoux, afin de recueillir dès leur naissance ses plus belles pensées.

— Excusez-moi, Maître, les cadeaux trimestriels de l'Empereur sont arrivés.

Sans se retourner, le mandarin fit signe au vieil homme de se taire.

— Admirez la sérénité de l'étang. Les saules pleureurs, aux branches lourdes de longues feuilles arquées, forment un écran mélancolique où se dessinent les tiges de lotus, à fleur unique et dressée. Le vert argenté du feuillage frémissant est le reflet terrestre de fonds aquatiques ; ainsi, les boutons roses et enflés semblent flotter dans un liquide mouvant.

Enroulant la feuille de papier qu'il avait à la main, le mandarin Tân déclama :

J'ai le cœur immobile comme une pointe de fleur
Mais mon esprit qui se trouble est un rideau de saule.
D'où vient la tempête qui déjà se tapit
Derrière les écrans artistement agités ?

Les deux hommes se mirent en marche et suivirent l'allée tortueuse. Elle contournait des rochers noirs tout luisants d'eau fraîchement répandue, disposés de manière erratique dans l'herbe. Le vieux mandarin Pham, passionné de l'art des jardins, avait conçu au sein de son palais un paysage fantasmagorique et parfait. La froideur minérale des montagnes se tempérait de la légèreté des arbres nains aux feuillages colorés, plantés sur leur flanc dans un déséquilibre harmonieux. Au crépuscule de sa vie, le vieil homme perclus de rhumatismes avait pu ainsi voyager sereinement dans une nature sauvage.

— L'Empereur m'envoie donc mon salaire, dit le mandarin Tân. Mais quel cadeau vais-je pouvoir lui retourner pour prouver ma gratitude ? Il me semble que je n'ai guère touché de liquidités.

— A mon avis, proposa astucieusement l'intendant Hoang, vous pouvez toujours lui offrir quelques-uns des présents de bienvenue que les citoyens de la ville vous ont remis. Il y aura bien dans le lot une antiquité de bon goût, mais pas trop précieuse, car ce serait offenser l'Empereur que de surpasser les envois qu'il vous a faits.

Réfléchissant un peu, le mandarin se souvint d'un cloisonné jaune qui affectait la forme d'une courge à trois renflements, présent de la guilde des orfèvres, et dont il ne savait que faire. C'est avec soulagement qu'il dit :

— Cher intendant Hoang, que ferais-je sans vos conseils en protocole !

— A propos de conseil, fit l'intendant Hoang en se raclant la gorge d'un air gêné, il me semble que vos ongles sont un peu trop courts pour la coutume. Avoir les ongles longs et fins prouve que l'on est oisif de ses mains, donc actif de sa tête. C'est une mesure de l'intellectualité, je suis au regret de vous le dire.

Le mandarin Tân se récria :

— Je me grifferais dans mon sommeil, et je casserais mes excroissances cornées de toute façon.

— Convenablement laqués, les ongles gagnent en résistance et en éclat.

Ils étaient à présent dans la grande salle, prêts à ouvrir le coffre de l'Empereur, quand Dinh se rapprocha, avec un sourire goguenard, pour assister au déballage. Plusieurs domestiques étaient mobilisés pour l'affaire, qui sortant les cadeaux, qui les emportant aux cuisines ou au logement du mandarin. L'intendant Hoang se chargeait de vérifier que le contenu correspondait à la liste qui lui avait été fournie.

— Des sachets de thé des Montagnes Blanches, énonça-t-il. Un ensemble de pinceaux en bois de rose laqué, un éventail ajouré, incrusté d'éclats de jade, avec un manche en ivoire sculpté, deux coussins en brocart reprenant le motif des carpes sous l'onde, des manuscrits anciens pour compléter votre bibliothèque. Trois rouleaux de soie.

— Ce vert tendre rappelle les rizières de montagne, fit Dinh qui se révélait sensible à la beauté des étoffes. Cette soie a un éclat qui la destine aux robes mandarinales.

Il palpa la fluide texture, porta à ses yeux le tissu afin d'observer le travail minutieux de broderie dorée qui traçait des phénix aux ailes déployées enlacés de rameaux de mûrier.

La deuxième soie était bleu nuit, plus épaisse, presque brute. Mais les fils irréguliers, aussi souples que solides, brillaient d'un éclat sourd et capricieux, d'une rare intensité.

— Si vous le permettez, Maître, je suggère que l'on vous en fasse une tunique d'automne, dit l'intendant Hoang, tout en surveillant le déballage du dernier rouleau.

Il y eut un moment de confusion quand on vit que l'étoffe était d'un rose des plus soutenus, tirant sur un mauve obscène. Des entrelacs de fleurs de pêcher bigarrées et des paillettes argentées agrémentaient le tissu avec une insoutenable mièvrerie et de choquants contrastes de couleurs.

Dinh sourit enfin :

— Même le frivole Habilleur des Morts Mignon n'en voudrait pas pour son linge intime.

Le mandarin Tân s'éclaircit la gorge en se tournant vers l'intendant Hoang, et chercha confirmation :

— Sûrement l'Empereur ne souhaite pas qu'un mandarin impérial porte une pareille fantaisie.

— Je crois savoir, dit l'intendant qui avait réfléchi, sourcils froncés. C'est en fait une suggestion très subtile de l'Empereur. Cette étoffe est incontestablement destinée à une femme ; ainsi, notre Empereur doit-il penser qu'il est grand temps pour vous de chercher une épouse.

— Ce que vous m'apprenez là me soulage, en même temps que cela me torture. Car à ma naissance, mes parents m'ont promis à la fille de leurs voisins.

— L'Empereur a d'autres vues pour son administrateur qu'une pauvre paysanne, fit l'intendant, péremptoire. Nous pouvons avoir recours à des entremetteurs ; mais il faut que ceux-ci aient un vaste champ d'opérations, car il vous est interdit de prendre femme dans votre juridiction.

— J'espère que l'Empereur me laissera un délai, fit le mandarin Tân en évoquant la brève image – muette – de la jolie Caprice.

— Il s'attend ensuite à ce que vous engendriez des enfants mâles, pour perpétuer l'honneur qu'il vous a accordé en vous nommant mandarin, continua le vieil homme. Ainsi vos fils se trouveront-ils d'office à son service comme bacheliers.

L'Empereur, la veuve Liu, le maître d'école Ba, nombre de citoyens de cette belle ville complotent ensemble dans le même sens, se dit le mandarin, accablé.

Mais l'intendant Hoang pérorait encore :

— Il n'y a donc pas de temps à perdre, si vous voulez contenter notre Auguste Empereur. Or, on raconte que coule dans les montagnes du Nord une source miraculeuse, dont l'eau fortifie la matrice des femmes au point qu'elles ne peuvent donner naissance qu'à un fils.

— Oui, en effet, Dinh m'a parlé de l'ancienne cure des bonzes de la Grue Ecarlate à base de l'eau de la Source du Dragon Retourné.

— Vous pourriez monter une expédition pour en rapporter quelques jarres, en prévision de l'heureux événement, continua l'intendant Hoang, persuasif. Il ne s'agit pas que votre premier-né soit une fille, quelle honte ce serait !

Dinh lui coula un regard soupçonneux ;

— Faudra-t-il vous réserver l'une de ces jarres, à vous aussi, Intendant ?

Percé à jour, l'intendant Hoang rougit violemment. Dinh pensa, avec quelque dégoût :

C'est assez déplorable, ce désir insensé d'héritier mâle. Preuve de virilité, de grâce divine... quelles sottises ! Qu'on croie que les ancêtres ne peuvent être honorés que par leurs descendants masculins, voilà encore une idée saugrenue, bien ancrée dans l'esprit des superstitieux !

Cependant, le mandarin Tân, le regard animé, s'écriait :

— Pourquoi charger autrui de ce qu'on peut faire soi-même ? Si la route est aussi dangereuse qu'on le dit, je mènerai moi-même les chevaux !

— C'est impossible, Maître ! s'exclama le vieil intendant. Que deviendrait la province pendant votre absence ? Laissez donc les coolies et autres hommes de peine y risquer leur vie !

— Cela suffit, Intendant Hoang ! répondit le mandarin Tân d'un ton sans réplique. Dinh que voici pourra bien expédier les affaires en souffrance, à moins qu'il ne tienne à m'accompagner.

— Malgré ma répugnance à me faire ballotter sur des montures fougueuses, je consens à participer à l'équipée, histoire de te garder en vie, fit le lettré Dinh.

Le mandarin Tân s'impatientait déjà à l'idée de se mettre en selle, en route vers une quête fabuleuse. Ignorant la désapprobation de l'intendant, il réclama les cartes de la contrée montagneuse et se mit à échafauder des plans de route. Le seul chemin possible passait par le redoutable Col des Vents, connu pour ses orages et ses flancs escarpés, un défi de plus pour le mandarin intrépide.

— Il faudra me trouver une équipe fiable, dit-il, des hommes connaissant le parcours, et pourquoi pas d'anciens coolies de l'entrepreneur Ngô ? Cela nous ferait gagner un temps considérable.

— J'espère que vous aviserez l'Empereur de votre voyage, fit l'intendant Hoang avec une pointe de reproche dans la voix.

— Oh non, je n'en aurai pas le temps ! s'écria le mandarin Tân avec flamme. Je voyagerai dans la plus grande discrétion, voilà tout. Seuls seront dans la confidence l'entrepreneur Ngô, à qui je demanderai quelques conseils de route, et le mandarin militaire Quôc, à qui je déléguerai le pouvoir en mon absence.

Le mandarin Tân bondit sur ses pieds, sentant déjà siffler à ses oreilles le grand vent de l'aventure.

XIX

— Encore un fil de cassé ! s'exclama le tailleur Tau, la sueur au front.

Exaspéré, il jeta l'aiguillée devenue inutile, regrettant au passage le gaspillage du fil importé de Chine. L'obscurité gagnait à présent l'auvent sous lequel il s'était installé, et un vent chaud s'était levé, gonflant autour de ses genoux la soie couleur de nuit. Rassemblant dans ses bras maigres les découpes de tissu qui claquaient comme des étendards, il rentra dans sa boutique en traînant des pieds.

— Maître, dit la voix fêlée de son domestique, j'ai allumé les lampes. Votre riz est cuit.

— Ça va pour ce soir, répondit le tailleur Tau, qui n'avait pas faim.

Il se maudissait d'avoir tant tardé à se mettre à l'ouvrage, un divertissement chassant l'autre. Pourtant l'intendant Hoang était venu déjà l'avant-veille s'enquérir sévèrement de l'avancée des travaux.

— Méfie-toi, Tau ! avait insisté le vieil intendant qui connaissait sa propension à tout repousser jusqu'à la dernière minute. Il n'est pas question que je te couvre sur ce coup-ci. Le mandarin attend ses effets pour dans trois jours, à la première heure.

Le tailleur Tau, bien que n'ayant en tête qu'un vague projet de la confection demandée, avait ri avec insouciance et proposé à son ami une partie de lancer de fléchettes dans la jarre d'alcool qu'il venait de vider. Puis il s'était vanté à qui voulait l'entendre d'avoir été choisi par l'auguste représentant de l'Empereur comme habilleur officiel.

Qu'avait dit l'intendant l'autre jour ? Ah oui, une veste d'automne pour le mandarin Tân. Mais où donc était passée la doublure ?

— Ombre de Singe ! cria-t-il alors. Aide-moi à trouver la doublure !

Le domestique sombre de peau et recroquevillé comme un petit singe fit son apparition, et, avec son maître, se mit à soulever les monceaux de tissus qui jonchaient la pièce dans un chaos indescriptible. Ce n'étaient que pantalons à moitié ourlés, vestes sans cols, tuniques orphelines de leurs manches, et autres atours inachevés que leurs commanditaires ne cessaient de réclamer au tailleur désordonné. Mais sans conteste, il s'agissait de terminer la veste d'automne du mandarin cette nuit même, afin de laver le déshonneur d'avoir livré en retard son costume de cérémonie.

— Je ne vois pas de doublure, Maître, dit Ombre de Singe en se grattant la tête.

— Maudit animal, tu ne sais pas ranger un atelier ? Cherche encore, c'est une étoffe si légère qu'elle a pu s'envoler dans un coin.

Comme pour lui donner raison, une bourrasque de vent s'engouffra par la porte et mit un peu plus de désordre dans les affaires du tailleur. On eût dit à présent un champ de bataille dans lequel deux pillards se disputaient les effets des soldats morts. Fallait-il consacrer plus de temps à la recherche de ce coupon fatal, ou se mettre sans tarder à assembler les découpes de la tunique ?

— Je n'ai rien qui puisse remplacer la doublure « bleu de ciel nocturne » ! s'exclamait-il en faisant tomber de-ci de-là des étoffes couleur de rose et de mangue.

Cédant à la panique, le tailleur Tau courait à gauche et à droite, telle une poule caquetante, son ouvrage sous le bras. Cependant, Ombre de Singe considérait le reste de tissu de soie bleu nuit avec attention :

— Maître, vous avez encore assez de soie pour y tailler la doublure, si vous acceptez d'assembler deux petits morceaux pour doubler les manches. Ça ne se verra pas, et en vous y mettant maintenant, vous aurez fini pour demain.

Le tailleur, ayant mis la main sur le livret où étaient consignées les imposantes mensurations du mandarin Tân, consulta un moment ses notes. En effet, en rognant un peu sur l'ampleur des revers, en cintrant un peu la coupe, il arriverait à gagner de précieuses longueurs, qui, mises bout à bout, permettraient de sauver la face. Evidemment, il faudrait jouer serré. Il acquiesça avec soulagement :

— Oui, oui, c'est ce que je vais faire.

— Puis-je rentrer chez moi ?

— Va, je t'ai assez vu aujourd'hui.

Ombre de Singe s'inclina rapidement, et s'en retourna au Temple de la Grue Ecarlate.

Se tançant intérieurement de l'optimisme éhonté avec lequel il remettait au lendemain, voire au surlendemain, les commandes les plus urgentes, le tailleur Tau coupa et cousit presque toute la nuit. Sa vue se brouillait, il confondait le fil avec le tissage ; il faisait puis défaisait des coutures mal placées, arrangeait au mieux les petits trous d'aiguille qui résultaient de ses tergiversations. Et tout cela pour confectionner une veste étriquée dont il savait qu'elle serait trop chaude, n'étant pas doublée de soie fine, mais de lourd damas.

— Pourvu que l'automne soit frisquet ! Que les pauvres pèlent de froid ! Que le mandarin se pavane dans sa veste douillette !

Tout à ses incantations fiévreuses, il resta ainsi dans la position du Lotus, la nuque nouée de crampes, les genoux tremblant autant de crispation que d'affolement. L'heure du Tigre avait déjà sonné que la veste finissait tout juste d'être matelassée.

Le tailleur Tau frotta ses yeux larmoyants, rougis par l'alcool et la fatigue. Les mèches fumeuses de sa lampe dégageaient une odeur piquante. Amèrement, il songea que les finitions de la veste mandarinale seraient achevées à la lumière du jour.

— Quelle honte ! fut sa dernière pensée lucide avant que le sommeil ne s'abatte soudain sur lui.

*

Une présence étrangère, inquiétante, réveilla le tailleur en sursaut. Les lampes étaient à présent mortes. La chaleur de la nuit pénétrait dans l'atelier, annonçant l'orage près d'éclater. Le tailleur Tau perçut un bruissement insolite, tandis que les tréteaux de son estrade frémissaient.

— Qui est là ?

Une ombre qui lui sembla excessivement large se découpa dans l'encadrement de la porte, noire dans la nuit nacrée. L'esprit encore embrumé de sommeil, le tailleur crut que le spectre du mandarin Tân venait exiger son vêtement inachevé. Mais l'inconnu lui saisit le bras et le lui replia cruellement dans le dos.

— Aïe ! Que voulez-vous ?

La torsion se fit plus insistante. L'homme avait placé sa bouche tout contre la tête du tailleur et lui soufflait lourdement dans l'oreille. Quelque chose de pointu – une lame peut-être – racla ses vertèbres avec un bruit menaçant. L'infortuné Monsieur Tau, gémissant de crainte autant que de souffrance, demandait abjectement miséricorde.

— Pitié, ne me tuez pas !

— Qu'est-ce que tu as qui pourrait m'intéresser, vieil ivrogne ? ricanait l'inconnu à voix basse, jouant négligemment du couteau sur l'échine du tailleur.

Les pensées tournaient follement dans sa tête. Les coupons que ses clients lui avaient laissés pour la confection étaient assurément dignes d'intérêt. En revanche, seul un malade voudrait d'un tas de vêtements à moitié finis, taillés pour autrui.

— J'ai… j'ai du pongée du Japon, d'une divine couleur cerise, bégaya-t-il. Et puis du ramie de Malaisie, tissé en linges très solides…

— Tu n'y es pas, susurra l'homme en appuyant sa mâchoire contre l'épaule maigre du tailleur, os contre os. Ne vois-tu rien d'autre ?

— De… du tussah de Corée, du style des Nuages au Soleil Levant… Et même du style de l'Ivoire Marin… Le tout d'une merveilleuse qualité. Directement importé par l'entrepreneur Ngô.

L'agresseur émit un gloussement de mépris.

— Un peu plus d'imagination, ou je vais me fâcher.

— Ça y est ! Vous voulez parler des brocarts polychromes de Perse…

Il poussa un long cri modulé quand la violence d'une atroce douleur lui déchira l'oreille. L'inconnu lui avait méchamment tailladé le pavillon.

XX

L'intendant Hoang recula d'un pas et ferma un œil approbateur :

— Maître, sans vouloir vous flatter, voilà ce que j'appelle une belle veste. Un tomber impeccable, une coupe sans reproche, et une étoffe qu'on trouve rarement en province : le tailleur Tau a exécuté là le chef-d'œuvre de sa vie, car jamais je n'ai vu un travail aussi remarquable.

— Hum, dit le mandarin Tân en faisant des contorsions pour voir l'arrière de l'habit. Dommage que le tissu soit si lourd, car j'ai l'impression d'étouffer par cette chaleur. Et puis, voyez comme la veste est étriquée, j'en ai les bras tout décollés.

Il passa un doigt entre le col un peu montant et son cou qui commençait à se couvrir d'un fin voile de sueur, et défit la première agrafe.

Monsieur Hoang s'approcha et palpa le revers de la veste d'un bleu profond, taillée dans la superbe étoffe offerte par l'Empereur lui-même.

— Je comprends que vous ayez chaud, en effet : Tau a rajouté, dans un excès de zèle peu coutumier, une doublure que je n'avais pas demandée. Le voilà qui se prend pour un créateur émérite, à présent ! Bon, il ne vous reste plus qu'à porter cette veste à même la peau, Maître, comme habit de nuit, en attendant l'arrivée de l'automne, fit l'intendant, pratique.

Carmin, qui apportait une brassée de roses thé, s'arrêta sur le seuil et s'exclama :

— Quelle belle veste, Maître ! Je n'aurais jamais cru que ce soûlard de Tau était capable de manier l'aiguille aussi bien que la cruche d'alcool. En vérité, je craignais voir le cadeau de l'Empereur revenir sous la forme d'une tunique étroite ou un pantalon difforme.

Sensible malgré lui à ces compliments, le mandarin se redressa et se dit qu'après tout, il pouvait bien endosser l'habit pendant la soirée, juste pour l'assouplir. Peut-être que la nuit allait apporter un vent plus frais, et qu'une veste matelassée ne serait pas de trop.

Après avoir bu le thé blanc préparé par l'intendant, le mandarin Tân s'installa à son bureau. Les affaires du greffe demandaient à être réglées avant son départ imminent pour la Source du Dragon Retourné. Il soupira, et commença l'examen des dossiers en cours. Une plainte d'un veilleur et de son équipe contre Madame Printemps, tenancière de gargote, qui leur aurait servi une omelette causant une dysenterie collective ; un différend à régler entre le marchand Hô, qui s'était autoproclamé Roi des Concombres, et son collègue Khoai, connu sous le nom du Prince des Patates Douces, au sujet d'un emplacement convoité sur la place du marché.

Habituellement, le mandarin Tân prenait de rapides et justes décisions ; ses administrés, le maire Lê en tête, l'en flattaient sans cesse. Pourtant, cette nuit, l'esprit du mandarin s'irritait de ces affaires mesquines, happé par les frais sommets qui l'attendaient sur la route de la source. L'avant-veille, il avait rencontré l'entrepreneur Ngô, afin de reconstituer l'équipe expérimentée chargée de convoyer les jarres, il y avait de cela plus de dix ans. L'entrepreneur avait affiché une mine importante et rétorqué d'un air poli, mais suffisant, qu'il ne se préoccupait pas de la carrière de simples coolies. Il avait simplement dissous son équipe, et les pauvres diables avaient dû se vendre à des besognes moins exaltantes. Voulant ajouter une parole aimable, l'entrepreneur Ngô s'était rengorgé et avait déconseillé au mandarin Tân la fatigue et les périls du voyage. Car il fallait bien de l'audace et de la volonté pour arriver jusqu'à la source, et personne, après lui, n'avait tenté le voyage depuis la Province de Haute Lumière.

— La fatuité de l'entrepreneur Ngô est sans bornes, songea-t-il, avant de se concentrer sur les litiges sans intérêt.

Quand il eut décidé du nombre de coups de bambou à attribuer à chaque marchand querelleur, il s'accorda un peu de répit. Quelle perte de temps, pensa-t-il, considérant la futilité de la dispute. Chaque plaignant se plaçait invariablement au centre de l'affaire, demandant que le magistrat lui donne raison, alors qu'il était là à suer dans son nouvel habit, ajusté à souhait, douillettement matelassé comme pour protéger un nouveau-né. Lui qui, plus jeune, avait coutume d'avoir la peau frottée par les rugosités d'un coton grossier, n'éprouvait aucun plaisir à se glisser dans cette veste de soie luxueuse, tellement elle lui donnait chaud.

Il se leva et passa la tête par la fenêtre, espérant trouver un peu de fraîcheur dans l'air nocturne. Les jardins du palais étaient immobiles dans l'obscurité, chaque buisson, chaque pavé semblait exhaler un souffle brûlant qui venait se réverbérer contre les murs des bâtiments trapus. Nulle brise ne descendait des sommets pourtant proches, la chaleur stagnait au-dessus de la ville comme une ouate desséchée et compacte. Quelle saison de poussière et de feu le Bouddha nous promet-il ? se demanda le mandarin Tân, éprouvé. Mais, ayant ainsi rêvassé, il se souvint que d'autres affaires demandaient résolution. Alors, tel un esclave rejetant ses chaînes, il arracha sa veste et se replongea dans l'étude des dossiers, les épaules nues et le torse à l'air.

Un peu après l'heure du Rat, le magistrat reposa son pinceau pour éponger son front moite. L'atmosphère n'avait pas fraîchi, au contraire, et il aurait juré voir des gouttelettes d'humidité flotter autour de la flamme de la bougie. Ses mains devenues lisses de transpiration ne parvenaient plus à serrer le manche du pinceau, et ses doigts laissaient des traces sur le papier épais qu'il essayait vainement d'essuyer. Même la lune, à présent haut dans le ciel, était d'un rouge sang, maculée de taches irrégulières pareilles à des caillots. Surpris, le mandarin la fixa : il la vit se décomposer en une boule de liquide poisseux dont les vagues écarlates déferlaient à l'infini. Il lui paraissait entendre le flux et le reflux, un grondement qui résonnait dans son crâne. A mesure qu'il la regardait, elle semblait s'enfler, jusqu'à remplir tout le ciel de son disque visqueux. Une goutte tomba dans son œil écarquillé ; pris de panique, il crut que la lune saignait sur lui, mais il se souvint qu'il était trempé de sueur. Il passa sa main sur son bras luisant, et vit des sillons s'ouvrir sous ses ongles. Etonné de ne rien sentir alors que sa peau commençait à se déchirer, il effleura de nouveau son bras, et sentit un liquide chaud couler sur ses doigts. Les retournant, il s'aperçut qu'ils étaient pleins de sang. Il voulut fermer les paupières, mais il lui fallut un temps incalculable pour le faire, et il se rendit compte que ses pupilles le brûlaient, comme baignées dans des larmes de feu. Maintenant qu'il ne voyait rien, son ouïe s'exacerbait : il entendait le bruissement de chaque feuille du tamarinier devant la fenêtre, il reconnaissait la respiration de chaque insecte accroché aux rameaux, il percevait même les reparties acides de Carmin pourtant rentrée aux cuisines.

Que m'arrive-t-il ? pensa le mandarin, effrayé et excité tout à la fois.

Il s'imagina devenir un de ces héros de légende qui avaient peuplé son enfance, avec des pouvoirs surhumains et une vie sans fin, des héros qui couraient sur les faîtes des arbres et planaient sur le vent. Il tenta donc de s'élancer, mais se rendit compte qu'il ne pouvait bouger. Collé à sa chaise, il gardait les yeux ouverts et voyait la sueur perler sur son torse, goutte à goutte, se matérialisant sur sa peau cuivrée comme des écailles qui croissent sur des dragons. Il percevait à présent un picotement douloureux et lancinant chaque fois qu'une goutte surgissait, aussi brillante que du métal poli. Son souffle, court et précipité, lui semblait aussi ardent que les vapeurs de volcans.

— A moi, mes aïeux ! cria le mandarin Tân en lui-même. Je deviens un monstre, il me pousse des écailles qui me transpercent la peau. Mon corps est maintenant comme recouverte d'une cotte de maille qui n'en finit pas de se tisser.

Dans un effort désespéré, le mandarin essaya de lever une main. Elle lui obéit avec une lenteur exaspérante, mais il l'abattit avec violence sur son torse et lacéra la nouvelle rangée d'écailles qui se formait, faisant jaillir le sang au passage. Il cisela ainsi sa poitrine, sans relâche, presque joyeusement, jusqu'à ce que Dinh passât la tête par la porte.

*

L'homme secoua la tête qu'il avait petite et bien formée. Poussant sur un tronc monstrueusement gras, elle ressemblait à une excroissance précieuse qu'on aurait rajoutée pour s'excuser de la forme grossière du corps. Penché sur le mandarin dépoitraillé, l'homme examinait son torse tailladé, palpant avec délectation les blessures ouvertes ourlées de sang séché. De ses doigts boudinés, il tenta de refermer un sillon particulièrement profond, malgré le cri de douleur que lâcha le magistrat.

— Si je vous touche ici, est-ce que cela vous fait mal ? demanda le docteur Porc, en pinçant un lambeau de chair meurtrie.

L'haleine pestilentielle du docteur passa comme un vent dévastateur sur des contrées maudites, un souffle à faire flétrir les jeunes pousses et à tuer les poussins dans l'œuf. Suffocant, le mandarin Tân hocha la tête.

— Et là ? fit le bon docteur en écartant les lèvres d'une entaille pour en voir la consistance.

Il tâta longuement une croûte qui commençait juste à se former, puis nonchalamment, la fit voler d'une pichenette.

Le mandarin crut qu'il allait bondir sur l'homme et lui faire la prise du Cochon qu'on Immole, mais Dinh s'interposa, conciliant :

— Docteur Porc, vous savez bien que vous êtes là pour essayer de guérir notre mandarin, et non pour le

214

mettre en pièces. Ça, il sait parfaitement le faire lui-même. Alors, qu'avez-vous trouvé ?

— Très étrange, ce qui s'est passé, en vérité. Vous dites que vous êtes entré dans la pièce pour voir le mandarin en train de se lacérer la poitrine, Maître Dinh. Avez-vous remarqué s'il avait les pupilles très dilatées ?

— En effet, il avait un regard égaré, avec des yeux exorbités, et se faisait des coupures profondes sans même réagir à la douleur. J'ai dû l'assommer pour qu'il cesse, sinon je pense qu'il aurait saigné à mort avant la fin de la nuit.

— En tout cas, maintenant je suis bien vivant, et j'apprécie modérément qu'on enfonce son avant-bras dans mes plaies, grommela le mandarin dont la poitrine tressautait, comme piquée par mille aiguilles.

— Savez-vous au moins ce qu'il lui a pris ? s'enquit Dinh. Cette crise de démence est tout à fait inaccoutumée, croyez-le. Malgré les apparences, le mandarin n'a pas l'habitude de se faire des incisions, tard la nuit, habillé de son seul pantalon.

Le magistrat lança un regard courroucé à son ami, et poursuivit :

— J'ai eu des visions bizarres, Docteur Porc. Est-il possible que j'aie été sous l'emprise d'un démon ?

Le docteur Porc pouffa, hilare.

— Un démon, Maître ? Je ne pense pas, car ils ont généralement tendance à harceler les vieilles femmes superstitieuses, si je ne m'abuse. En revanche, avez-vous consommé des liqueurs trop fortes, du genre que boivent les pirates chinois la nuit de la pleine lune ?

— Je n'ai bu que le thé blanc apporté par l'intendant Hoang pendant mon essayage.

— Alors, avez-vous absorbé quelque aliment insolite, tels que poumons de bœuf, gland de chien ou boyaux de chauves-souris ?

Dinh intervint, las :

— Carmin ne fait plus que des plats de poisson ces jours-ci. Depuis qu'elle s'est liée d'amitié avec la femme du poissonnier, les viandes n'entrent guère aux cuisines.

Le docteur déambula dans la pièce, surexcité. Sous sa tunique flottante, couleur hématite à reflets lie de vin, sa poitrine presque féminine ondoyait avec un temps de retard sur les mouvements brusques. Les pieds minuscules, chaussés de brodequins élégants, esquissaient une danse d'une agilité inattendue. Le docteur Porc sautilla vers la fenêtre, s'appuya un moment à la balustrade, le mollet tendu, puis revint vers le mandarin et, collant son visage au sien, souffla :

— Au cours de cette nuit, avez-vous senti quelque odeur suspecte – fétide, même ?

Avant ou après la crise ? pensa le mandarin Tân en lui-même, les narines pincées et le visage stoïque.

Tout haut, il répondit, la tête tournée de côté pour éviter cette exhalaison aussi putride que des os de poulet laissés au soleil :

— Rien de particulier, Docteur Porc. Mais à quoi pensez-vous ?

Le docteur remonta d'un coup sec son ventre qui commençait à s'affaisser, et demanda :

— Avez-vous touché un objet particulier, nouveau, quelque chose qu'on vous aurait apporté aujourd'hui ?

Le mandarin réfléchit. Le matin, il avait fait les préparatifs pour le voyage vers la Source du Dragon

Retourné : il se revoyait en train d'étudier le chemin à travers la montagne, comptant les haltes à effectuer. Il ne fallait pas traîner, on ne s'arrêterait que le temps de reposer hommes et montures. Il avait manipulé des cartes et des pinceaux, quelques récits d'anciens voyageurs pour s'assurer que la voie n'avait pas changé depuis qu'elle avait été tracée. A midi, il avait mangé avec Dinh, et ils avaient décidé ensemble de la composition de l'équipage : Minh, bien sûr, avec dix autres hommes à cheval. L'après-midi avait été consacré aux affaires courantes, qu'il fallait régler avant le départ. Elles étaient tellement nombreuses qu'il n'avait pas encore fini quand Monsieur Hoang était arrivé avec la veste confectionnée, seulement avec une demi-journée de retard, par le tailleur Tau.

— En fait, la seule chose nouvelle que j'ai touchée aujourd'hui, c'est une veste que j'ai endossée pour la soirée, fit le mandarin, perplexe.

— Ah, une veste toute neuve ? Pourtant, Monsieur Dinh dit vous avoir trouvé torse nu.

— C'est vrai, il faisait tellement chaud que je l'ai rejetée un peu après l'heure du Rat. Le tailleur a en effet rajouté une doublure à faire suer un mort.

Le docteur Porc mordit ses lèvres délicates et demanda :

— Mais cette veste n'était pas directement en contact avec votre corps, pourtant ?

— Normalement non, répondit le mandarin. Mais l'intendant Hoang m'a persuadé de la porter à même la peau comme habit de nuit, en attendant qu'il fasse plus frais.

Dinh, qui s'était accroupi pour ramasser la veste jetée à terre, se releva, la tenant à bout de bras.

— Elle est en vérité aussi lourde qu'une couverture ouatinée. Ça ne m'étonne pas que tu aies eu une suée abondante, dit-il au mandarin.

Le docteur Porc laissa tomber d'une voix enjouée :

— A votre place, Maître Dinh, je ne toucherais pas à cette veste, car elle doit être imbibée de poison.

Surpris, Dinh lâcha la veste. Du poison ! On aurait osé attenter à la vie d'un mandarin de la cour ? C'était un délit très grave, punissable par la mort, et il fallait être d'une audace inconséquente ou avoir une assurance de réussite certaine pour s'y hasarder. Le mandarin, consterné, s'était redressé dans son fauteuil.

— Qu'est-ce que cela signifie ? Quel impudent se risquerait à occire un magistrat mandaté par l'Empereur lui-même ? Et avec du poison, qui plus est. Voilà bien l'arme la plus vile et la plus hypocrite !

— Comment savez-vous que la veste est imprégnée de poison ? demanda Dinh en s'essuyant les mains sur le revers de sa tunique.

Le docteur Porc haussa ses épaules rondes.

— Le poison n'a pas été ingurgité, d'après ce que vous me dites : la voie orale est donc écartée. Le mandarin n'a pas été incommodé par une odeur nauséabonde non plus. Cela laisse donc le contact direct. Je pensais à un objet nouveau, car s'il s'agissait de quelque chose de familier, cela impliquerait votre maisonnée. Mais, ceci dit, il n'est pas impossible qu'un familier soit impliqué dans l'affaire.

— Il n'était pourtant pas prévu que je porte cette veste à même la peau, fit le mandarin. Si je l'avais mise en tant que veste d'automne, il n'y aurait pas eu de contact, et donc, le poison n'aurait pas agi.

Le docteur Porc se baissa pour examiner l'habit retombé sur le dallage. Au bout d'un moment, il dit :

— Détrompez-vous, Maître. Voyez comme le col monte haut. Il vous aurait frotté la nuque de toute façon, et le poison aurait fini par pénétrer votre épiderme. Mais l'ayant portée sur le dos, vous avez accéléré son action. La chance inouïe que vous avez eue, c'est que la veste vous ait donné tellement chaud que vous l'avez rejetée peu après. Sinon…

— Sinon quoi ? interrompit Dinh, qui avait craché dans ses paumes et à présent les frottait vigoureusement l'une contre l'autre.

Le docteur Porc eut un sourire radieux qui découvrit ses petites dents pointues de carnassier.

— Plusieurs choses auraient pu arriver, avec ce genre de poison. Comme il passe à travers la peau et s'injecte directement dans le sang, il parvient sans trop de délai au cerveau, où il fait des dégâts irréparables.

— Cela explique les hallucinations que j'ai eues, murmura le mandarin, se rappelant la lune grenat qui emplissait le ciel.

— Les hallucinations ne sont que le commencement, comme vous le savez. Après, le sujet empoisonné commence à sentir des picotements, et imagine qu'il subit une transformation. Et c'est au cours de cette phase qu'il devient fou et se mutile, car il ne ressent plus aucune douleur.

— Et toi, en quoi te changeais-tu ? s'enquit Dinh, curieux.

— En dragon, répondit le mandarin d'une voix éteinte.

Dinh siffla.

— Rien que ça ! L'homme du commun se change en cheval, en souris, en blatte, mais un mandarin impérial se mue en dragon. L'ordre des choses est ainsi respecté.

— Heureusement pour vous que Maître Dinh est passé à temps pour vous sauver, car j'ai vu d'autres sujets moins fortunés, reprit le docteur Porc, jovial. L'un, croyant devenir une taupe, s'est crevé les yeux, dont il n'aurait plus besoin. Lamentable, en effet, car il n'avait pas fait les choses proprement, et un œil pendait encore, soutenu simplement par un nerf. Un autre a été découvert exsangue, ayant réussi à se castrer dans les règles de l'art. On ne sait pas encore s'il s'est contenté d'utiliser ses ongles, ou s'il a dû s'aider de ses dents. Toujours est-il que des Boules d'Or, il ne restait plus une trace.

Songeur, Dinh murmura :

— C'est une bonne chose que ton pantalon n'ait pas été empoisonné, car si la veste t'a fait lacérer ton torse…

— En tout cas, toi, tu n'as pas besoin de poison pour délirer : ton esprit littéraire à la limite de la perversion y pourvoit amplement, rétorqua le mandarin froidement.

Il y eut un silence, pendant lequel chacun réfléchit à l'incroyable tentative.

— Si la veste a été empoisonnée, c'est que le tailleur Tau y est pour quelque chose, fit le mandarin Tân. Je ne donnerai pas cher de sa tête paresseuse quand il passera devant mon tribunal.

— Peut-être n'est-il pas impliqué, répliqua Dinh. On aura pu traiter la veste entre le moment où il a cousu l'habit et le moment où tu l'as essayé.

— Sornettes ! Il n'y a eu que le livreur et l'intendant Hoang pour la toucher.

— N'empêche que c'est l'intendant Hoang qui t'a conseillé de la porter à même la peau, penses-y.

— Impossible, je ne vois pas à quoi ma mort peut lui servir. Au contraire, il risque de se retrouver sans

220

travail, car mon remplaçant peut avoir déjà un intendant qui lui est dévoué.

Le docteur Porc les interrompit, guilleret :

— Mais je ne vous ai pas dit à quoi ressemble le cerveau de ces malheureux quand on leur ouvre le crâne. Le poison est si fulgurant qu'il réduit la cervelle à une bouillie. J'ai même vu des espèces d'asticots qui nageaient là-dedans, on aurait dit des nouilles s'agitant dans un bol de gruau.

XXI

Surexcité, le docteur Porc faisait les cent pas dans la bibliothèque, agitant sa petite tête avec énervement.

— Mais où sont-ils donc ? Je leur avais pourtant dit de faire vite, fit-il pour s'excuser.

— Je ne sais pas où ils vont trouver ce que vous cherchez, répondit le mandarin qui commençait remuer les pieds d'impatience. Peut-être sont-ils déjà presque arrivés dans la forêt de Sumatra.

— Je vous en prie, Maître ! reprit le docteur, piqué. La nuit dernière, il me semblait que vous riiez moins, quand vous étiez occupé à vous déchirer le ventre.

Mais tout à coup, un brouhaha emplit le couloir : des halètements suivis de grognements, et par-dessus tout, la voix scandalisée de l'intendant Hoang :

— Qu'est-ce que vous faites ? Où vous croyez-vous ? Ah non, pas question d'amener ça chez moi !

— Ordre du docteur Porc, répondit Minh le porteur, forçant le chemin.

— Ah ! Vous croyez ça…

Soudain, la grande porte de la bibliothèque s'ouvrit brutalement, et Monsieur Hoang entra à reculons, arc-bouté dans son effort pour retenir un singe énorme que les porteurs tenaient attaché à une laisse. D'une chiquenaude, le singe repoussa sans ménagement l'intendant et se mit à flairer le postérieur imposant du docteur Porc. Un coup d'œil courroucé du docteur signala à Minh qu'il fallait immobiliser l'animal, et bientôt celui-ci se trouva entravé dans des cordes grossières.

Dinh, entre-temps, s'était penché en avant avec intérêt et dévisageait la figure presque humaine de la bête, jaugeant la musculature puissante qui palpitait sous les liens.

— Bien joué, Docteur Porc, vous avez tout de même réussi à trouver notre animal. J'espère qu'il vous aidera dans votre expérience.

— Je savais bien qu'il y avait des étrangers de passage chez nous avec des animaux sauvages qu'ils exhibent contre des sapèques. Ils attirent les petits enfants avec des spectacles d'ours de Chine et de léopards de Samarkand, et j'aurais parié qu'ils avaient un grand singe dans leur ménagerie.

Se tournant vers le porteur Minh, le docteur dit :

— Bon, tenez bien la bête pendant que je lui mets la veste.

Minh défit soigneusement les liens, pendant que les autres porteurs ceignaient le singe de leurs bras. Les mains couvertes de gants en cuir, le docteur Porc sortit la veste en soie du mandarin, qu'il avait conservée dans un papier huilé. D'un geste lent, il passa l'habit sur le dos de l'animal et demanda qu'on renoue les cordes.

Le mandarin et Dinh observèrent avec intérêt le singe qui ne cessait de tressauter sur sa chaise. Pour l'instant, il se contentait de faire des grimaces à tous, relevant à l'excès ses lèvres généreuses et montrant des dents larges comme des dominos.

— Mais à quoi jouez-vous ? s'enquit Monsieur Hoang. La veste confectionnée par le tailleur Tau n'est pas à ce point laide que vous deviez en faire don à un singe.

Subitement, le primate s'arrêta de remuer et, les yeux devenus troubles, tomba dans une étrange torpeur.

— Il a des hallucinations, fit le mandarin, se rappelant son délire.

— Il imagine qu'il se transforme en homme, peut-être, dit Dinh.

— Vous allez voir que j'ai raison, prédit le docteur Porc en se frottant les mains.

Pendant quelques instants, le singe sembla rêver. Mais tout à coup, il se redressa, tendant les cordes, et se mit à se gratter furieusement la joue. Arrachant ses poils lustrés par touffes, il émit des grognements déchirants. Une bave bouillonnante s'échappait de sa bouche haletante et il se serait griffé la face jusqu'au sang si le mandarin n'avait pas dit d'une voix claire :

— Assez ! Enlevez-lui la veste, et détachez-le. Nous savons maintenant que la veste était empoisonnée, comme l'a suggéré le docteur Porc.

Se levant d'un bond, il ordonna :

— Qu'on aille chercher le tailleur Tau !

Dans l'encoignure de la fenêtre, l'intendant Hoang glissa à l'oreille de Minh :

— Entre nous, si c'était juste pour faire cette démonstration, il aurait suffi d'aller chercher un coolie.

*

L'intendant Hoang fit signe aux porteurs de se retirer. Ceux-ci, chargés des malles volumineuses du docteur Porc, avaient souffert pour monter les marches, et déposé les coffres d'une lourdeur peu commune dans la chambre préparée par Carmin. Les mains sur ses maigres hanches, l'intendant les avait surveillés, secrètement curieux du contenu des malles. Pour quelqu'un qui vient s'installer pour quelques jours, cela semblait excessif. Le mandarin avait beau vouloir un docteur auprès de lui suite à cette impensable affaire d'empoisonnement, rien ne l'obligeait à l'accueillir avec tous ses effets. Il ne manquait plus que le bon docteur apporte aussi ses meubles et ses domestiques !

Tout haut, il dit :

— Docteur Porc, j'espère que ces modestes quartiers vous satisferont. Ma femme a fait de son mieux pour les rendre aussi agréables que possible. Vous trouverez des placards assez vastes, je pense, pour loger toutes vos affaires.

Le docteur Porc inclina la tête en assentiment.

— Vous me voyez tout à fait heureux de m'installer ici, Monsieur Hoang. On ne peut être trop prudent en ce qui concerne la santé du mandarin. S'il devait subir encore une attaque traîtresse, il vaudrait mieux avoir un homme de science dans les environs, n'est-ce pas ?

— Certes, certes. Je suis tout révolté encore à la pensée de cet épisode incroyable. Qui oserait ainsi assaillir le magistrat ?

Le docteur commença à ouvrir une malle à motifs floraux.

— Aidez-moi à déballer ces coffres, voulez-vous, Monsieur Hoang ?

L'intendant, un peu piqué d'être assimilé à un domestique, mais intérieurement satisfait de pouvoir découvrir ce qui se cachait dans les malles, se mit à

225

l'œuvre. Il sortit une tunique à tons rosés avec des broderies rougeoyantes, puis un pantalon de soie cramoisie. Plongeant son bras dans les profondeurs du coffre, il produisit un costume généreusement coupé dans un taffetas purpurin.

Pendant que l'intendant remplissait les tiroirs, le docteur allait et venait, faisant sauter des serrures dorées, dénouant des liens en soie. Il poursuivit d'une voix légère :

— Savez-vous, Monsieur Hoang, que vous avez été – brièvement, n'ayez crainte – un suspect potentiel pour Maître Dinh ?

— Quoi ? Que dites-vous ?

S'étranglant, l'intendant faillit laisser choir un superbe habit en crêpe grenat.

— Eh bien, comme vous avez eu la veste empoisonnée entre les mains avant que le mandarin ne l'essayât, on a pensé – fugacement, bien sûr – que vous auriez eu l'occasion de la tremper dans du poison. Pure conjecture intellectuelle, évidemment.

— Ces conjectures sont gratuites et malvenues, grommela l'intendant Hoang d'une voix irritée. Le mandarin devait être encore sous l'emprise du poison, j'en suis certain, pour accepter des hypothèses aussi grotesques.

A titre de revanche, il froissa perfidement un sous-vêtement titanesque en soie rouge.

Insouciant, le docteur Porc continuait à sortir ses effets. L'intendant Hoang le vit extraire des bocaux de lézards séchés, de mues de serpent, de plantes fantasmagoriques en forme d'étoiles de mer, avec des pointes longues comme des couteaux.

— Excusez ma curiosité, mais à quoi servent ces différents flacons ? s'enquit l'intendant.

— Oh, ce sont des remèdes possibles contre une autre crise éventuelle, lâcha le docteur en exhibant encore un bocal ventru où des araignées gélatineuses tissaient des toiles aquatiques.

Il posa sur son bureau un flacon rempli de liquide amarante constellé de spirales translucides, et une bouteille remplie d'une gelée émeraude piquetée de sphères mercurielles.

— Là ! s'exclama-t-il, ravi. Voilà une jolie décoration pour un intérieur raffiné.

L'intendant Hoang avisa des petits sacs odorants qu'il renifla :

— On dirait de l'anis, n'est-ce pas ?

— Bien deviné, Monsieur Hoang, répondit le docteur en battant ses petites mains. Pour tout vous dire, ils sont destinés à ma propre consommation. On dit qu'ils rendent l'haleine fraîche comme celle d'un bébé.

S'affairant parmi les effets du bon docteur, l'intendant dénicha plusieurs petites boîtes laquées, de formes diverses : carrées avec de la marqueterie en bois précieux, oblongues et irisées, ovoïdes avec des effets de cloisonné. Le dos tourné pour que leur propriétaire ne le voie pas, il fit sauter les couvercles, aiguillonné par une irrésistible curiosité. Dans l'une, il découvrit des croissants nacrés, comme des rognures d'ongles, dans une autre, il vit un assortiment de molaires plus ou moins saines.

Entre-temps, le docteur Porc avait étalé sur une commode d'étranges touffes de poils attachés en glands. A l'interrogation muette de Monsieur Hoang, il dit sur un ton confidentiel :

— Mes patients, une fois guéris, me donnent un petit témoignage de leur gratitude. Par vanité, je les conserve en souvenir, voyez-vous.

L'intendant hocha la tête, plein de compréhension. Mais faisant mine d'épousseter un bibelot impeccablement propre, il s'approcha avec indifférence et se pencha sur cette surprenante collection de poils frisés. Le nez froncé de dégoût, Monsieur Hoang les décréta d'une incontestable origine pubienne.

— Docteur Porc, vous voilà presque installé dans vos quartiers maintenant ! s'exclama une voix enjouée.

Carmin était rentrée, portant une couverture en brocart, et maintenant se tenait près de l'invité, coquette, la tête penchée de côté.

— Mais oui, Madame Carmin, répondit le docteur qui montra sa gratitude par un sourire éclatant. Je me disais que je commençais vraiment à me sentir chez moi, ici, tellement les quartiers sont agréables.

Carmin rit, flattée.

— Vous êtes trop aimable, Docteur Porc. C'est un grand honneur pour moi d'accueillir un médecin aussi illustre que vous.

— Maintenant que tu as apporté cette couverture, n'as-tu pas autre chose à faire, Carmin ? intervint l'intendant qui n'avait jamais vu sa femme aussi accorte.

Faisant celle qui n'avait pas entendu, Carmin poursuivit :

— Combien de temps resterez-vous parmi nous, Docteur Porc ?

— Oh, vous savez, je ne vous imposerai ma présence que le temps de m'assurer que le mandarin ne risque plus de crise. Et puis, le mois prochain, on m'attend pour une conférence dans la ville voisine.

— Une conférence ! De quoi allez-vous donc parler ? demanda Carmin, les yeux émerveillés.

— Des bienfaits de l'anis étoilé, je suppose, ricana l'intendant, mauvais.

— En fait, il s'agit d'un colloque sur la nécrophagie, car c'est un sujet très à la mode, des cas isolés étant survenus dans cette province même. Je suis, sans vouloir me vanter, un des spécialistes en la matière.

— La nécro… la nécrophagie, est-ce le fait d'avaler de l'air quand on parle, ce qui occasionne des ballonnements douloureux ? demanda Carmin. Ma belle-mère semble en être perpétuellement affligée.

Le docteur Porc eut un sourire indulgent, mais totalement dénué de condescendance.

— Non, non, ça, c'est ce qu'on appelle de l'aérophagie, et les gaz dégagés sont insoutenables, je peux vous l'assurer. La nécrophagie, c'est…

— Le fait de dévorer les morts, laissa tomber l'intendant Hoang que cette conversation commençait à fatiguer.

— Précisément ! s'exclama le docteur, rayonnant. Quand j'étais en exercice à Phan Nam, on m'a sommé à la morgue pour examiner des cadavres mutilés de personnes de tous âges. Les enfants avaient été mordus aux fesses, alors que les adultes portaient des marques inquiétantes sur le bas-ventre. La créature qui s'est ainsi servie en chair humaine a laissé des traces de mâchoires géantes.

Carmin frissonna :

— Un tigre blanc ?

— Pensez-vous ! Non, les empreintes de dents étaient indéniablement humaines, et il y avait peu de sang répandu, ce qui laisse à penser que les victimes étaient déjà décédées quand il les a goûtées.

— Un nécrophage ! fit Carmin, qui se délectait du nouveau mot qu'elle venait d'apprendre. Est-ce que de nouveaux cas ont été signalés à Phan Nam ces jours-ci ?

Le docteur Porc resta un moment rêveur.

— Non, depuis que je suis arrivé à Quang Long, on ne m'en a pas fait état.

L'intendant, que le sujet intéressait malgré lui, hasarda :

— Sans doute serait-il facile d'arrêter le coupable. Il doit avoir une dentition aiguisée, et un faible pour la viande.

— Détrompez-vous, les nécrophages et leurs cousins cannibales se cachent sous des dehors respectables, se prétendant quelquefois végétariens, même.

Il passa une langue mouillée sur ses lèvres parfaites.

— Je me suis laissé dire que la chair des enfants est particulièrement tendre et savoureuse, et peut s'apprécier crue ou très légèrement assaisonnée.

XXII

On décida de traduire le tailleur Tau devant la cour mandarinale sous l'inculpation de tentative d'empoisonnement sur un haut fonctionnaire. Deux veilleurs armés de triques de rotin et de sabres recourbés furent chargés de le cueillir chez lui, à l'heure de la sieste, moment où sa vigilance serait endormie. Tiré de son sommeil de plomb, Monsieur Tau eut la désagréable surprise de se retrouver les mains liées dans le dos, avant même de pouvoir se rajuster.

C'est donc un tailleur aux vêtements pendants, à la chevelure en deuil, qui fut conduit ignominieusement à travers la ville. Rue des Fards et des Bijoux, les coquettes levèrent sur lui un œil dégoûté. Les brodeuses qui avaient tendu leurs étoffes sur les cadres en bambou, rue des Petits Points, manquèrent de se piquer en le voyant poussé sans ménagement par des veilleurs au menton durement projeté en avant. Enfin, rue des Potiers, des marchands cassèrent à son passage des plats invendables en signe de mépris.

Le bruit de sa prétendue trahison l'avait précédé. Pourtant, le tailleur Tau n'avait presque rien à se reprocher.

En arrivant au palais, l'accusé vit qu'un groupe d'officiels l'attendait de pied ferme dans la grande salle : le maire Lê avait le front plissé d'irritation ; l'intendant Hoang le regardait sans aménité ; le lettré Dinh, si élégant dans une tunique à revers croisés, était flanqué d'un imposant personnage enveloppé d'une ample robe couleur foie de porc. Jeté violemment à terre par un veilleur excédé, le tailleur se trouva étendu aux pieds d'un mandarin Tân tout emmailloté dans des linges qui sentaient l'onguent camphré. L'intimidant magistrat siégeait, entouré de ses gardes sous deux gracieux parasols de soie jaune. Le buste droit, il évitait de toucher le dossier tout en sculptures complexes, afin de ne pas réveiller ses douleurs. Cependant, il arborait l'air tranquille de celui qui allait rendre la justice.

— Pitié, Maître ! implora le tailleur. Je vous prie d'excuser la demi-journée de retard avec laquelle j'ai achevé la veste pour votre vénérée personne.

L'intendant Hoang, outré par les paroles du tailleur, cracha :

— Il s'agit bien d'une livraison tardive, Tau ! J'avais mis ma confiance en ton art, voilà que tu l'utilises à des fins perfides.

— Mais, que… commença Monsieur Tau.

Le chef des gardes, chargé de la partie concrète de l'interrogatoire, fit signe à ses deux sbires. Une volée de coups de rotin s'abattit en pluie sur le dos décharné du tailleur. Les coutures de son habit, trop lâches, cédèrent sous l'effet de la tempête qui semblait gonfler les quatre pans de la tunique. De minuscules gouttes de sang perlèrent en rangs multiples sur la peau découverte, toute fanée, presque trop flétrie pour beaucoup saigner.

— Avoue, vieux scélérat ! criait l'un des veilleurs.

— Voilà pour le crime d'insolence ! renchérissait l'autre, la bave aux lèvres.

Le mandarin Tân enleva une de ses babouches, et posa avec désinvolture le pied dénudé sur un barreau de son fauteuil. Il fit signe aux veilleurs, qui se figèrent, muscles tendus, prêts à recommencer.

— Monsieur Tau, dit le magistrat, vous êtes devant moi pour répondre d'une tentative d'empoisonnement sur ma personne. Qu'avez-vous à dire pour votre défense ?

— Maître, gémit le tailleur, je suis sans doute trop sot pour comprendre ce que vous me dites là…

L'intendant Hoang dit en s'avançant d'un pas :

— Je t'avais confié un coupon de soie bleu de nuit pour que tu en fasses une tunique d'automne, t'en souviens-tu ?

— Oui, c'est cela, mais elle a été livrée, cette tunique, par mon domestique Ombre de Singe. Et avec seulement une demi-journée de retard.

— Or, accusa le mandarin Tân, en étrennant cette veste, j'ai failli m'empoisonner. Le tissu était imprégné d'un poison mortel !

Le misérable tailleur eut un hoquet de surprise. L'étonnement le laissa sans voix. Le plus grand des veilleurs prit l'initiative de lui assener un coup de bambou sur le crâne, afin de lui faire revenir la mémoire.

— Comment expliquez-vous cela ? insista le magistrat.

— Dire qu'on m'a même soupçonné, l'espace d'un instant, d'avoir traité le tissu moi-même, s'indignait l'intendant Hoang. Tu as intérêt à trouver une histoire cohérente.

Ecrasé sous la gravité des accusations, l'infortuné Tau perdit connaissance. Mal lui en prit, car le chef des gardes avait déjà déroulé la longue queue de raie montée sur un manche en bois, qu'il portait lovée autour des hanches, en manière de ceinture. Le fouet siffla cruellement avant d'atteindre la croupe maigre du suspect. Comme ces injonctions restaient sans effet, le chef des gardes réclama des tenailles.

Ramené ainsi à la réalité par la pression des tenailles qui menaçaient de dévisser ses doigts, tout frissonnant de soumission, le tailleur Tau prit la parole avant de recevoir de nouveaux coups. Avec un bégaiement pitoyable, il entreprit de raconter aux officiels l'étrange aventure survenue la nuit où il cousait la veste.

— J'ai cru au réveil que j'avais fait un cauchemar, Maître, car j'ai retrouvé, suspendue au dossier de ma chaise, la tunique telle que je l'avais laissée avant de m'endormir. J'ai alors attaché les dernières agrafes, puis j'ai enveloppé l'habit, avant de le faire porter au palais par mon aide, Ombre de Singe.

Le mandarin Tân, qui l'avait écouté avec intérêt, s'agita sur son fauteuil.

— L'inconnu vous a tailladé l'oreille, puis vous a assommé, dites-vous. Si vous n'avez fait que rêver cet épisode douloureux, sot que vous êtes, comment vous êtes-vous expliqué au réveil le sang qui coulait de votre oreille ? Au lieu de vous persuader d'avoir fait un cauchemar, vous auriez dû venir m'avertir !

— Maître, plaida le tailleur, affolé. J'ai cru m'être blessé dans mon sommeil, en tombant de ma couche, car je me suis réveillé par terre. C'était tellement invraisemblable, un agresseur venu me prendre un vêtement à peine achevé ! D'autant plus, je vous prie de me croire, qu'il m'a été restitué !

S'il dit vrai, pensa le mandarin, alors, en dépit de sa faiblesse, il m'a sauvé la vie, avec sa doublure trop chaude. Car je l'aurais portée jusqu'à la mort, si elle avait été plus confortable. Mais dit-il vrai ?

Le docteur Porc avait assisté à l'interrogatoire comme conseiller médical du mandarin, adossé à une colonne, un sourire satisfait aux lèvres.

— Vérifions que cet homme ne ment pas, proposa-t-il.

Il s'approcha du tailleur, qui était toujours à genoux, et lui fit lever la tête en lui prenant le menton. Lui imprimant un tour à droite, puis à gauche, il examina les deux oreilles. Il trouva effectivement, sur le pavillon cabossé en feuille de chou, une marque rouge sombre, une plaie qui cicatrisait.

— Voilà donc cette blessure, souffla-t-il dans le visage effaré du tailleur.

Il considéra avec attention le moindre relief de la croûte, collant presque sa bouche gourmande sur la joue de son patient. Donnant une petite torsion au lobe, il fit jaillir le sang. Puis, il se releva en rassemblant autour de ses genoux les plis de sa vaste robe.

— Cette plaie est incontestablement récente, fit-il en essuyant la salive autour de ses lèvres.

Il ajouta, l'air amusé :

— L'entaille est assez profonde. En insistant un peu, je pourrais presque arracher le lobe. En tout cas, vous pouvez être assuré, Maître, que l'agression de ce tailleur n'était pas feinte.

Le visage éclairé par un brusque soulagement, le tailleur expira bruyamment. Les officiels parlèrent tous en même temps, mais le mandarin, agacé, les fit taire :

— Décrivez-moi cet inconnu du mieux que vous pouvez.

— Je vous l'ai dit, Maître, il se tenait derrière moi, et il n'a fait que chuchoter. Je n'ai reconnu ni son visage ni sa voix. Cependant, c'est un homme fort, car sa silhouette m'a semblé aussi large que la vôtre.

— Qui savait que vous deviez me livrer une veste ?

— Tau s'en était vanté devant toute la ville, dit l'intendant Hoang avec mépris.

— C'est tout ce qu'on en tirera, gronda le chef des gardes en s'approchant du mandarin. Quelle punition lui réservez-vous, Maître ?

— Rangez votre fouet, garde. Pour sa sottise, ce tailleur mérite une sévère correction. Mais involontairement, il a fait échouer les plans de l'empoisonneur. Cela vaut bien que je le relaxe.

Expulsé du tribunal avec un dernier coup de pied au derrière, le tailleur rentra chez lui, ventre à terre.

XXIII

En dépit de son impatience, le mandarin Tân dut se résigner à attendre la guérison de ses blessures avant d'entreprendre le voyage à travers les montagnes. Le docteur Porc avait heureusement dans ses bagages nombre de remèdes aussi exotiques qu'efficaces, autour desquels il maintenait avec délectation un épais mystère. On soumit le mandarin Tân à des nuages de fumée odorante, on lui brûla la peau avec des pointes de bois enflammées, on lui fit avaler des mixtures troubles. Mais c'est à vue d'œil qu'il retrouva la souplesse de sa peau et la force de ses membres, tant il suivait scrupuleusement les prescriptions du docteur.

Un jour, le secrétaire Sam se présenta respectueusement devant lui.

— Maître Tân, dit-il en s'inclinant légèrement, l'entrepreneur Ngô, entendant les nouvelles inquiétantes concernant votre santé, m'envoie vous présenter ses souhaits de bonne guérison. Il vous assure de ses prières au temple.

— Remerciez donc Monsieur Ngô pour moi, répondit le mandarin Tân. Y a-t-il quelque chose à rapporter de mon périple, qui pourrait lui être d'une quelconque utilité ?

— Justement, Maître, il regrette de n'avoir pu vous aider dans la préparation de votre expédition. En revanche, à condition que ma présence ne vous soit pas importune, il souhaite que je vous accompagne. Si la piste est encore praticable, si le voyage s'effectue sans trop d'embûches, il envisagerait d'organiser de nouveau le convoi des jarres d'eau de la source.

— Ce serait un plaisir pour nous d'avoir un compagnon aussi agréable et aussi cultivé ! fit le mandarin poliment. Mais je vous prie de garder une grande discrétion autour de notre départ : hormis quelques officiels et votre beau-frère, personne ne doit savoir que le mandarin civil a quitté son poste ! Nous nous rencontrerons donc dans deux jours, à l'heure du Chat, sur la route de la Montagne Noire.

— Deux jours ! s'affolait l'intendant Hoang en reconduisant le visiteur vers le portail. Nous ne serons jamais prêts !

Il courut aux cuisines où les employés du palais prenaient leur repas de midi. Interrompant sans aménité leurs conversations, il désigna d'un doigt péremptoire les gardes les plus vigoureux :

— Tenez-vous prêts à partir dans deux jours pour la Source du Dragon Retourné !

Un murmure de surprise parcourut la salle. La route n'était pas réputée pour sa facilité, et les gardes ainsi appelés cherchèrent, malgré leur bonne constitution, à échapper à la réquisition. Cependant, le porteur de palanquin Xuân se leva pour donner l'exemple :

— Intendant Hoang, en ma qualité d'ancien coolie de l'entrepreneur Ngô, je connais bien le parcours et j'ai une bonne connaissance du convoi des jarres. Aussi je me porte volontaire.

Des rires fusèrent, car malgré son agilité et sa bonne technique de portage, Xuân était bien plus frêle que ses compagnons. Quand il se rassit, le porteur Minh lui chuchota :

— Quelle mouche t'a piqué ? Veux-tu donc périr sous un éboulis, ou veux-tu disparaître dans un ravin ?

Le porteur Xuân laissa un sourire impénétrable errer sur ses lèvres minces, et dit :

— Tu aimes les belles femmes d'une conquête facile ? Alors suis-moi !

L'intendant Hoang tourna les talons, satisfait ; on compléterait l'équipe par quelques veilleurs pour s'occuper de la cuisine et des montures. Restait à constituer les réserves de bouche. Il ne s'agissait pas de laisser le Maître dépérir, d'où la nécessité d'emporter des caisses de viandes en salaison. En revanche, l'équipage se contenterait bien de farines légères à transporter et pourtant roboratives, une fois préparées à l'eau. Calculant dans sa tête avisée les charges par bête de somme, l'intendant s'étrangla et résolut de réduire ses prévisions de moitié.

*

— Tu m'as l'air fringant dans ta tunique râpée, fit Minh en regardant de biais son compagnon Xuân. N'avaient-ils rien de plus petit que ce modèle pour enfants ? Il ne met pas assez en valeur tes épaules de porteur mandarinal, hélas.

Xuân, juché sur sa monture mouchetée, renifla de dédain.

— Et toi, tu t'es vu avec ton turban de travers ? Tu gigotes tellement sur ton canasson que tes dents

239

doivent se déchausser. Quel maintien viril pour un athlète de pacotille !

Minh serra ses jambes autour de la bête et baissa la voix.

— Bon, j'avoue que nous ne nous montrons pas sous notre meilleur profil, mais c'est sur ordre du Maître. « Il faut passer inaperçu », nous a-t-il dit, mais là, je trouve que c'est vraiment trop. Même la dernière des mendiantes nous a regardés comme des chiens, alors je crains le pire quand nous arriverons à l'auberge dans quelques jours.

— Surtout qu'il y aura des belles bien en chair, je t'assure, fit Xuân avec un clin d'œil. Heureusement que j'ai pensé à emporter des vêtements de rechange, sans quoi l'Epée de Jade resterait encore dans son fourreau pendant quelque temps.

Avec les onze hommes qui formaient l'escorte, ils gravissaient péniblement le chemin escarpé qui s'élevait dans la montagne. Les chevaux avançaient avec précaution, évitant les ornières et les rochers saillants. En tête, le mandarin prenait un plaisir évident à explorer cette voie peu empruntée, confortablement vêtu d'une tunique lâche, qui le gênait moins que l'habit officiel. Son chignon négligemment retenu par un bandeau de tissu gris lui donnait des airs de jeune paysan retournant à son village. Il avait fallu repousser les velléités de Carmin qui voulait lui faire une coiffure de magistrat et calmer l'intendant Hoang levé tôt pour surveiller la préparation du palanquin.

— Passez par ici, indiqua le mandarin à ceux qui le suivaient avec peine, en désignant un raidillon qui passait près du précipice. C'est le chemin le plus court vers le col.

Comme son cheval dérapait sur les rochers descellés, il le poussa sans ménagement et continua presque au galop.

Le visage en sueur et le dos en bouillie, Dinh maudit son ami en son for intérieur : On ne devrait pas laisser un chiot mener la meute. Il nous tuera tous. Il y en aura bien un ou deux qui se casseront le cou dans le ravin, et les chevaux vont nous jeter bas pour se venger. Pourquoi me suis-je proposé pour cette infernale équipée ? La récompense sera-t-elle à la mesure de ma souffrance ?

Il s'efforça de se maintenir au niveau de Monsieur Sam, qui progressait sans trop de peine apparente. Quelquefois, pour rétablir son équilibre, l'ancien employé aux Archives donnait un coup de reins souple, qui le remettait d'aplomb et faisait siffler sa longue tresse.

— Le mandarin chevauche comme le Fils du Vent, dit Monsieur Sam avec admiration. Il me rappelle ce héros de légende qui franchissait les montagnes sur sa monture fantastique. *Le cavalier aux cent huit bannières vola dans les airs sur son coursier de jais.*

Dinh répliqua :

— Et les serviteurs aux cent huit hématomes roulèrent dans le fossé sur leurs canassons de fortune.

Monsieur Sam se tourna vers lui avec un petit sourire.

— Pour un administrateur, vous ne vous en sortez pas trop mal, je trouve. Le dos est un peu raide, peut-être, mais l'allure d'ensemble n'est pas si ridicule.

Flatté, Dinh rendit l'amabilité :

— Mais vous-même, où avez-vous appris à vous tenir en selle avec une si belle prestance, Monsieur Sam ? Avez-vous lu le traité des Frères Tang sur le sport équestre en Mandchourie ?

— Il figure sur ma liste, mais en réalité, je me suis surtout intéressé à l'ouvrage *Les Cavaliers en cuir* de Maître Xu. Il paraît que le dressage est un élément extrêmement important dans la pratique de l'équitation.

— Ah oui, si je comprends bien, il faut être sévère pour garder le contrôle de la bête.

Monsieur Sam acquiesça :

— Exactement : si on ne se montre pas assez autoritaire, on ne parvient pas à dominer le sujet. Mais quoique la méthode de dressage préconisée par Maître Xu et son école me semble adaptée aux bêtes peu belligérantes, j'opterais personnellement pour une méthode plus musclée pour des sujets rétifs et insoumis.

— C'est précisément ce que je pense, moi aussi ! s'exclama Dinh, heureux de trouver quelqu'un qui partageait son opinion. Notamment dans le chapitre sur les ligatures, j'aurais penché pour des liens insécables au lieu des cordes en lin, qui sont, somme toute, relativement faciles à couper.

Monsieur Sam hocha la tête :

— Oui, avez-vous remarqué comme il est aisé de s'en défaire d'une petite torsion bien exécutée ? Un jeu d'enfant ! Les cordes en lin ne sont bonnes que pour la fabrication de fouets à nœuds, comme nous l'enseigne le Mongol Hui dans son bel ouvrage *Force et soumission*. Les nœuds ainsi constitués sont aussi durs que des noyaux de longane et laissent des traces durables quand on s'en sert.

Ravi, Dinh demanda :

— Et avez-vous eu l'occasion de lire l'admirable poème *Le Jonc déployé* qui traite de l'éducation rude des adolescents dans les campagnes ?

Deux jours plus tard, ils atteignirent le Col des Vents qui était noyé dans une brume épaisse. Le mandarin Tân ordonna une halte, au grand soulagement de l'équipe. Les gardes se répartirent en petits groupes et déballèrent les boulettes de riz et de poisson qu'ils avalèrent avec satisfaction.

La jungle les encerclait de ses banians géants dont les racines adventives tissaient des réseaux denses. Du cœur des lianes enchevêtrées leur parvenaient les cris de singes invisibles, le craquement de branches sous le pas d'un grand tigre aux aguets, l'étrange ululement d'un oiseau inconnu qui se répercutait sur les troncs immenses.

Ayant trouvé une place non loin de Monsieur Sam, avec lequel il avait eu une conversation littéraire des plus passionnantes, Dinh étendit les jambes et se félicita d'avoir trouvé un gros rocher auquel s'adosser. La lourdeur de l'air et le brouillard moite eurent finalement raison de lui, et il sombra doucement dans le sommeil.

Soudain, ils furent partout : sortant d'entre les lianes, surgissant des troncs obscurs, sautant des cimes feuillues. Une armée d'hommes en hardes, le crâne rasé, les yeux brillants de haine. Avec des hurlements de sauvages, ils fondirent sur l'équipe au repos, leurs bâtons de bambou fendant l'air.

Le porteur Minh eut juste le temps de bondir sur ses pieds avant qu'un brigand lui assénât un coup sur l'épaule. Il hurla de fureur, et se jeta sur son agresseur, la cuisse haute et le pied en avant. Le mouvement de la Danseuse Lubrique permit à Minh d'atteindre le menton de son ennemi. Celui-ci recula avec un masque de douleur, mais répliqua avec le geste de la Banane qui Roule : s'allongeant sur le sol, il pivota plusieurs fois sur lui-même, et déséquilibra le porteur impérial qui se retrouva face contre terre.

Xuân, surpris en train de manger, jeta une boulette de riz gluant à la figure hideuse de son agresseur dont la vue se brouilla momentanément. Profitant de son désarroi, le petit porteur projeta son genou pointu contre le ventre du brigand, qui se plia en deux selon la technique de la Galette sur la Flamme. Mais il ne fut pas assez rapide, et laissa sa nuque un instant sans protection. Xuân en profita pour porter un coup du tranchant de la main, ce qui abattit proprement la brute.

Entre-temps, on attaquait le mandarin en rangs serrés : deux brigands faisaient tournoyer leur bâton qui bourdonnait comme un essaim en colère, et trois autres se tenaient prêts à intervenir. Le mandarin Tân eut un petit sourire et ses yeux se mirent à briller.

— Jouons un peu, dit-il en faisant craquer ses jointures.

Les bâtons décrivaient des cercles presque invisibles tellement ils tournaient rapidement. Dans un mouvement concerté, les brigands portèrent un coup qui aurait terrassé un autre que le mandarin. Mais celui-ci anticipa la trajectoire, ayant capté l'imperceptible signe qu'ils se donnèrent, et se retournant complètement sur lui-même, il saisit les bambous selon la technique du Pêcheur Tirant la Nasse. Les bambous partirent comme des flèches perdues, et les brigands déséquilibrés se heurtèrent de front, résonnant tels des gongs. Leurs comparses se ruèrent à l'assaut, la gueule ouverte, mais le mandarin s'était replié sur lui-même, et exécutant le geste parfait de la Grenouille Ailée, s'éleva dans les airs, par-dessus leurs figures ahuries. Une liane lui servit d'appui, et il pivota une fois, les jarrets tendus. Son pied devenu dur comme le rocher rencontra le crâne de l'un et l'omoplate de l'autre. Ils s'étalèrent dans un bel ensemble, et ne bougèrent plus. Le mandarin se laissa tomber, mais le dernier attaquant eut le temps de le cogner brutalement à la poitrine, ce qui le fit chuter sur le dos. Le bâton levé, le brigand commença à pirouetter selon le mouvement de la Tornade qui s'Enfle, puis ayant acquis une vitesse de rotation suffisante, il abattit son arme. Cependant, le mandarin avait rassemblé toutes ses forces et, les membres tendus, s'était relevé sans l'appui des mains. Saisissant l'autre extrémité du bâton, il le fit tourner encore plus rapidement, ce qui obligea l'assaillant à lâcher prise. Il s'envola en beuglant et atterrit au-delà des banians.

Quand Dinh ouvrit les yeux, il vit un pied puant arriver à grande allure. Par réflexe, il se laissa tomber sur le flanc, ce qui lui évita d'avoir le nez cassé. Le brigand qui l'avait manqué proféra un juron et voulut le frapper au crâne en exécutant la figure connue de la Vieille qui Bat le Grain. Mais ayant pris des appuis trop écartés, il laissa Dinh lui passer entre les jambes. Celui-ci se redressa et à l'aide de la technique peu élégante de l'Ane qui Rue, atteignit les parties tendres de son agresseur qui s'écroula en hurlant. Mais un deuxième comparse arrivait à sa rescousse sans crier gare : sautant sur Dinh par-derrière, il l'enserra brutalement et, d'un coup de tête, l'assomma.

Pendant ce temps, le veilleur Foie de Crevette n'était pas resté oisif : bien qu'ayant, un moment, feint d'avoir été mis hors de combat pour éviter les coups, il poussa un cri de douleur quand un bandit le piétina par mégarde, et dut se relever en vitesse pour sauver sa peau. Pourchassé par l'infâme assaillant, il détala vers le ravin sur ses petites jambes arquées. Saisissant au passage une liane, il voulut entraver la course brutale de l'autre qui arrivait tête baissée. Le bandit ne vit pas la liane tendue et tomba comme un arbre foudroyé.

— Bien fait ! glapit Foie de Crevette en levant un poing victorieux.

Dans un mouvement de vanité, il jeta un œil derrière lui en continuant à courir, à la recherche de témoins admiratifs. Mais ce geste lui fut néfaste, car il dévia du chemin, entama une descente inexorable, et fut happé par l'abîme.

Tous entendirent le cri pathétique qu'il poussa. Ses compagnons, qui prenaient pourtant le dessus sur les bandits, délaissèrent leur combat pour se ruer à son secours. Arrivés au bord du précipice, ils le crurent à jamais perdu. Mais le porteur Xuân, avec ses yeux perçants, vit une liane qui s'agitait :

— Tiens bon, Foie de Crevette ! s'écria-t-il en voyant le veilleur accroché à l'autre bout. On va te tirer de là aussi sûrement qu'un arracheur de dents extrait une molaire pourrie avec un fil de soie.

Les bandits, se retrouvant sans adversaire, se regroupèrent et tentèrent d'emporter leurs camarades blessés. Dinh ouvrit un œil incertain et les vit se replier en débandade dans la forêt proche. Mais ils furent pris en chasse par Monsieur Sam qui, fulgurant comme l'éclair, les suivit en faisant des bonds souples d'une incroyable technicité : c'était le mouvement de la Foudre Jaillissant des Nuages exécuté à la perfection.

Lentement Dinh se retourna, et constata que le mandarin Tân était à terre, immobile, non loin d'un gros rocher. Ironisant pour faire taire son inquiétude, il pensa : Bon, voilà notre chef hors d'état de nuire. Peut-être prendrons-nous à présent des chemins praticables au lieu de nous accrocher comme des ânes à flanc de montagne.

Mais comme pour le narguer une fois de plus, le mandarin remua doucement et se frotta la nuque. Se remettant sur son séant, il aperçut son ami qui le regardait, et dit :

— Assez de temps perdu, il faudra accélérer le pas si nous voulons arriver avant la nouvelle lune. En coupant par la partie la plus escarpée, nous devrions rattraper notre retard.

— En tout cas, répondit Dinh avec une moue, il faudra attendre que Monsieur Sam revienne, car je l'ai vu poursuivre les bandits.

Perplexe, il ajouta :

— Mais j'ai l'impression d'avoir déjà vu cette scène quelque part…

Le mandarin sourit.

— Certainement dans une vie antérieure où tu étais toi-même bandit des grands chemins.

— En effet, je me serais fait un devoir d'assommer les mandarins qui n'ont qu'une idée fixe, celle de risquer indûment la vie de leur équipage, grommela Dinh.

— En tout cas, tu n'avais pas l'air trop mécontent de chevaucher aux côtés de Monsieur Sam, je l'ai bien remarqué. De quoi discutiez-vous donc l'autre jour ?

— Bah, de littérature très spécialisée, que tu ne connais pas, toi. Monsieur Sam est un vrai connaisseur, ça, je peux te le dire.

— De la littérature que je ne connais pas ? Tiens donc. Donne-moi un exemple, demanda le mandarin, piqué.

— Bon, puisque tu insistes pour dévoiler ton ignorance en ce domaine : dis-moi qui est Maître Xu.

— Facile, c'est lui qui a écrit les poèmes *Pivoines en fleurs*, sur la beauté de la jeunesse, ainsi que *L'Art de plaire*, sur les protocoles amoureux.

— Bien sûr, ricana Dinh. Et le Mongol Hui, tu connais ?

— Ah, c'est une question sournoise, Dinh. Il n'a rien à voir avec la littérature : c'est le nom du serviteur de Monsieur Khac, qui tient la boutique des spiritueux en ville.

Dinh haussa les épaules, et répondit :

— C'est comme je disais, Mandarin Tân.

Le mandarin, vexé, voulut questionner davantage son ami, mais les veilleurs, Foie de Crevette en tête, revenaient vers eux en riant bruyamment.

— Ah, on les a bien eus ! fit Foie de Crevette, épanoui. Vous avez vu comme ils ont déguerpi ? Plus un seul de ces minables dans les parages !

Minh renchérit :

— Ils ont eu de la chance : un peu plus et on les mettait en pièces, si bien que même les goules mangeuses d'hommes n'en auraient pas voulu.

— Je ne sais pas où ils ont appris à se battre, mais même les yeux fermés j'en abattrais deux – non, trois – d'un seul coup, ajouta Xuân.

Le mandarin rassembla ses hommes et dit d'une voix enjouée :

— Après cet intermède plaisant, il est temps de se remettre en selle. Justement, j'ai repéré un chemin un peu raide – mais non mortel – qui mène tout droit au col suivant.

XXIV

— Hé, La Cendre, si tu revenais par ici ?

Inquiet, Calebasse regardait son camarade escalader un rocher en se hissant à la force de ses bras courts et maigres. La Cendre se retourna d'un coup de reins et rit :

— As-tu peur d'une petite grimpette ? Les bonzes nous ont appris plus difficile.

— Tel que c'est parti, tu vas nous perdre, et nous en serons quittes pour une volée de bambou sur le dos. Déjà la nuit tombe, et je n'ai pas apporté de lanterne.

Calebasse exagérait un peu. Si la luminosité déclinait, c'était parce que des nuages violets et lourds de pluie avaient envahi le ciel. Mais La Cendre ne pouvait pas s'en apercevoir : il était aveugle. Sa présence aux côtés de Calebasse, qui était parti cueillir herbes et champignons dans la montagne, s'expliquait par son toucher extraordinaire. En effleurant le tronc d'un arbre avec sa paume grise, il distinguait une mousse délicieuse en ragoût d'un vénéneux lichen. Mais c'était aussi une tête folle, décidée à démontrer son agilité en n'épargnant pas sa peine.

— Maintenant, où sommes-nous, dis-le-moi, s'impatientait Calebasse. Nous avons tourné trois fois autour de cette clairière, et on dirait bien que nous voilà revenus sur nos pas. Si tu n'avais pas la vue aussi basse, crois-moi, je t'aurais déjà envoyé sur cet arbre-là pour scruter les alentours. J'aurais mieux fait d'aller travailler chez l'habilleur des morts Mignon aujourd'hui. Et toi, tu aurais dû aller nettoyer les couches de ton lupanar. Nous n'en serions pas là.

Piétinant nerveusement dans l'herbe haute, Calebasse resserra sa ceinture de corde d'où pendait le coutelas qui lui servait à couper les plantes. Il rajusta la besace qu'il portait en bandoulière et en profita pour vérifier ses réserves : il ne lui restait qu'un gâteau de riz niché au milieu d'herbes médicinales et de brindilles écorcées.

— A mon avis, nous sommes perdus, fit La Cendre avec légèreté. Mais je n'ai pas peur du noir !

A l'aller, il avait semblé à Calebasse que la montagne se dressait plutôt sur leur droite ; ainsi, logiquement, la pente, au retour, devait être sur leur gauche, à moins, naturellement, qu'ils n'aient traversé sans le savoir une vallée, auquel cas, on ne parlait pas du même versant…

L'exaspération de l'enfant croissait à mesure que l'ombre se faufilait entre les arbres. Qu'est-ce qui lui avait pris, de partir en compagnie d'un écervelé pareil, boute-en-train au moment même où une sensation de danger lui serrait la gorge ? Il fit avec rancune :

— On sait bien que tu es le préféré de notre cher Second, ce n'était pas la peine d'essayer de te faire encore mieux voir en ramenant des produits rares. Si tu n'avais pas cherché à faire le malin, à l'heure qu'il est, nous serions confortablement installés sur nos nattes au milieu des autres.

Calebasse avala sa salive avec difficulté. Comme dans un cauchemar, il sut qu'un malheur se rapprochait aussi sûrement que la pluie.

— On dit qu'en regardant le côté où pousse la mousse, on peut trouver le nord, reprit-il avec espoir. Qu'en dis-tu ?

— Tout ce que je sais, c'est que si je te faisais manger de cette mousse-ci, elle te donnerait une colique à te coller sur ton grabat pour dix jours.

La Cendre agrippa tout guilleret une liane qui courait sur le rocher, et s'y balança comme un des singes qui rôdaient dans le temple. Se recroquevillant, il mima un mal de ventre du tonnerre.

Les premières gouttes de pluie atteignirent Calebasse sur son front bombé, puis, plus serrées qu'une volée de cailloux envoyés d'un lance-pierres, les suivantes criblèrent ses épaules étroites. La Cendre, lui, ouvrit une bouche noire pour avaler l'eau du ciel.

— Bon, je te laisse, dit Calebasse, exaspéré. Ce sont les gouttes qui font déborder la cruche. Tâche de retrouver ton chemin tout seul, moi, je file par là. Et fais attention aux tigres. Je te conseille de dormir sur la branche la plus haute que tu pourras atteindre, ou de rester sur ton piton rocheux.

Il fit un pas et lâcha cruellement :

— Encore que la foudre, elle aime bien ce qui est un peu pointu, si tu vois ce que je veux dire.

Se hâtant à travers les fourrés maintenant trempés, Calebasse entendit les protestations de son camarade, qui ne riait plus, mais sa voix fut vite assourdie par la distance. L'enfant avait déjà escaladé bien des raidillons quand sa colère tomba brutalement, refroidie par les rideaux d'eau qui lui cinglaient la poitrine. Pris de remords, il cria :

— La Cendre ! Hé, m'entends-tu ?

Comme il n'eut pour réponse que le son morne de la pluie dans les montagnes, il se décida à revenir sur ses pas, en suivant la trace des fougères piétinées. La nuit avait gagné complètement le sous-bois humide, quand il perçut un long cri terrifié. Calebasse se mit à courir en hurlant de plus belle :

— La Cendre ! Hé, m'entends-tu ?

XXV

L'auberge qu'avait dénichée Xuân était érigée sur le bord d'un précipice et, vue de la route qui montait, elle paraissait suspendue dans le ciel par des filins invisibles. En réalité, des plantes grimpantes enserraient la bâtisse de leurs lianes épaisses, et les vrilles, venant se nicher dans les interstices des pierres et plongeant profondément dans la terre, servaient d'ancre végétale qui la retenaient d'une chute vertigineuse dans le ravin tout proche.

— Maître, dit le porteur Xuân, le doigt levé, alors que la petite troupe se trouvait encore loin en contrebas, c'est dans cette auberge que nous devrions passer la nuit.

Des bourrasques de pluie giflaient les hommes à coups violents, à peine arrêtées par les palmes des hauts arbres qui bordaient la piste. Le mandarin Tân jugea opportun d'offrir à sa vaillante équipe une nuitée au sec, sous un toit en dur. Aussi donna-t-il l'ordre d'arrêter le convoi dans la cour pavée, que l'orage avait remplie d'une eau boueuse presque tumultueuse. Le porteur Xuân continua, avec fierté :

— Je la connais, c'est vraiment un établissement de qualité, qui propose des chambres confortables et de bons repas. Nul doute que vous serez satisfait, Maître.

Pendant que le veilleur Thu conduisait les montures aux écuries et que les hommes gagnaient le dortoir pour mettre les affaires à l'abri, le mandarin Tân pénétra dans la salle commune, suivi de Dinh et de Monsieur Sam.

Ils furent saisis par le remugle de linge sale et humide qui se dégageait des dizaines de convives attablés. Dans la bonne chaleur de l'auberge, leurs vêtements mouillés exhalaient une vapeur infecte qui se mêlait, touffue, à l'odeur d'un feu de bois échappée des cuisines.

Dinh s'occupa de louer des chambres pour les lettrés, et une dizaine de lits de camp au dortoir pour les porteurs. Ceux-ci d'ailleurs se ruaient dans la salle à manger, commandant d'une voix forte des repas chauds, s'éparpillant autour des tablées restées libres.

Les hommes, le mandarin Tân inclus, s'emparèrent fébrilement des bols de soupe. Le liquide brûlant et parfumé leur fit oublier toute leur misère, et il n'y avait plus que les grosses nouilles plates et glissantes qui comptaient au monde.

*

Resté seul dans la pièce devenue silencieuse, le mandarin Tân suivait d'un regard las la flamme oscillante de la chandelle. Comme les fines feuilles d'or qu'on colle en offrande sur les statues de Bouddha, elle s'enroulait et se défaisait au gré d'un vent qu'il sentait passer sur son épaule. Sortant de l'abîme tout proche et chargé de senteurs d'herbe mouillée, le courant d'air venait dissiper les odeurs de sueur humaine, aigres et échauffées. Les serveuses, reparties dans les cuisines, seules ou accompagnées d'un de ses gardes, avaient soufflé toutes les bougies, sauf celle posée devant lui, chuchotant entre elles qu'il ne fallait pas déranger ce notable à l'air si mélancolique.

Pendant le repas, simple mais goûteux, le magistrat avait écouté les joutes littéraires entre son ami Dinh et Monsieur Sam, et avait accusé la fatigue d'embrumer son cerveau au point de n'avoir pas trouvé une seule bonne réponse.

— Quelle est l'œuvre majeure du Mandchou Fu, qui marque l'intromission des pratiques belligérantes prônées par les guerriers de la nouvelle *Le Drapeau noir* ? avait demandé Dinh, l'œil espiègle.

Le mandarin avait intensément réfléchi – quoique sans trop le montrer – mais le seul drapeau noir qu'il connaissait était utilisé comme moyen d'arpentage par les paysans, et ceux-ci n'affichaient pas, à sa connaissance, de prédispositions belligérantes. Dans les œuvres classiques, qu'il avait pourtant étudiées en détail lors des concours triennaux, point de mention d'un drapeau de cette couleur. Aussi s'était-il mordu la lèvre de dépit quand Monsieur Sam, éclatant d'un rire léger, avait répondu sans l'ombre d'une hésitation :

— Même un ignare aurait pu vous dire qu'il s'agit du traité intitulé *Jusqu'au coude*. On y vante cette technique martiale particulière qui rend l'avant-bras si rigide qu'un coup de poing arrivait à transpercer l'abdomen de l'ennemi, ne s'arrêtant qu'au coude, justement.

— Bien joué, Monsieur Sam ! s'était exclamé Dinh. A vous maintenant de poser une question.

— Oui, bon, avait interrompu le mandarin que ces jeux commençaient à lasser. Peut-être vos esprits brillants ont-ils quelque idée de génie quant aux meurtres des petits Rejets de l'Arbre Nain ? Car je vous rappelle que nous essayons présentement d'en trouver le coupable.

Les deux littéraires s'étaient regardés, comme interloqués, et Dinh avait répondu :

— La chevauchée a été fort longue, et les brigands ont dû m'estropier le cerveau, car je n'ai aucune illumination à ce sujet. Je ne sais pas si vous êtes de mon avis, Monsieur Sam, mais je crois qu'il est temps de nous retirer, car les questions du mandarin sont en vérité plus difficiles que les pauvres devinettes qui nous ont égayés ce soir.

Ils s'étaient levés de concert, feignant l'épuisement intellectuel, et s'étaient dirigés vers leurs quartiers d'un pas qui se voulait pesant.

Maudits littéraires ! pensait-il à présent, les yeux rivés sur la flamme qui n'en finissait pas de faire des arabesques insaisissables. Toujours les premiers à montrer leur brio sur des sujets sans intérêt, et s'esquivant dès qu'il s'agit d'appliquer un raisonnement logique sur une affaire concrète. Pourtant, la solution aux meurtres abominables existe ! Voyons les éléments que nous tenons…

Le mandarin Tân rassembla quelques grains de riz séchés que les deux lettrés, tout à leurs amusements pédants, avaient fait voler de droite et de gauche.

— Ceci représente les Rejets de l'Arbre Nain. Nous savons qu'ils sont hébergés par les moines du Temple de la Grue Ecarlate, moyennant le salaire qu'ils gagnent en ville, continua-t-il dans sa tête, en posant à côté des grains de riz quelques miettes de chou ratatiné pour figurer les deux Têtes Chauves – un petit bout pour le Supérieur et un morceau plus conséquent pour sa brute de Second. Après réflexion, il rajouta un trognon coriace pour le moine qui n'avait plus tous ses esprits.

Il disposa plus loin deux graines de grenade qui traînaient sur une soucoupe :

— Voilà les deux enfants trouvés morts : Goutte de Sang, qui m'a donné la honte de ma vie chez l'habilleur des morts Mignon, et Ecaille Rouge qu'a découvert le paysan Hô. Mais ce ne sont pas les seules morts d'enfants que nous devons élucider. Le maire Lê a déterré cette affaire vieille de cinq ans, où une jeune femme et un petit garçon ont été sauvagement assassinés.

Sur le rebord de la table, le magistrat plaça un morceau de citron et une feuille de menthe qu'il relia aux graines de grenade avec une nouille échappée de la soupe du soir.

— Je suis certain que les meurtres d'aujourd'hui ne sont pas étrangers à cette ancienne histoire, murmura-t-il, pensif. Mais il faut encore trouver le lien définitif… Car, à part leur difformité physique commune, quel rapport entre un enfant accompagné de sa mère et ces deux petits orphelins ?

Il joua un instant avec une paire de baguettes, traçant des courbes alambiquées sur la surface grasse de la table. S'appuyant sur un coude, il se laissa aller à de tortueuses conjectures.

— Pourquoi les enfants abandonnés sont-ils les cibles de cette tuerie ? Que savent-ils ? Un secret sur les bonzes ? Auraient-ils pu être engendrés par le Supérieur, comme le laissait entendre l'habilleur des morts Mignon ? Cependant, même si Grande Vie Intérieure n'est pas d'une beauté insigne, il n'est pas si hideux au point d'engendrer systématiquement des monstres.

Les paroles délirantes d'Esprit Ineffable lui revinrent en mémoire : *Ils sont nos enfants, tous nés de la même mère.* Secouant la tête, le mandarin se sermonna :

— Quelles divagations, tout de même… Il est à peu près aussi fou que la pauvre Madame Ngô. Qu'a-t-il prétendu alors ? Que les enfants sont nés dans le temple : le monastère a donc dû s'occuper des enfants dès leur naissance. Mais alors, les moines les ont-ils recueillis par simple bonté d'âme ? Ou ont-ils pour ces petits des projets que je n'imagine pas ?

« Et pourquoi cette incroyable violence sur les pauvres corps des victimes ? Il est clair que les moines ne sont point ennemis du châtiment corporel, mais même parmi les citoyens apparemment honorables, il y a des adeptes de l'éducation musclée. Dinh me parlait des sévices que le maître d'école Ba faisait subir à ses élèves sous le couvert d'une instruction perfectionniste. Peut-être se laisse-t-il aller avec des enfants qui ne fréquentent pas son école, mais qui l'irritent par leur laideur et leur inculture ?

Inspiré, le mandarin fit glisser une pousse de soja à côté des graines de grenade, symboles des enfants tués.

— D'un autre côté, nous avons eu des plaintes concernant les activités intimes du mandarin militaire Quôc, qui aime apparemment battre les femmes qu'il paie. La brutalité me semble toute naturelle pour ce personnage qui joue certainement de son Epée de Jade comme d'une matraque.

Le magistrat se baissa pour ramasser un morceau de saucisse et, d'un geste sûr, le campa tout près de l'avatar du maître Ba. Il secoua la tête, et grommela :

— Personne n'est à exclure dans cette affaire. Même Monsieur Sam doit avoir d'autres vices que l'amour immodéré des devinettes oiseuses. De plus, il y a des camps partagés : le maître Ba et le mandarin militaire Quôc ont la dent dure contre l'entrepreneur Ngô – représenté par ce pois chiche – qui en retour défend les intérêts des Têtes Chauves.

Le mandarin Tân regarda intensément le savant agencement des restes sur la table. Il se présentait grossièrement comme un cercle au centre duquel se trouvaient les quatre victimes. Autour d'elles, étaient disposés les Rejets de l'Arbre Nain, les bonzes, l'entrepreneur Ngô, puis l'alliance constituée par le maître d'école Ba et le commandant Quôc.

— Voyons les relations entre ces différents personnages, se dit le mandarin Tân. Le seul lien que je perçois entre les bonzes et Monsieur Ngô se limite à quelques anciennes ententes passées entre hommes d'affaires. Auraient-ils gardé de cette vieille coopération des rapports assez étroits pour que l'entrepreneur prenne ainsi la défense publique des bonzes ?

« Maintenant, qu'est-ce qui oppose le mandarin militaire aux moines ? Il se pourrait que le commandant Quôc redoute que la technique de combat des bonzes ne vienne concurrencer la force de sa garnison, et qu'il y ait un conflit larvé entre l'armée officielle et les moines-soldats. Mais pourquoi l'officier s'en prendrait-il aux enfants ? Serait-ce seulement à titre d'avertissement ?

Sa main glissa sur un morceau de galette brûlée, qu'il traîna en périphérie du cercle.

— Notre mystérieux homme en noir…

Frissonnant d'horreur, il se remémora l'attentat à la veste matelassée dont il avait fait l'objet. Sans le vouloir, il caressa d'une paume prudente les plaies à peine guéries de son ventre.

— Cette tentative d'empoisonnement a-t-elle à voir avec cette affaire ? Attenter à la vie d'un émissaire de l'Empereur est un acte d'une telle gravité que seul un homme désespéré peut l'envisager. L'homme qui a tué les enfants est-il aux abois ? Me serais-je approché de la vérité sans le savoir ? En quoi mon enquête devient-elle dangereuse ? Car l'attaque de brigands, il l'a peut-être commanditée... Selon le misérable tailleur Tau, je devrais me méfier d'un homme large d'épaules, trait assez rare dans la province. Le mandarin Quôc a une stature de militaire, l'entrepreneur Ngô a lui aussi un torse formidable. Que dire du Second du monastère, Parfum des Vertus Sublimes, à la carrure de lutteur ?

Il avait beau déplacer l'inconnu noir sur la table, il ne voyait pas émerger de dessin précis, de regroupement révélateur. Faisant tournoyer une baguette entre ses doigts comme celui qui caresse le vent, il laissa errer son regard vers la fenêtre ouverte où était venue s'encadrer à présent une lune gibbeuse, piquetée comme du métal repoussé. En tendant l'oreille, il parvenait à discerner les cris de la nuit : une rainette accrochée à un tronc de banian, le glapissement d'un singe éveillé. Un moment, il repensa à son village, aux longues veilles de sa jeunesse, les écrits étalés devant lui à la lumière d'une bougie, alors que son esprit s'était une fois de plus échappé, vagabondant parmi les bananiers aux feuilles lisses et les étangs peuplés de carpes et poissons-chats. Que l'on soit écolier ou mandarin impérial, les nuits avaient-elles donc toujours la même saveur ?

— Un notable comme vous ne devrait pas se contenter de restes, fit une voix derrière lui.

Il se retourna, surpris d'entendre cette intonation chaude et grave, si féminine pourtant. Une ombre s'approcha, devancée par une senteur de fleur de jasmin. Il discerna une silhouette élancée, à la taille souple, et une chevelure qui renvoyait les feux froids de la lune. Quand elle vint s'asseoir devant lui, se laissant choir d'un mouvement alangui, le mandarin vit un beau visage aux traits délicats qui avait cependant vécu. Les yeux plus sombres que l'abîme avaient une souffrance contenue et les lèvres, encore jeunes et fermes, avaient dû goûter à plus d'un fruit amer.

— Non, mais je n'avais pas faim, commença le mandarin, embarrassé. Hum, c'est plutôt pour illustrer mes pensées que je manipule ces grains de riz et ce morceau de saucisse, je vous assure.

Il s'interrompit, conscient du ridicule de ses paroles, se fustigea intérieurement de son trouble, tout en se félicitant de voyager incognito.

Imbécile ! pensa-t-il, furieux. Pour une fois qu'une femme de plus de quinze ans t'approche, te voilà qui te mets à parler comme un simple d'esprit. Où est ta proverbiale éloquence, ta verve légendaire ?

Cependant, comme il se penchait vers elle, il décela une vague odeur d'alcool de riz mêlée au parfum de jasmin, et les yeux, il le remarquait maintenant, étaient bordés d'un transparent voile humide.

Quelle aubaine, fit-il en lui-même, ne sachant s'il fallait s'en réjouir ou non. La dame a eu trop à boire ce soir.

Tout haut, il dit :

— Madame, je n'ai pas saisi votre nom. Je suis de passage dans cette auberge, en route vers la Source du Dragon Retourné.

Elle leva un sourcil étonné, et répondit d'une voix basse que l'alcool avait rendue rauque :

261

— Moi, c'est Jade, je suis la patronne de cette auberge à cheval sur le rocher et le précipice, et un jour il suffira d'un coup de vent plus fort que les autres pour que nous allions tous rouler au fond. Là, nous vivrons en bonne entente avec les fantômes et les démons. Alors, au lieu de servir à boire et à manger aux voyageurs affamés, nous boirons leur sang et mangerons leur foie.

— Eh bien, en attendant, vous avez de la bonne clientèle, car nombreux sont ceux qui doivent s'arrêter ici en chemin vers la source, fit le mandarin pour dire quelque chose.

— De la bonne clientèle, vous appelez ça, des meutes d'hommes en haillons qui demandent la soupe en beuglant, puis prennent mes serveuses sur leurs genoux cagneux ? Tous les mêmes, je vous dis, des mâles sans honneur, avec des paroles de miel et des gestes de brigand. Avant, ils venaient plus nombreux, et mieux habillés, plus hardis encore que des seigneurs. Et leur chef, lui, ne se contentait pas de jouer avec des restes comme vous ; non, il lui fallait des douceurs à table et après. La richesse, c'est comme le pouvoir, ça vous donne des droits sur tout ; le droit de prendre, le droit d'oublier.

Elle éclata d'un rire étrange et passa le doigt sur la flamme, jouant avec les courbes de feu.

— A taquiner le destin on finit par se brûler, vous savez ?

Le mandarin suivait sa main, longue et légère, qui paraissait palper la lumière dorée. Elle continua :

— Avez-vous réfléchi à l'injustice qui m'a fait naître de basse condition, et femme ? Assurément non, car à votre mine, je sais que vous êtes du côté des puissants. Sur la roue d'une charrette, le point qui est en haut ignore ce que ressent le point qui touche la route. De même, les hommes sur la roue de la vie. Seulement, celle-ci ne tourne pas.

— Détrompez-vous, Madame, raisonna le mandarin Tân, car c'est par esprit d'équité que l'Empereur recrute ses administrateurs par voie de concours. Ainsi, l'humble paysan deviendra peut-être gouverneur de province.

Mais Madame Jade se détournait pour appeler une servante.

— Ma pipe, ordonna-t-elle.

La domestique apporta à pas pressés une élégante pipe à eau en ivoire, à longue tige flexible. Accroupie devant sa maîtresse, elle rechargea le fourneau posé à terre, veillant à l'équilibre du niveau de l'eau et à la combustion régulière du tabac. Madame Jade aspira doucement les fraîches bouffées, la tête renversée, les deux pieds sur l'assise de son siège. Un long silence s'installa, le temps que la pipe s'épuise et que la servante s'éclipse. Puis, posant son menton au creux de ses genoux, Madame Jade ricana avec mépris :

— Homme, je serais déjà à la cour de l'Empereur, mais femme, ah, Maître, femme je ne suis pas même concubine d'un marchand !

Admirant malgré lui le beau profil perdu, le mandarin Tân crut mesurer la douleur et l'amertume de celle que le destin avait piégée. Il y avait, derrière la brutalité des propos et l'arrogance du visage, une âme assoiffée et un corps vulnérable. Comme un idiot sentimental, il dit :

— Vous me semblez bien seule, Madame.

Les yeux de Madame Jade devinrent aussi durs que des tessons de verre, et il en jaillissait une haine, une rancune qu'elle ne refoulait plus.

— La solitude, c'est avec elle que je vis, vous l'avez bien deviné. Je mange avec mon ombre, et je dors avec mon ombre. Pourtant, j'étais belle avant, m'avait-on dit, et je l'ai cru, naïve que j'étais. La beauté n'est rien quand on n'a pas de souche. La pauvresse la plus éblouissante n'est même pas digne d'être l'esclave d'une dame hideuse. Elle est l'amusement passager d'un homme, mais impossible de mêler son sang avec une lignée prestigieuse.

Elle s'interrompit, et jeta au mandarin un regard que la flamme rendait encore plus intense.

— Mais, maintenant, je suis au-delà de tout ça. La jeunesse est enfuie, et les espoirs sont morts. Alors, voulez-vous profiter avec moi de cette nuit, cette belle nuit où la lune jette des ombres plus longues que la chevelure des goules ?

Le mandarin sentit sa gorge se nouer, mais Madame Jade s'était déjà levée et, contournant la table, elle vint s'abattre sur les genoux du magistrat. Avant qu'il ait pu réagir, elle l'avait enlacé dans ses bras d'une douceur inconnue et lui murmurait dans l'oreille des promesses sans lendemain.

S'efforçant, à contrecœur, de se dégager de l'étreinte si ensorcelante, le mandarin Tân dit d'une voix qui se voulait officielle :

— Voyons, Madame Jade, je crois que vous êtes fort épuisée, à l'heure qu'il est. Je vais vous raccompagner dans vos quartiers, où vous allez vous reposer jusqu'à demain matin. Vous serez alors plus dispose et mon équipage et moi, nous serons tous partis au petit jour.

Ce disant, il se leva et passa le bras autour de la taille de Madame Jade qui s'était mise à rire et pleurer en même temps.

— Vous non plus, vous ne voulez pas de moi ? Suis-je à ce point laide ? Mon corps est-il devenu si repoussant que vous ne daignez le tenir ?

— Mais non, je vous assure, Madame Jade, fit-il en tentant de la conduire vers l'aile réservée aux femmes. Je vous trouve très belle, au contraire, et très attachante. Seulement, vous n'avez pas tous vos esprits ce soir, et vous allez tout regretter demain, je le sais.

Il l'entraîna avec peine, car elle pesait de tout son poids sur ses épaules. A la fin, lassé de cette posture inconfortable, il décida de la soulever et de la porter dans ses bras. Courant le long de la galerie, il arriva enfin à une porte qu'elle désigna d'un mouvement de tête. Il l'ouvrit d'un coup de pied, et pénétra dans la pièce.

La servante avait préparé la chambre de sa maîtresse. Le lumignon qui brûlait sur une soucoupe éclairait chichement un décor pourtant somptueux. D'imposants buffets en bois de rose dur et violacé s'alignaient le long des murs, des fauteuils profonds sculptés dans du cèdre odorant flanquaient un lit aux colonnades épaisses. De l'encens se consumait dans des braseros à fenêtres en mica, en forme de fantastiques licornes. L'air lourd était saturé du mélange trop riche des senteurs des bois précieux, du parfum prenant de l'encens, de l'arôme sensuel de la menthe de Malaisie pilée dans des coupelles d'argent.

Je brûle de l'encens pour appeler les dieux,
Pour attirer l'amant, c'est la menthe que j'écrase.

Le mandarin Tân visa le lit, fort grand cependant pour une dame seule, l'y déposa et voulut se retirer. Mais Madame Jade fut plus rapide que lui. Elle

265

enroula de nouveau son bras blanc autour de son cou, mais cette fois-ci, elle attira le mandarin tout contre elle, glissant une main fiévreuse sous sa tunique qui bâillait. Surpris, il la sentit lui caresser les épaules, doucement, mais avec une avidité née de sa solitude. Il tenta de se libérer et ne réussit qu'à défaire son catogan dans son geste brusque. Madame Jade se redressa à demi, et son parfum de jasmin submergea les sens du mandarin, alors que dans le prolongement de son cou laiteux se profilait sa poitrine qui se soulevait.

A moi, mes ancêtres ! pensa-t-il, éperdu, pendant qu'il luttait encore avec sa conscience.

Comme si elle l'avait entendu, Madame Jade se cambra et avec un gémissement qui ressemblait à une prière, elle colla ses lèvres sucrées sur la bouche du mandarin Tân.

Il ne sut jamais s'il aurait cédé ou non, car à cet instant, un grognement se fit entendre, étouffé, mais pourtant tout près. Se raidissant, il regarda autour de lui. Madame Jade murmura :

— Ce n'est rien, Maître. Sans doute un singe sauvage chassé par la pluie qui aura trouvé une fenêtre ouverte. Il se sera restauré des offrandes sur l'autel des ancêtres. Revenez près de moi...

Mais le moment était passé, le charme rompu. Comme il s'appuyait sur l'oreiller, il sentit un objet dur contre sa main.

— Tiens ? Qu'est-ce que cette boule qui tinte ? demanda-t-il en levant vers la lumière une sphère dorée de la taille d'un œuf de poule.

— Voyons, Maître, si nous, les femmes, nous ne pouvons même plus avoir nos petits secrets ! répondit Madame Jade avec un rire léger, esquissant un geste pour la reprendre.

Mais la boule lui échappa et roula dans le lit.

Comme elle continuait à le couver d'un regard gourmand, libérant ses cheveux brillants sur une épaule de neige, le mandarin Tân s'empara de la théière posée à proximité et commença à verser le breuvage dans une tasse. Prenant une voix autoritaire, il dit :

— Bon, il suffit, Madame Jade ! Vous n'êtes pas en mesure de vous comporter de manière décente ce soir, alors je vous ordonne de prendre cette tasse de thé et de vous reposer tout de suite.

Peut-être la patronne de l'auberge aimait-elle les hommes autoritaires, ou peut-être était-elle simplement abattue par l'alcool immodérément consommé. Toujours est-il qu'elle obéit sans regimber, et sa jolie nuque retomba sur l'appuie-tête en bois. Elle s'endormit presque aussitôt, au grand soulagement du magistrat. Il soupira, libéré de son fardeau moral, mais empreint d'une tristesse incertaine, comme s'il s'était réveillé d'un songe dont le goût, doux et amer, lui restait dans la bouche. Dans son ivresse, la jeune femme avait défait le nœud de sa ceinture, qui se déployait, alanguie, sur ses hanches. Le col de sa tunique à cinq pans béait dans un désordre touchant sur une ombre de cache-seins. Le mandarin Tân tendit la main pour la recouvrir.

Mais il se redressa soudain, surpris par un grattement furieux, qui s'arrêtait par intermittence pour reprendre de plus belle. Il était prêt à jurer qu'on frottait le sol avec une brosse aux pointes métalliques. Cependant, comme il se dirigeait vers la fenêtre, le bruit cessa.

— On dirait que le singe gourmand qui a dévalisé l'autel des ancêtres a mis des miettes partout et qu'il doit maintenant tout balayer, grommela-t-il, sa curiosité insatisfaite.

Il jeta un coup d'œil circulaire dans la pièce, curieux de cet espace intime de femme qu'il n'avait jamais pénétré jusqu'alors. La première impression de luxe qui l'avait d'abord frappé était cependant tempérée par une vague sensation d'abandon. La maîtresse délaissée entassait négligemment les présents dont on l'avait couverte jadis : ce n'étaient que des souvenirs d'une époque heureuse, et non des possessions de prix dont elle se flattait.

Une coûteuse tenture de laine brodée de serpents bruns et dorés était accrochée à un mur. Des robes garnies de chatoyantes plumes de faisan, rouges, bleues et vertes, gisaient en désordre comme après un essayage désenchanté. Le mandarin Tân fit couler pensivement à travers ses doigts les bijoux qui remplissaient une coupe en jade pâle. Pareil à une eau magique, le flot de pierres polies jetait des reflets irisés, gouttes de cristal de roche plus claires qu'une rosée d'hiver, éclats de saphir aux transparences bleutées, perles d'ambre jaune, aussi précieux qu'un élixir figé.

Il regarda une dernière fois Madame Jade qui avait jadis été la déesse adulée d'un amant passionné. Elle reposait, sereine à présent, et il ne put s'empêcher de s'émouvoir de la courbe élégante de son cou, la fraîcheur retrouvée de son teint, et l'indicible tristesse que gardaient ses traits. Il souffla la bougie et ouvrit la porte.

Le mandarin se serait alors engagé dans le couloir désert, se serait couché avec des regrets insaisissables, s'il ne s'était pas à ce moment retourné, essayant de refermer le battant avec précaution pour ne pas réveiller la jeune femme endormie. Mais à l'instant où il regarda en arrière, dans l'ombre épaisse de la chambre, il remarqua une petite tache lumineuse qui brillait sur le mur.

— Tiens, tiens, fit-il, son cœur faisant un bond dans sa poitrine.

Il se glissa dans la pièce et repoussa la porte.

Se tenant immobile dans l'obscurité, les muscles bandés, les oreilles aux aguets, il vit la tache s'obscurcir, puis disparaître. Il se retint alors de respirer, craignant même de battre des cils de peur de faire un seul mouvement. Au bout d'un moment, l'éclat normal revint : on pouvait à nouveau distinguer le contour net de la marque sur la cloison. C'était un trou éclairé par la lumière provenant de la chambre voisine.

Sur la pointe des pieds, selon le geste consacré du Phénix Prenant son Envol, le mandarin s'approcha du mur et colla son œil sur la petite ouverture.

Dans la pièce qu'il aperçut alors, on avait dressé un autel pour les ancêtres où des bâtons d'encens finissaient de brûler au-dessus de plats de fruits et de gâteaux. Des guirlandes jaune d'or et des fleurs enfilées sur une corde en soie encerclaient les stèles de parents défunts.

Madame Jade ne mentait donc pas au sujet de l'autel, fit le mandarin Tân en lui-même.

Mais ce qu'il vit devant l'autel n'avait rien d'un singe affamé.

Si l'homme qui lui tournait le dos avait porté une tunique, elle aurait été depuis longtemps trempée, car le pagne qui lui ceignait la taille laissait nue une peau ravagée, pelant par plaques, suppurant sur la nuque et lacérée à la hanche. Le pus qui s'écoulait en abondance traçait des méandres sur la surface rougeoyante des muscles mis à vif. A certains endroits, des croûtes avaient eu le temps de se former, dures et sèches, mais d'un mouvement irrité, l'homme les déchiqueta de l'ongle, ne laissant que la face pâle d'une cicatrice qui perdurerait.

Le magistrat se figea, les narines fermées, comme pour refouler des effluves qu'il devinait à travers la paroi.

Par tous les succubes qui sucent le sang des vivants, je n'ai jamais vu une telle plaie humaine, pensa le mandarin Tân, horrifié. Mais que fait-il donc ?

L'homme rouge bomba subitement le torse, et sembla se frotter la poitrine. Puis il passa un bras par-dessus son épaule. Il tenait un bandeau de tissu couleur vert pâle à l'origine, mais qui maintenant était maculé de taches écarlates.

Il doit soigner ses blessures, se dit le mandarin, pris de pitié pour le pauvre diable.

Mais l'homme se déhancha alors, oscillant du bassin, tandis qu'il passait l'étoffe dans son entrejambe en effectuant un mouvement d'aller-retour troublant. Il se retourna et dévoila un faciès détruit par la maladie, purulent et s'écaillant par pans entiers. Dans cette figure saccagée brûlaient des yeux déments, où la fureur se mêlait à une jouissance malsaine. L'homme continua à se frotter lascivement, enroulant le tissu autour de ses cuisses écorchées, puis le ramena dans sa bouche pour le sucer avec des bruits de cochon qui tète. Avec des grognements de satisfaction qui déformaient ses traits, il se plaqua au mur et en utilisa les aspérités pour se gratter le dos comme les taureaux se frottent aux arbres pour éloigner les mouches.

Ces frictions eurent l'air de soulager sa souffrance, car ce fut d'un pas plus calme que l'homme disparut du champ de vision du mandarin. Il revint cependant avec un bol évasé et y puisa une poudre vermillon qu'il se lança sur le corps à pleines poignées. Etait-ce la poudre médicinale qui s'envolait, ou la peau pulvérulente qui se desquamait ? Toujours est-il que, l'espace d'un instant, il fut enveloppé d'un nuage de poussière rouge.

S'il avait adopté la position du Cobra Dressé au lieu de celle du Paysan Ereinté, le mandarin Tân aurait pu observer tout le rituel, mais ayant pris la mauvaise posture, il dut fléchir le genou qui émit un craquement assourdissant dans le silence qui régnait. L'homme rouge se figea, puis s'approcha à grandes enjambées du trou dans le mur. Le mandarin Tân eut juste le temps de se courber avant que l'homme vienne appliquer son œil dans l'ouverture avec une exclamation de bête fauve.

L'homme rouge dut se douter de quelque chose, car il rebroussa vivement chemin, et le mandarin, qui s'était promptement relevé pour l'épier à nouveau, le vit ouvrir la fenêtre et bondir dans le jardin avec une agilité presque animale.

Donnant un coup au genou indiscret, le mandarin se maudit pour sa maladresse. Mais trop tard, il ne restait plus qu'à essayer de pénétrer dans la pièce voisine. Justement, la tenture de laine aux serpents d'or battait sourdement, comme soulevée par un vent coulis, et laissait filtrer un rai de lumière, très faible mais parfaitement visible dans la chambre obscure. Après avoir allumé la bougie sur le chevet, le mandarin s'en approcha et, ayant soulevé la toile, il trouva une porte fermée par un loquet.

Hum, on ne peut ouvrir cette porte que du côté de la chambre de Madame Jade. Voilà pourquoi l'homme rouge n'a pas pu faire irruption ici pour s'assurer que j'étais réellement parti.

Il franchit le seuil et se trouva dans un décor insolite.

Depuis la chambre de Madame Jade, il n'avait pu mesurer l'étonnant fouillis qui régnait dans la pièce. Hormis l'autel des ancêtres, se dressait la table la plus longue et la plus encombrée que le mandarin ait jamais pu contempler.

Il lut avec intérêt les inscriptions sur les tablettes funéraires des ancêtres. L'autel regorgeait d'offrandes : croquettes de riz sucré, châtaignes d'eau grillées et confites, pains épais en forme de navette. Cependant, plus surprenantes, de petites soucoupes contenaient des pierres grossièrement broyées, ainsi que d'étranges poudres terreuses, comme si les défunts se nourrissaient de minéraux.

Le pauvre homme a perdu la raison, se dit le mandarin Tân avec compassion. C'est sûrement le frère de Madame Jade, pour s'occuper ainsi de l'autel familial.

Curieux, il longea la table recouverte de nombre de récipients de formes et de tailles diverses. Des vases à haut col voisinaient avec des bols trapus, d'énormes pots tripodes à quatre anses se pressaient contre des empilements de minuscules plats. Les matières étaient également variées, du grès céladonné brillant au métal terni, du bois poreux à la porcelaine durcie. Chaque récipient semblait tenir un rôle précis que le mandarin Tân tentait de deviner. Des verseuses peu profondes remplies de liquides troubles pouvaient servir à la décantation, des soucoupes fumées avaient dû contenir un produit en combustion, de gros mortiers gardaient encore dans leurs éraflures la roche qu'on y avait concassée.

L'homme rouge doit préparer ici les offrandes à ses ancêtres, se dit le mandarin Tân. Mais pas seulement les offrandes, certainement aussi des médicaments pour soigner sa maladie, car voici le bol de poudre vermillon que je l'ai vu utiliser.

Il passa un index curieux dans la poussière minérale, qui s'éparpilla en nuage léger. Sa couleur rouge, de près, était tempérée par un éclat violacé.

Du cinabre, se dit le mandarin Tân. Je me rappelle que, jadis, nombre de fonctionnaires chinois, alchimistes amateurs, demandèrent à se faire nommer dans la Province de Haute Lumière en raison des importants gisements de cinabre qu'on peut y trouver. Le frère de Madame Jade doit pratiquer la médecine, à la recherche d'un remède à ses maux terribles.

En effet, au bout de la table se dressait un fourneau à la gueule noircie, dans lequel on avait dû se livrer à maintes expériences. Une odeur nauséabonde planait, refroidie, mais tenace. Sur un coin de la table, un tamis rouillé et tordu était posé à côté d'une bassine d'eau. De petits bols contenaient le produit des travaux du malade : poudres de soufre grillé, mélanges pâteux, liquide argenté au reflet captivant.

Le mandarin siffla entre ses dents. Soufre et cinabre : père et mère du vif-argent ! Pour réussir ainsi l'élaboration du mercure, l'homme rouge devait être un alchimiste taoïste émérite.

Avisant le trou pratiqué dans la cloison, le mandarin y ajusta avec précaution l'œil, car l'ouverture avait tellement servi qu'elle était bordée de traînées de sang mêlé à du mucus desséché. Comme il l'avait pressenti, on voyait clairement le lit de Madame Jade, ainsi que sa table de toilette.

L'homme rouge suivait sûrement des scènes des plus intimes, et Madame Jade ne devait pas l'ignorer, puisqu'elle seule pouvait ouvrir la porte qui fait communiquer les deux pièces, se dit-il interloqué et vaguement mal à l'aise.

Dans son esprit il se revit à moitié couché sur le lit, enlaçant la jeune femme, le nez dans son cou, et ressentit un embarras qui lui chauffait le haut des oreilles. Il s'interdit même d'imaginer ce que l'homme aurait vu, s'il n'avait pas grogné si fort.

Quelle perversion chez cette femme, tout de même ! Attirer un honnête voyageur dans son lit pour en faire une bête qu'on donne en spectacle, et encore à son propre frère…

Et il se promit de lire plus attentivement encore les écrits moralisateurs de Mencius.

Mais que faisait l'homme rouge tout à l'heure ? se demanda le mandarin, se remémorant les gestes étranges.

La réponse à sa question, il devait la trouver accrochée à la fenêtre : dans sa fuite, l'homme avait laissé tomber le lambeau de tissu qui flottait au vent. C'était un cache-seins dont il se dégageait encore un léger parfum de jasmin. Et les taches encore humides qui l'imprégnaient n'étaient pas du pus.

XXVI

Malgré la peine du voyage, le porteur de palanquin Xuân gardait les yeux ouverts sur la pénombre qui régnait dans le dortoir. Dans sa tête, des pensées obsédantes tournaient comme des essaims, le condamnant à la veille. Les autres membres de l'expédition mandarinale, eux, s'étaient depuis longtemps endormis, assommés par la fatigue, et leurs ronflements puissants claquaient dans la nuit tels des soufflets de forge.

— C'est qu'ils vont briser mon lit ! s'exclama en lui-même Xuân qui sentait vibrer son frêle lit de camp.

D'un saut, il descendit de sa couche et tapa sur l'épaule de son compagnon Minh qui occupait la place voisine. Fronçant le nez à l'odeur de sueur que dégageait le dormeur, il lui chuchota à l'oreille :

— Hé, l'ami, ça te dirait de rencontrer des demoiselles ?

Minh le repoussa d'une bourrade et se retourna pour finir sa nuit.

— Faux frère, va ! grommela Xuân.

Il posa avec précaution son balluchon sur le lit. Soigneusement, il en tira quelques habits propres qu'il déplia au fur et à mesure sur la natte : une veste doublée en coton bleu saphir, un pantalon aussi noir que le fond d'une marmite, un turban de citadin et une paire de sandales en paille. Une fois vêtu, il se pavana un moment dans l'obscurité, faisant flotter audacieusement sur ses chevilles ses pantalons évasés.

Le porteur de palanquin Xuân s'arrêta sur le seuil de la porte, grimaçant devant les trombes qui se déversaient dans la cour. Le toit déchargea brutalement à ses pieds une cascade d'eau. Avisant un bananier, il en arracha une feuille pour se protéger avant de se diriger à grands pas vers l'écurie. Il trouva porte close.

— Ouvre donc ! chuchota-t-il en tambourinant contre le bois.

La voix caverneuse du coolie Thu lui répondit :

— Ta gueule, crevette ! On se repose ici.

— J'ai besoin d'un cheval pour une course d'une importance vitale. Les rues ont tourné en boue, avec cette pluie !

— Les chevaux se reposent aussi. Ordre du mandarin.

— Ah, mais c'est un coolie qui fait de l'insolence à un porteur de palanquin ! se fâcha Xuân.

— Porteur de palanquin, justement. Tu as couru toute ta vie, tu peux bien courir encore cette nuit !

— Fils de chien crevé ! injuria Xuân, en redoublant de coups contre la porte. Quand le Maître entendra le vacarme venant des écuries, c'est toi qu'il sacquera !

Un juron profond résonna du fond des ténèbres. La porte s'ouvrit, livrant passage à un âne qui sortit en trottinant. Une badine vola et atterrit dans une flaque d'eau.

— Ah, tu vois, quand tu veux ! triompha Xuân.

Et il enfourcha l'animal au poil broussailleux. La bête était si basse sur pattes qu'il dut relever les orteils, de crainte de salir ses sandales. Projeté de droite et de gauche par le trot irrégulier, ruisselant de pluie, il dirigea avec ténacité l'âne à travers les rues désertes.

C'est comme si c'était hier, se dit-il. Je reconnais chaque maison, chaque échoppe. Mais ce n'est apparemment pas la fête, ce soir ! Du reste, ce bourg de montagne est d'un ennui sinistre.

Il parvint enfin devant une grande bâtisse de la taille d'une demeure de maître, située quelque peu à l'écart des autres habitations. Elle était pourvue d'une cour illuminée de lampions rouge et or qui oscillaient tristement dans l'air humide. Quelques serviteurs attendaient sous un préau, accroupis devant une partie de dominos. Sans doute des porteurs de hamacs pour les riches clients, se dit Xuân en arrêtant sa bête devant eux. L'attachant à un poteau, il leur dit :

— Prenez soin de ma monture.

Les autres ricanèrent sans lever les yeux.

Xuân pénétra dans la grande maison, qui se révélait être une bâtisse à cinq travées. C'était un luxe inhabituel pour un si petit bourg.

On avait allumé beaucoup de lampes à huile dans la première salle, où une demi-douzaine de marchands à l'air prospère écoutaient distraitement la musique nasillarde de quelques chanteuses sans passion. Tout en se régalant d'une variété étonnante de plats, les hommes prêtaient leurs épaules aux caresses de femmes fardées.

La tenancière surgit devant Xuân et lui demanda, l'air mielleux :

— Que désire mon Maître ?

Flatté, il se rengorgea dans ses habits avantageux et fit :

— Une charmante chanteuse, Prune, travaillait ici il y a une dizaine d'années…

— Je vois que mon Maître n'est pas volage, dit la tenancière avec un sourire. Vous la trouverez dans la dernière travée.

La main sur la poitrine pour calmer les bonds de son cœur, Xuân parcourut les différentes salles, aveugle aux femmes assises dans une attente langoureuse. Certaines fredonnaient :

Je me plains des nuits brèves qui font brèves les amours
Je déroule mon store, puis le replie
Durant les cinq veilles, je vais et je viens derrière mon store.

Parvenu à la dernière travée, il écarta le rideau, et vit Prune.

Celle-ci était attablée devant son repas du soir, une soupe odorante qu'elle sifflait avec distinction. Il semblait à Xuân que son corps imposant avait considérablement épaissi, s'augmentant de quelques plis entre aisselles et hanches. Mais c'était tant mieux : ses étreintes n'en seraient que plus onctueuses. Si l'amoureux avait craint que l'âge n'ait creusé les joues de sa belle, il fut également rassuré : son visage gourmand et frais avait encore prospéré en rondeurs. Soudain, elle pivota sa tête mignonne vers le nouveau venu.

— Prune, c'est moi, Xuân !

Une lueur étonnée vacilla dans les yeux d'un noir admirable. Les lèvres pleines s'étirèrent dans un sourire de professionnelle, alors que la langue rattrapait une dernière goutte folâtre.

— Rappelle-toi, la fête des Lanternes, l'année du Tigre, il y a onze ans… insista le porteur de palanquin.

Un rugissement de joie fit trembler la poitrine abondante, tandis que Xuân se précipitait dans les bras ronds et blancs. La fougue des retrouvailles fit venir Liane, qui passa la tête par le rideau. Prune, toute joyeuse, lui fit signe d'entrer, et s'écria :

— Toi aussi, tu en étais, de la fête !

Liane, petite femme fluette qui semblait avoir plongé son visage dans un tonneau de poudre de riz, hocha la tête d'un air entendu.

— Que tu as forci, ma chanteuse préférée ! complimenta Xuân.

— Petite fouine, va ! Je ne serais pas si grasse, si je n'étais que chanteuse ! gloussa-t-elle.

Joignant le geste à la parole, elle passa malicieusement une main sous son sein gauche, comprimant de deux doigts le globe formidable. Xuân s'attendait presque à en voir jaillir un trait de lait.

— Je suis restée à t'attendre ! Qu'es-tu devenu ?

— Je ne suis plus coolie, fit fièrement Xuân. Un personnage de la plus haute importance a remarqué mes qualités. Aussi suis-je à présent porteur de palanquin ! Et je songe sérieusement à t'enlever de ce trou où ta beauté s'étiolera.

Une belle situation ! songea Prune en pressant Xuân contre elle.

Liane rit en se cachant la bouche derrière la main. Elle dit :

— Et ton compagnon, celui dont je me suis occupé cette nuit-là, j'aimerais bien qu'il m'enlève aussi. Violent et sauvage, assoiffé et insatiable… Un homme grand et fort comme je n'en ai jamais vu !

— Je vois très bien de qui tu parles ! A mon avis, tu ne le serreras pas de sitôt dans tes bras, répondit Xuân avec un air mystérieux. C'était une gâterie exceptionnelle.

— Ah bon, dommage, dit Liane songeuse. Au moins, nous avons été grassement payées...

Xuân releva aussitôt le visage du cou moelleux où il s'était plongé.

— Comment ? Payées, toutes les dix ? Mais par qui ? Je croyais que vous nous aviez régalés par plaisir ! fit-il d'une voix aussi incrédule que déçue.

Prune adressa des gestes frénétiques à Liane pour la faire taire, et dit :

— C'est sans importance, tu sais. Vous étiez seuls et tristes, toi et tes compagnons, pendant que tous les autres s'amusaient à la fête. Quelqu'un nous a demandé de vous distraire... Console-toi, ma petite fouine, l'argent n'ôte rien aux sentiments que j'ai pour toi.

Xuân secoua la tête, peiné. Il se rappelait avec une netteté incroyable le soir de la fête des Lanternes, l'année du Tigre. Ils venaient d'arrêter les charrettes de marchandises dans le terrain plat qui leur servait de bivouac, ses neuf compagnons et lui. Les ruelles de la petite ville résonnaient du vacarme de tambours et de crépitements de pétards. Des odeurs appétissantes de nourritures grasses venaient chatouiller leurs narines de coolies désargentés. Soudain, un groupe de demoiselles aux rires hauts avait surgi de derrière les fumées d'une grillade ambulante, telles des déesses enveloppées de nuages d'encens. Venez, avaient-elles dit, chacune prenant la main d'un homme, le conduisant vers des plaisirs terrestres insoupçonnés. Xuân n'avait pas pu oublier l'espiègle Prune, et avait pendant toutes ces années cherché son image à travers ses conquêtes. Ces hanches savamment ondulées, ces épaules gracieusement haussées, elles avaient donc un prix !

— Il fallait qu'il soit riche, le bienfaiteur, pour payer toutes ces beautés ! fit le porteur Xuân en grinçant des dents.

— Si tu veux tout savoir, c'est Madame Jade qui a eu pitié de vous, pauvres gars. Elle nous a dit : « Allez, mes belles, prendre soin de l'équipage de Monsieur Ngô. Je veux que tout le monde soit à la fête comme moi, ce soir ! » C'est vraiment une grande dame.

Le porteur de palanquin n'eut guère le temps de ruminer sa déception, car un cri furieux retentit dans la maison :

— Qu'on fasse taire cet animal en rut ! On n'entend plus les chanteuses !

En effet, l'âne que Xuân avait abandonné dans la cour s'était mis à braire de manière éhontée. Son besoin le taraudait avec une urgence insupportable, et il n'avait cure des injures des clients mécontents.

— Bon, j'y vais, fit Xuân mélancoliquement, en lançant quelques sapèques sur la table.

— Tu reviendras, n'est-ce pas ? demanda Prune, inquiète.

— Je tiendrai promesse, répondit Xuân qui sortit comme un seigneur blessé.

XXVII

Au moment de se coucher, le mandarin Tân entendit s'échapper de sa large manche un grelot doré. Il reconnut la mystérieuse petite sphère de Madame Jade, qu'elle avait tenté de lui reprendre, mais qui avait vraisemblablement roulé dans ses vêtements, à son insu. Voulant entendre à nouveau le gai tintement, le mandarin l'agita un peu trop fort, et la boule se fendit. Un métal liquide s'en écoula, visqueux, et se disloqua sur la peau du mandarin en une multitude de gouttelettes brillantes. Etonné, il secoua la main pour en chasser le métal froid, qui tomba à terre et fut absorbé par le tapis de jonc.

Le mandarin souffla la lampe avec un soupir, obsédé encore par le corps voluptueux de Madame Jade. Maintenant, il comprenait la pensée de son vieux maître, qui aimait à dire que les remords valaient mieux que les regrets. Le poing serré sur le grelot brisé, il sombra dans un sommeil agité.

Ils quittèrent l'auberge dans la pureté du matin ; tous les hommes avaient les traits reposés et frais, excepté le mandarin Tân et le porteur Xuân, dont le teint brouillé attestait d'une nuit hantée de tourments intérieurs. Ayant rapidement dépassé le petit bourg, ils parvinrent, au bout de quelques heures de voyage, dans un décor fabuleux. Au milieu d'une falaise verticale, dont le sommet se perdait dans la brume encore tenace, jaillissait dans un fracas de tonnerre une source écumante. Elle se déversait avec fureur le long de la paroi grise, crachant des embruns glacials sur la végétation luxuriante accrochée aux rochers. Au pied de cette chute d'eau, de nombreux pèlerins affluant de provinces voisines attendaient leur tour, rendus muets par un étrange effroi. Ils étaient venus, comme l'équipe du mandarin Tân, avec des véhicules solides et des jarres rebondies, de celles qu'on utilise pour recueillir, claire et tiède, l'eau de pluie. Mais cette eau sacrée – le mandarin superstitieux en aurait juré – était d'une essence surnaturelle. Plus transparente que l'air matinal, elle semblait aussi plus légère, et pourtant, quand il plongea la main dans un filet échappé de la cascade, c'était comme si d'invisibles dents se plantaient dans sa chair.

Le Dragon Retourné, se dit-il, pétri de respect religieux. Un être de légende qui est retourné à l'élément aquatique. Ses écailles coulent le long de la falaise, ses dents éraflent la peau de celui qui s'y baigne.

Lorsque les deux jarres furent pleines, une pour le mandarin et une pour Carmin et l'intendant Hoang, il fallut décider du chemin du retour. Mal à l'aise à l'idée de rencontrer une Madame Jade dessoûlée et pleine de remords, le mandarin Tân opta pour une route détournée, qui ne passerait pas devant l'auberge.

Une statue avait été érigée pour honorer le Dragon, et les dévots avaient tressé de longues guirlandes d'orchidées jaune pâle autour de son corps de marbre. De fines écharpes pourpre et or ceignaient son dos arqué. Après une dernière prière, les pèlerins reprenaient leur voyage, qui vers l'ouest, qui vers le nord, mais personne n'osa emprunter, comme l'équipe mandarinale, la voie dangereuse du sud.

*

Le porteur Xuân avait ouvert la piste avec une habileté née d'une longue expérience. A grands coups de machette, il avait tracé une voie large qui descendait en pente douce des escarpements rocheux. Bientôt, les hommes se retrouvèrent dans une gorge caillouteuse, mais praticable : les deux jarres, solidement arrimées sur la charrette du milieu, oscillaient sans se renverser au rythme des ânes poussifs.

— Le retour sera plus long que l'aller, affirmait Xuân à Dinh. Mais avec notre précieux chargement, le chemin le plus direct n'est pas le plus sûr.

Le mandarin Tân scrutait d'un regard anxieux les sommets qui surplombaient la gorge. Se tournant vers Monsieur Sam qui chevauchait à ses côtés, il dit :

— L'ennemi est peut-être tapi dans les hauteurs. Je crois sentir sa présence toute proche.

— Mais de quel ennemi parlez-vous, Maître ? demanda Monsieur Sam, interloqué. Pensez-vous encore à ces pitoyables brigands que nous avons mis en fuite ? Auraient-ils la mauvaise idée de venir nous détrousser d'une eau qui coule à flots non loin ?

Le mandarin baissa la voix :

— N'en dites rien à notre ami Dinh, lui qui a été si bouleversé par l'attaque, bien qu'il soutienne le contraire. Mais ne trouvez-vous pas curieux qu'une troupe de brigands sévisse dans une jungle où nul ne passe, hormis d'éventuels pèlerins en quête d'eau miraculeuse ?

— Les voyageurs emportent parfois beaucoup de biens pour payer leurs frais.

— Comme frais, il n'y a guère que quelques nuitées en montagne dans des auberges rustiques, voire les services d'une ou deux chanteuses de peu de prix. Rien qui puisse s'acheter, dans ces bourgs reculés, ni antiquité rare, ni habile artisanat. De plus, votre beau-frère, l'entrepreneur Ngô, n'a-t-il pas affirmé que depuis une dizaine d'années, personne n'a fait le voyage depuis la Province de Haute Lumière ? Vous avez pu constater comme moi à quel point la piste montagnarde semblait restituée à la végétation de la jungle. Les brigands ont eu bien de la chance de nous trouver l'autre jour.

Monsieur Sam acquiesça, alors que le mandarin développait encore :

— Notre ami Dinh m'a confié que l'attaque des prétendus brigands avait pour lui un air de déjà vu… Une technique de combat qu'il aurait vu pratiquer… Vous savez comme moi qu'il excelle davantage aux joutes littéraires qu'à la lutte. Cependant, il a une formation théorique assez complète, et en tant qu'inspecteur d'éducation, il avait assisté en maintes occasions à l'entraînement des jeunes bonzes aux arts martiaux.

— Vous me dites là que les bonzes de la Grue Ecarlate auraient attaqué sciemment un mandarin impérial et son équipage ?

— Peut-être…

Le mandarin Tân raisonna *in petto* : si on part du principe que notre groupe était visé, je dois envisager également l'hypothèse d'un guet-apens tendu par le commandant Quôc. A sa disposition, il a des hommes forts et dévoués, et il craint que je le destitue pour ses fautes putatives... Mais il est hors de question de formuler des accusations envers un mandarin militaire, même devant un lettré aussi sage que Monsieur Sam.

Changeant de ton, le mandarin Tân demanda plaisamment à son compagnon :

— Alors, que pensez-vous de ce voyage ? Votre beau-frère l'entrepreneur a-t-il intérêt à rouvrir la route vers la Source du Dragon Retourné ?

— Honnêtement, je ne le crois pas, répondit le lettré Sam, car il fait à présent des affaires bien plus lucratives, en important de Chine des poteries anciennes. Je ne sais d'ailleurs pourquoi il a tant insisté pour que je fasse partie de l'équipe, tellement je suis ignorant des choses du commerce.

— C'était pourtant un peu plus que du commerce, de rapporter de l'eau de la source, car je crois qu'il rendait ainsi un grand service aux familles désireuses d'avoir un enfant mâle.

Monsieur Sam rit :

— Ce grand service, il se l'est rendu lui-même, car comment croyez-vous que mon neveu Cerf-Volant est né ?

— Non ! Ne me dites pas que ce superbe enfant...

— En effet, ma sœur, qui n'avait qu'une fille, comme vous savez, a fini par suivre la cure quelque peu contraignante des bonzes. Il ne suffisait pas de boire l'eau de la source : il fallait aussi réciter nombre de prières et montrer sa haute vertu par de longues méditations ! Mais enfin, le résultat a été à l'égal de leurs espérances. Depuis la naissance de Cerf-Volant, mon beau-frère n'a eu que des éloges.

Une vision passagère traversa l'esprit du mandarin : il se vit tenant dans ses bras un enfant aussi beau que Cerf-Volant, aux côtés d'une femme aux traits de Caprice, et ce, grâce au Dragon Retourné.

— Cerf-Volant est la preuve vivante du caractère miraculeux de la source, fit-il avec envie. Je comprends que les gens de Quang Long se soient précipités pour effectuer la cure.

Monsieur Sam sourit, et dit d'une voix où perçait un soupçon de reproche :

— Cerf-Volant est né l'année du Chat, Maître Tân.

Les hommes progressaient dans la gorge monotone où s'accumulait une chaleur de fournaise. Ruisselants de sueur, ils attendirent l'autorisation du mandarin avant de se jeter avec des cris d'allégresse dans un torrent aux eaux basses mais fraîches. Les veilleurs qui avaient encore quelques forces entassèrent des blocs de pierre dans le lit de la rivière pour former un bassin, et, bienheureux, assis avec de l'eau jusqu'à la taille, ils se mirent à échanger des propos légers.

Un des porteurs eut l'idée d'entamer un jeu de devinettes. Non loin d'eux, tapi à l'ombre d'un rocher pour se protéger du soleil implacable, le mandarin Tân, les yeux mi-clos, faisait mine de se reposer, tout en tendant une oreille intéressée. Les devinettes promettaient d'être plus savoureuses que les références littéraires de ses deux compagnons.

Minh commença :

> *Je ressemble à une grenouille*
> *Mais mettez votre orteil*
> *Là au fond de mon cul*
> *Nous en serons tous deux contents.*

Foie de Crevette, plus vite que les autres, répondit :

— Tu es un crapaud-buffle !

Le mandarin Tân joignit son rire à l'hilarité des autres porteurs qui criaient :

— Essaie donc avec un crapaud-buffle. Tu aimeras peut-être, mais pas lui !

Bien qu'à demi assoupi, le mandarin Tân se dit : Facile, tu es une chaussure à pointe en nez de crapaud.

Minh dut donner la réponse, tellement les autres tardaient à trouver. En pensée, le mandarin leva un poing victorieux.

Foie de Crevette, vexé, voulut briller avec une devinette particulièrement corsée. Se levant, il lança à Minh une œillade égrillarde et claironna :

> Gare à vous, jeune homme,
> Si vous me touchez le dard.
> Ecartez pourtant mon vêtement rude
> Et je vous laisserai lécher
> Mon ventre humide et sucré.

C'est un texte fort osé, se dit le mandarin Tân, mais évident : tu es un fruit à l'écorce hérissée d'épines, le durian, bien sûr !

Tous les hommes d'équipage demeurèrent langue liée, sauf Minh qui s'écria, avec un temps de retard sur la pensée du mandarin Tân :

— Mon ami, tu es le durian !

Cette réponse fut accueillie avec des murmures d'admiration. Minh chercha triomphalement son ami Xuân, et le vit accroupi à l'écart, affichant une mine attristée, comme s'il ruminait quelque profonde déception.

— Qu'as-tu, petit frère ? demanda Minh, bien qu'il fût plus jeune que son compagnon.

D'un geste amical, il tapota la flaque voisine, invitant Xuân à prendre place à ses côtés. Celui-ci s'exécuta et répondit d'une voix blanche :

— Quel effet ça te ferait si tu apprenais que la dame de tes pensées a été payée pour les douceurs qu'elle t'a prodiguées ? Alors que je la croyais sincère, Prune, la lumière de ma vie, m'a baillé des câlins tarifés !

— C'est donc ça qui t'est arrivé ? Il n'y a pas de quoi être bouleversé. Tu sais qu'il n'y a que deux sortes de femmes : celles qu'on achète avec un coupon de soie… et celles qu'on achète avec un nom respectable. Les premières n'ont pas de souche, les autres n'ont pas de passion. Il faut s'en faire une raison ; et ce ne sont pas des gars du peuple comme nous qui pourraient avoir le choix.

Le mandarin Tân, toujours à l'écoute de nouvelles devinettes, n'avait pu s'empêcher d'entendre la conversation de ses deux porteurs. S'il avait apprécié la réponse pleine de sagesse de Minh, il sentit une légère compassion pour l'infortuné Xuân. Se levant, il vint vers lui.

— Raconte-moi cela en détail, dit-il, intéressé par cette affaire inhabituelle.

Le porteur Xuân soupira et relata avec une émotion contenue comment, la dernière année du Tigre, Madame Jade avait engagé des filles du quartier des fleurs pour les servir, ses compagnons et lui.

Le mandarin Tân sursauta. Il ne s'attendait certes pas à cela.

Etrange ! Que vient faire Madame Jade avec le porteur Xuân ? se demanda-t-il.

Il se sentait d'autant moins sur ses gardes qu'il avait tenté d'oublier l'aventure troublante de la veille, et qu'il y était presque parvenu.

L'image de la belle femme qui commençait à perdre sa jeunesse surgit devant lui : sa voix amère, ses yeux pleins de ressentiment quand elle évoquait l'injustice faite aux femmes, jouets des hommes sans scrupules. Pour reprendre la classification sommaire du porteur Minh, elle avait été rejetée parce qu'elle ne faisait partie, ni des femmes vénales, ni des femmes bien nées.

Curieuse idée pour cette femme qui a une conscience aussi aiguisée de la condition féminine ! Pourquoi justement jeter ses sœurs en pâture à des mâles pleins de concupiscence ? se dit encore le magistrat dérouté. Certes, cela se passait onze ans plus tôt, alors qu'elle était encore fraîche et moins aigrie.

— Mais quelle pouvait être l'intention de Madame Jade ? Le sais-tu, Xuân ? dit-il en maîtrisant son étonnement.

— La bonté ? Le désir de plaire à notre patron ?

Tout à coup, des gestes du porteur Xuân lui revinrent en mémoire, et prirent soudain un sens nouveau. Quel idiot j'étais ! se morigéna le mandarin Tân en son for intérieur, se frappant le front avec irritation.

La rapidité avec laquelle Xuân avait trouvé le matin même le chemin de la source, sa dextérité à attacher les jarres sur la charrette, son assurance à dégager les roues des ornières sans perdre la moindre goutte… Le frêle petit porteur était, par sa valeur seule, devenu le chef d'expédition ! Une telle expérience ne pouvait tromper.

— Tu as donc travaillé avec l'entrepreneur Ngô ? demanda le mandarin Tân.

Comme Xuân acquiesçait, le magistrat grommela, agacé :

— Comment se fait-il que je sois le dernier averti ?

290

— Maître, dit le porteur Xuân, l'intendant Hoang et le lettré Dinh sont tous deux au courant, mais j'ignorais qu'ils vous l'avaient caché.

— Non, c'est sans importance, vraiment, ils n'ont pas cru utile de le signaler, répondit le mandarin Tân en se calmant.

Cependant, les pensées roulaient dans sa tête, alors qu'il se reprochait encore son aveuglement.

Ainsi Madame Jade était la maîtresse de l'ancien patron de Xuân. C'était donc l'entrepreneur Ngô le notable qui n'avait pas voulu faire de cette pauvre femme sa deuxième épouse ! J'aurais dû m'en douter, à voir tous ces bibelots exotiques qui encombrent la chambre de Madame Jade, ils sont bien le genre de présents qu'un négociant peut offrir à une maîtresse choyée. Et la belle n'a pas voulu se défaire de ces souvenirs. Que c'est lamentable !

A l'idée que l'entrepreneur si imbu de sa personne avait pu rejeter celle qui l'avait tant troublé, le mandarin Tân ressentit une sourde colère envers Monsieur Ngô.

Monsieur Sam et Dinh étaient encore repartis dans leurs discussions qui lui étaient hermétiques, et riaient avec insouciance, ignorant le tracas du mandarin. Assis épaule contre épaule, ils semblaient partager un moment d'amicale complicité.

Je ne comprendrai jamais leurs allusions pleines d'ironie, se dit le mandarin Tân avec irritation. Ainsi, tout à l'heure, Monsieur Sam s'est moqué de moi, en faisant remarquer que son neveu Cerf-Volant était né l'année du Chat. Pourtant, les natifs du Chat sont effectivement réputés pour leur raffinement et leur grâce, tout comme les natifs du Buffle ont une réputation méritée de ténacité, ou les natifs du Coq, comme moi, sont brillants et astucieux.

Soudain, il comprit dans un éclair le reproche que Monsieur Sam, par délicatesse, n'avait pas voulu formuler clairement. L'année du Chat, c'était l'année de la sécheresse. L'entrepreneur Ngô n'avait donc pas pu utiliser la parfaite beauté de son fils pour inciter ses concitoyens à effectuer la cure. Bien au contraire, il avait aussitôt cessé ses activités, se tournant vers d'autres formes de négoce. Un peu comme s'il venait d'atteindre le but qu'il s'était fixé.

La malheureuse Madame Jade avait donc fait les frais de la naissance du fils de l'entrepreneur. Les dates concordaient, l'homme avait sans doute promis le mariage à la jeune femme afin d'avoir une descendance masculine. A partir du moment où son épouse avait accepté de suivre la cure et mis au monde un garçon, il n'avait plus été question de s'encombrer d'une maîtresse superflue. D'autant que Madame Ngô, en plus d'être belle, semblait d'une incroyable docilité. En se détournant du commerce de l'eau miraculeuse, Monsieur Ngô voulait simplement éviter sa maîtresse Jade. Jeune femme séduite, puis abandonnée, elle avait dû alors renoncer à l'espoir d'un mariage honorable...

Comme il s'indignait ainsi de la dureté du négociant, le regard du mandarin Tân tomba sur les deux jarres pansues, plus grosses qu'un homme, ligotées sur la charrette. Le soleil disparaissant derrière les sommets de l'occident jetait une dernière lumière rosée sur leurs flancs de céladon, et le grès lisse prit une douce couleur de chair.

XXVIII

— Maire Lê ! cria un serviteur du mandarin en faisant irruption dans le greffe. C'est l'intendant Hoang qui m'envoie vous chercher ! Ils sont de retour !

Sautant dans un hamac porté par deux adolescents, le maire Lê se rendit au palais, hors d'haleine, à la vitesse des jambes juvéniles. Il trouva dans la cour l'équipage fourbu, couvert de poussière et dégageant une odeur d'effort et de fatigue. Les montures avaient grand besoin d'être bouchonnées, et étaient conduites, le pas lent et précautionneux, aux écuries. L'intendant Hoang couvait de ses yeux inquiets les jarres que l'on déchargeait. S'avisant de la présence du maire, il se retourna et les deux hommes échangèrent un regard plein d'appréhension.

— Il s'est rafraîchi et restauré, chuchota l'intendant Hoang. Il peut vous recevoir, à présent.

Dans la salle de réception, le mandarin Tân finissait de se faire examiner par le docteur Porc, avide de savoir comment les plaies du magistrat avaient supporté l'aventure. Apparemment rassuré, le docteur se félicitait encore de la méthode de guérison qu'il avait choisie : la moxibustion à outrance saupoudrée d'un soupçon de drogues reconstituantes.

— Vous avez demandé audience, Maire Lê ? fit le mandarin avec bonne humeur. Quelqu'un a-t-il reconnu le médaillon de la première victime ?

— En vérité, Maître, répondit l'autre en faisant le dos rond, je crains que l'assassin n'ait frappé en votre absence.

Le mandarin Tân se leva, courroucé.

— Cette brute a sévi dans une ville sans défense, privée de son gouverneur ! Maintenant, j'arrive un peu tard pour ouvrir l'enquête.

— N'ayez crainte, dit le maire Lê. J'ai tout fait dans les règles de l'art.

Comme le mandarin, dubitatif, demandait des précisions, le maire Lê proposa qu'on fasse venir Calebasse, principal témoin de l'affaire.

— J'ai devancé vos désirs, Maire Lê, interrompit l'intendant Hoang, car j'ai fait appeler Calebasse en même temps que vous.

Le petit aide de l'habilleur des morts Mignon arrivait justement, escorté par deux gardes sévères. Se prosternant aux pieds du mandarin, il débita les compliments d'usage.

— Relève-toi, Calebasse, et raconte un peu ce qui t'est arrivé.

Calebasse narra d'une voix sombre la dernière nuit de La Cendre, avec lequel il devait récolter des simples dans la montagne.

— Je l'ai laissé tout seul sous la pluie, car il m'avait poussé à bout, refusant de m'aider à retrouver le chemin. En réalité, Maître, je suis certain qu'il aurait pu s'en sortir par lui-même, car il avait un sixième sens pour compenser sa cécité. Je me suis éloigné, mais je l'ai entendu crier. Alors, je me suis précipité à sa recherche. Et là…

Il se tut. Un garde serra son épaule avec force, pour l'obliger à continuer.

— Je l'ai déjà raconté au maire Lê !

Le maire fit une grimace menaçante. L'enfant baissa la tête et reprit, de mauvaise grâce :

— En arrivant à l'endroit où je l'avais laissé, j'ai aperçu un homme tout de noir vêtu. Je veux dire, j'ai deviné sa présence plus que je ne l'ai vu, tellement la nuit était obscure. Je ne sais s'il était grand ou petit, ni quelle était sa corpulence. Ce n'était qu'une ombre penchée sur La Cendre. Il a fait à plusieurs reprises le geste de plonger quelque chose dans la poitrine de mon ami. La Cendre hurlait et hurlait encore. Moi, j'ai eu trop peur, alors je suis resté à les regarder, sans oser bouger.

— Tu as bien fait, Calebasse. Le Bouddha seul peut dire ce qu'il t'aurait fait subir s'il avait soupçonné ta présence… Et ensuite ?

— Ensuite, il a pris une grosse pierre et l'a fait tomber sur La Cendre. Aussitôt, il a disparu dans la jungle. Je me suis approché de La Cendre, mais le maire Lê pourra vous dire ce que j'ai vu alors…

— Tu as appelé le maire aussitôt ?

— Je me suis un peu perdu, mais je vous assure que j'ai fait au plus vite.

— Alors, Maire Lê, dit le mandarin Tân, poursuivez l'histoire. Qu'avez-vous trouvé ?

Le vieil homme hésita.

— Le docteur Porc avait tenu à m'accompagner. Il pourra peut-être décrire avec plus de précision…

— Avec plaisir ! déclara le docteur de bon cœur. Nous avons pris avec nous une poignée de veilleurs, ainsi que le chef de vos gardes. Calebasse nous a conduits à l'endroit du meurtre, qui est vraiment assez loin du temple. C'était un peu escarpé à mon goût, mais enfin, je n'ai pas regretté d'être venu en renfort.

« L'enfant que l'on appelle La Cendre était allongé sur le ventre, la nuque fracassée. Quand nous l'avons retourné, nous avons constaté qu'il avait été poignardé à plusieurs reprises. Douze, pour être exact. L'examen des coups a été particulièrement réjouis... pardon, révoltant, puisque l'enfant avait énormément saigné. Le déluge nocturne avait un peu lavé les plaies, mais il restait une quantité de sang assez appréciable.

Docteur Porc découvrit ses petites dents pointues, et ajouta :

— Il est toutefois curieux que le meurtrier ait voulu tuer par le couteau et par la pierre, car une seule des blessures aurait été fatale.

— Avez-vous retrouvé l'une ou l'autre des armes du crime ?

— Hélas non, Maître, répondit le maire Lê. Nous sommes arrivés au petit matin, et nous n'avons quitté les lieux qu'en milieu de journée. Tout ce temps passé sur place s'est révélé inutile.

Cette fois, se dit le mandarin, le meurtrier ne m'a pas défié. Cela ne lui ressemble pas. Chaque fois qu'il a tué, il a mis le corps de ses victimes bien en évidence. Même dans la grotte aux chauves-souris, il n'avait pas fait disparaître les cadavres, sachant que le domestique Chiffon allait revenir. Mais que fait-il, avec La Cendre ? Il le tue en pleine nuit, dans un coin reculé de la jungle de montagne, sans être assuré de la découverte du corps. Car il ne se doutait pas de la présence de Calebasse...

— Où sont les affaires de la victime ? demanda le mandarin.

Le chef des veilleurs produisit une musette, que La Cendre portait en bandoulière. Le mandarin y trouva les restes d'un gâteau, des herbes humides à présent moisies et le petit coutelas qui servait à couper les simples.

— Est-ce que La Cendre avait un emploi particulier en ville ? demanda-t-il.

— Il était chargé de ramasser les simples.

— Allons, Calebasse, un peu de bonne volonté. Toi aussi, tu allais à la cueillette, cela ne t'empêche pas de travailler chez l'habilleur des morts Mignon !

Calebasse se taisait, obstiné. Révulsé de fureur, le chef des gardes mandarinaux déroula sa queue de raie et fouetta à plusieurs reprises l'enfant qui s'écroula.

— Garde ! cria le mandarin. Quelle mouche te pique ?

— Ce chien ment, Maître, expliqua le garde, tout en continuant à frapper. J'ai reconnu dans l'enfant mort le petit domestique du lupanar de la Mère Curcuma, où je me rends les soirs de permission. Il était chargé d'apporter aux clients leurs ustensiles spéciaux, vous voyez ce que je veux dire. A mon avis, il devait en avoir entendu de belles, cet aveugle-là !

Le mandarin fit signe au garde d'arrêter ses sévices.

Voilà au moins un mobile possible, se dit-il, pour un honnête citoyen victime de chantage !

*

Si seulement Monsieur Sam voulait reprendre son poste aux Archives, se disait le lettré Dinh en rédigeant le rapport concernant le meurtre de La Cendre. Non seulement il nous rendrait des services insignes, mais aussi il ne risquerait pas, une fois admis aux concours triennaux, de quitter la province pour une lointaine affectation.

Il relut d'un air critique le texte qu'il venait de calligraphier et rectifia, perfectionniste, les quelques caractères qui ne s'alignaient pas parfaitement. Puis il se leva et se mit à rechercher le dossier où classer ce nouveau document.

Les serviteurs municipaux avaient nettoyé la salle des Archives, sous l'énergique reprise en main du mandarin et de Dinh lui-même. Le sol luisait de propreté, les tables avaient été poncées et teintées, les chaises ne branlaient plus. Le greffe est devenu presque agréable à fréquenter, tout à fait l'endroit pour un jeune lettré raffiné tel que le secrétaire Sam, songea encore Dinh en repoussant le gros volume à sa place.

Il allait quitter la salle, quand une voix aiguë qu'il reconnaissait monta de la placette, dominant le brouhaha de la rue.

— Intendant Hoang ! s'écria Dinh, en se penchant à la fenêtre pour l'interpeller. Que vous arrive-t-il ? Votre charmante épouse vous cause-t-elle encore des soucis ?

L'intendant Hoang, cheveux épars sous le turban chiffonné, leva la tête et salua distraitement le lettré.

— Carmin s'est encore échappée du palais, ce matin. J'ai cru la reconnaître dans le marché, mais non, ce n'était qu'une vendeuse de menthe.

— Pourquoi tant d'inquiétude, Intendant ? Elle sera allée se promener. Dans son état, un peu de mouvement est censé être bénéfique.

— Au contraire ! s'exclama l'intendant. N'oubliez pas qu'elle porte mon fils et qu'elle se doit d'être extrêmement prudente, pour le bien de l'enfant. Je suis certain qu'elle est déjà en chemin vers le temple, pour demander des conseils à un vieux bonze du nom de Sagesse Retenue !

— Sagesse Retenue, le bonze cuisinier ! s'écria Dinh, fébrile, se rappelant tout à coup une certaine conversation au temple. Intendant, je vous laisse !

Il disparut dans la salle, alors que l'intendant Hoang se remettait à appeler son épouse de sa voix de crécelle.

Le vieux Sagesse Retenue ! Par son père ! Il avait en sa possession un élément crucial, et il avait oublié d'en faire part au mandarin Tân !

Il courut le long des étagères où s'alignaient impeccablement les registres qu'il avait lui-même classés en compagnie du mandarin. Il retrouva les volumes épais concernant l'année du Chat et les dégagea brutalement de leur emplacement, faisant tomber dans un fracas assourdissant les autres livres. Dans le désordre dont il ne se souciait plus, le lettré Dinh se mit à dérouler fiévreusement les pages jaunies.

*

— Par mes ancêtres ! s'exclama le mandarin Tân, médusé. C'est bien incroyable, ce que tu me dis là.

— Regarde bien, Mandarin Tân. J'ai relevé dans les registres de l'année du Chat le nom de toutes les familles éprouvées par la naissance d'un enfant mort.

— J'avais en effet remarqué, le jour où nous avons mis de l'ordre dans les Archives, qu'il était mentionné bien des cas de telles naissances. Mais mon esprit embrumé n'avait pas réussi à en saisir toutes les implications, dit le mandarin Tân en se fustigeant mentalement.

— Le vieux bonze cuisinier m'avait décrit la terrible sécheresse et les fléaux qui l'accompagnaient :

Quelques-uns des citoyens les plus riches rassemblèrent leurs possessions et s'exilèrent dans des contrées plus clémentes. Les hommes moins fortunés, eux, réussirent à survivre, car les rivières étaient encore peuplées de poissons, mais leurs familles furent souvent éprouvées. Car on racontait que les matrices de nombreuses femmes, comme en accord avec la nature implacable, abritaient des enfants qui mouraient dès leur naissance.

Les deux hommes se penchèrent sur la longue liste des familles ainsi concernées.

— Ne remarques-tu rien dans cette litanie ? demanda Dinh, d'une voix où perçait un soupçon de triomphe.

— Je constate, comme toi, qu'une grande proportion de ces familles est aisée. On se serait attendu à ce que le malheur frappe plutôt les pauvres, abandonnés des dieux.

— Selon moi, c'est la misère et la mauvaise alimentation qui seraient causes de tels malheurs… Mais j'arrive à la même conclusion que toi : pourquoi tant de familles riches et honorables dans le lot ?

— Et, tout nouvellement nommé que je sois, il me semble connaître une bonne proportion de ces chefs de clans, continua le magistrat. Serait-ce parce que…

— Exact, Mandarin Tân ! Beaucoup de ces pères de famille nous ont été présentés au banquet somptueux organisé par l'entrepreneur Ngô !

Le lettré Dinh se leva d'un bond :

— Carmin ! s'écria-t-il. Elle est en danger.

Le mandarin Tân retint son ami par la manche :

— Tranquillise-toi, je crois qu'elle ne risque rien.

XXIX

Le mandarin Tân donna l'ordre à un domestique de préparer son écritoire et son nécessaire de calligraphie. Il caressa avec tendresse la longue boîte en ivoire qui contenait des pinceaux en poils de martre et une pierre à encre. Ses doigts suivirent rêveusement les courbes complexes des ailes de phénix sculptées sur les flancs du plumier, puis firent jouer le ressort du fermoir, ce qui libéra le couvercle finement ouvragé. Lors de sa réussite aux concours triennaux, sa mère lui avait offert ce cadeau onéreux pour lequel elle s'était lourdement endettée. Aussi les pinceaux n'avaient-ils pas encore servi, car le bon fils attendait une occasion particulière pour les étrenner.

Sans doute les manuscrits rares que l'Empereur m'a envoyés méritent-ils cet honneur, car ce n'est pas tous les jours que l'on prend connaissance des techniques de l'arpentage sous les Song, se dit-il en préparant l'encre et le papier, prêt à prendre des notes sur l'intéressante lecture. Vraisemblablement cet extrait donnera-t-il des précisions sur l'instrumentation des géomètres, chaînes ou cordes à nœuds. Et avec un peu de chance, je serai tombé sur un traité évoquant la technique dite de la « visée des ombres », qui consiste semble-t-il à faire des mesures à distance, et non directement sur le terrain ; mais par quel moyen astucieux, je l'ignore encore. Nulle part, je n'ai trouvé d'ouvrage assez complet pour décrire ce savoir-faire pourtant bien prometteur.

Il déroula avec précaution le premier document et reconnut d'un coup d'œil une impression xylographique sur papier de chanvre. Sourcils froncés, il se mit à déchiffrer les caractères antiques.

Il faut savoir reconnaître les signes du plaisir de la femme. Tout d'abord, ses yeux se ferment telles des sensitives qu'on effleure de l'orteil. Sa respiration se fait par saccades, comme si elle voulait faire prendre un feu de bois. Ses joues s'empourprent, une rangée de sueur perle sur sa lèvre et elle ressemble à une pivoine sous la rosée. C'est alors qu'elle pousse le gémissement de la roue engagée dans l'ornière. A ce moment, elle a renouvelé au maximum son yin.

Par mon père ! s'exclama en lui-même le mandarin Tân. L'intendant Hoang s'est embrouillé dans le déballage des présents impériaux, et il m'aura mis de côté les manuscrits destinés à l'autre mandarin, le militaire Quôc ! Ce bellâtre de Quôc a donc en sa possession mes précieux textes, et je me retrouve avec ses rouleaux regorgeant de conseils lascifs !

Tout à sa déception, il se mit à grincer des dents et songea envoyer un serviteur à la caserne pour récupérer son bien. Mais la lune se montrait déjà audessus des toits arqués du palais, et le mandarin Tân, tout omnipotent qu'il fût, eut quelque scrupule à arracher le commandant Quôc à son repos. Résigné, il pensa qu'il ne fallait négliger aucune chance pour s'instruire, aussi se fit-il un devoir d'achever le petit exercice de version chinoise.

*

Les mèches fumeuses des lampes à huile avaient presque toutes brûlé lorsque le mandarin reposa son pinceau, pensif. Il relut avec attention les notes qu'il avait prises d'une calligraphie soignée et académique. Entre autres remèdes pour combattre la débilité et l'incapacité, il avait relevé l'existence de substances capables de causer des torts irréversibles :

Au contact de la graisse de daim, l'homme le mieux pourvu ne peut que se muer en eunuque. De même, si le vif-argent s'approche de la grotte d'une femme, il sera cause de stérilité.

Le mandarin Tân devina aisément que les textes dont le commandant faisait collection étaient extraits d'un manuel de sexualité taoïste, écrit en Chine sous la dynastie des Soei. Ce genre de traité était alors très répandu, présent même dans les coffres des jeunes mariés. Mais l'avènement comme doctrine d'Etat de la pensée confucianiste, incomparablement plus austère, avait discrédité ces conduites hygiéniques, condamnant ces ouvrages à circuler sous la tunique. D'ailleurs, seul un bibliophile averti pouvait faire siennes de telles raretés. Jusqu'à cette nuit, le mandarin Tân n'en connaissait l'existence que par ouï-dire, et n'avait prêté qu'une oreille distraite et vaguement scandalisée aux spéculations des lettrés quant à leur contenu exact.

Il se leva et, repoussant le store, passa la tête par la fenêtre. Il huma longuement l'air nocturne afin de calmer le battement de son sang à ses tempes.

303

Une lune bossue éclairait d'une lumière froide et argentée les jardins du palais, étirant des ombres immobiles au pied des arbres solitaires. Derrière la propriété, les rossignols emmêlaient leurs chants purs et vifs.

En une soirée, se dit le mandarin, j'ai appris maintes pratiques insoupçonnées. Et par mes ancêtres, je vais faire tomber le mandarin Quôc pour violences !

*

Le mandarin Tân, qui s'était installé sous le Kiosque aux Jasmins, invita le docteur Porc à prendre place devant la cruche d'alcool et les assiettes garnies de pâtés au sel, de brochettes grillées et d'autres croustillantes viandes.

— Partagez avec moi ce petit rafraîchissement, car j'ai des conseils à vous demander.

Le docteur Porc plaça son encombrant postérieur sur le gros coussin de soie et, avec un sourire avenant, engagea le mandarin à lui soumettre son petit problème.

— J'ai eu entre les mains des écrits destinés au mandarin militaire Quôc, qui apparemment est un adepte de la discipline taoïste, commença le mandarin.

— Attention, fit le docteur Porc, la bouche pleine, ne confondons pas les enseignements de Lao-Tseu et l'interprétation dénaturée que le petit peuple superstitieux en fait dans nos contrées ! En effet, loin de sa pureté originelle, la doctrine taoïste est devenue dans l'esprit du commun un ramassis de pratiques magiques simplistes.

— Je ne crois pas que ce soit le cas du commandant Quôc, car le rouleau en question est un cadeau du cercle des bibliophiles de la cour impériale, censé enrichir sa bibliothèque privée.

Le docteur Porc s'empara du document rédigé en chinois que le mandarin Tân lui tendait. Puis il se reporta, plus à l'aise, à la traduction que le mandarin en avait faite. Après une lecture attentive ponctuée de quelques grognements, le docteur souffla :

— Voilà qui est intéressant, ne trouvez-vous pas ? Je me demande si le taoïsme ne serait pas bénéfique à mon pauvre corps.

Il assena une claque sur son ventre relâché.

— A vrai dire, je ne voulais pas votre opinion personnelle, rectifia le mandarin Tân, mais simplement comprendre si le comportement violent du mandarin militaire Quôc peut s'expliquer par la pratique du Tao. Voyez-vous, une plainte pour violences a été déposée contre l'officier, qui nie tout. En lisant ces écrits, il m'est venu un soupçon, mais avant de le formuler, je souhaite avoir quelques éclaircissements. L'insigne voyageur curieux de tout que vous êtes a une vaste culture que j'ai pu admirer.

Flatté, le gros docteur, l'haleine rendue plus suave par les viandes qu'il mâchonnait, se dit prêt à écouter.

— On parle dans ce texte d'alchimie, qui a pour but l'élaboration de la pilule d'immortalité à partir du cinabre, reprit le mandarin.

— C'est vrai, mais c'est un cheminement qui me paraît assez déshonorant pour arriver au renouvellement du corps. Fabriquer un élixir de vif-argent dans l'espoir de recharger son énergie vitale me semble une cuisine indigne des vrais puristes. Il suffirait d'avaler une potion pour devenir immortel ! Balivernes !

— Alors, selon vous, quelle voie le commandant Quôc suit-il ?

— A voir l'allure du mandarin militaire Quôc, qui est vraiment bel homme, je jurerais plutôt qu'il pratique le taoïsme sous forme d'accouplement cosmique. C'est la voie royale, la plus ardue de toutes.

Après s'être désaltéré d'une gorgée d'alcool, le docteur dit d'une voix savante :

— La vraie discipline taoïste est une sorte de mystique sexuelle qui vise à régénérer le principe mâle, vous l'aurez compris. Mais la question est de savoir comment la pratiquer. Le principe mâle, appelé le *yang* de l'homme, peut se nourrir du principe femelle, le *yin* de la femme. Ceci s'effectue lorsque les deux personnes commercent ensemble. Mais attention, il n'y a passage de l'énergie vitale de la femme vers l'homme que si celle-ci connaît le plaisir, car alors son *yin* est brassé comme une mer houleuse, et rafraîchi comme l'onde qui vient des profondeurs abyssales. En revanche, si l'homme connaît la petite mort, alors l'opération aura été nulle : il aura en effet gaspillé son *yang* dans la semence émise. Ceci est *absolument* à proscrire, et je pèse mes mots.

— Si je comprends bien, résuma le mandarin Tân, il faut que l'homme ne ménage pas sa peine tout en se réservant.

— C'est à cette seule condition que le *yang* de l'homme remonte de son bassin pour refluer à son cerveau. Le chiffre trois est symbolique chez les taoïstes, continua le docteur Porc. Aussi est-il préconisé de se retenir *neuf* fois avant de se permettre une copulation véritablement cosmique. On dit que, suivie rigoureusement, cette technique peut conduire à une exceptionnelle puissance, et même à l'immortalité. La mine florissante du commandant Quôc laisse penser qu'il est parvenu à un degré d'observance assez élevé dans ces pratiques où la maîtrise de soi est essentielle.

— Je l'avais bien compris ainsi, acquiesça le mandarin Tân. Ceci explique pourquoi le mandarin militaire fréquente les dames qu'on paie. Il cherche à renouveler son *yang* au contact de multiples *yin*.

Le docteur Porc ajouta avec beaucoup de finesse :

— Il peut bien commercer avec toutes les filles qu'il voudra, mais il est bon que l'homme garde son énergie pour l'apothéose, lorsqu'il se régénère auprès de son épouse. Il est alors le Ciel, et elle est la Terre, et leur union se compare à une pluie d'orage dans les montagnes.

Le mandarin Tân, impressionné, écouta le bon docteur présenter l'acte de chair comme la savante métaphore d'une complexe alchimie : pilon et plomb blanc représenteraient le masculin, alors que creuset et cinabre seraient féminins. Et le mercure, produit de la transmutation, symboliserait la renaissance des forces vitales, elle-même conséquence de la copulation.

— Ce petit exposé vous aura-t-il aidé à voir plus clair dans le commandant Quôc ? demanda pour conclure le docteur Porc.

— A vrai dire, il y a une grande probabilité que le mandarin militaire ait fréquenté des prostituées. A l'audience, il a ricané devant leur laideur, en prétendant que chez lui il avait une épouse des plus délicieuses. Mais je trouve vraisemblable qu'il ait recherché des laiderons, afin de mieux se retenir lors de ses exercices de taoïsme.

Le docteur Porc s'esclaffa :

— Et l'une de ces filles serait venue se plaindre de sévices subis au cours d'une séance particulièrement mouvementée ?

— En effet, mais il n'y a pas de quoi rire, Docteur Porc. Prenez donc un peu pitié de cette victime.

— Oh, mais c'est du commandant que je me gausse ! pouffa le docteur en s'étranglant avec une bouchée de pâté. Car je suppute que sa colère vient du fait qu'il s'est oublié entre les jambes de la dame !

Le docteur Porc s'abandonna longuement à son hilarité débridée, pendant que le mandarin Tân se félicitait d'une affaire éclaircie. Même s'il n'avait aucune véritable preuve contre l'officier, un faisceau de fortes présomptions désignait bien le militaire comme coupable de sévices sur la fille.

Tout bien considéré, se dit le mandarin Tân, le militaire avait des raisons de frapper la prostituée – de mauvaises raisons, mais je concède qu'elles ont une certaine logique. Est-il possible qu'il ait tué la femme dans la grotte pour des motifs analogues ?

Le docteur Porc avait englouti le contenu de l'assiette, et la léchait presque. Afin de le garder encore un peu, le mandarin commanda des boulettes rôties. Il réfléchissait :

Ce qui ne va pas, c'est que la femme à l'enfant était semble-t-il très belle… Pas du tout le genre de fille qu'il recherche. Mais ce n'est pas exclu cependant. Il paiera pour avoir violenté la prostituée, mais je n'ai pas encore réussi à l'inculper, ni à le disculper dans les affaires de meurtre, c'est lamentable !

Avec un soupir ennuyé, il passa à autre chose.

— Je vais encore profiter de votre science, Docteur Porc. J'ai séjourné quelque temps chez des personnes qui, d'évidence, pratiquent l'alchimie taoïste.

Et je suis tombé sur un étrange objet, qui ressemblait à un grelot. Pour ne pas gêner mes hôtes, je n'ai pas demandé à quoi servait pareil ustensile.

— L'objet avait-il la taille d'un œuf de poule ? Tenait-il bien en main ?

— Oui, oui, c'est exactement cela, et il tintait, en plus, avec un son qui pouvait être selon le cas plutôt grêle ou assez sourd, mais toujours vibrant.

Lâchant la brochette qu'il avait commencé à grignoter, le docteur cacha sa bouche pleine derrière sa main pour rire, puis, essuyant les larmes de gaieté qui avaient perlé dans ses yeux de velours, il dit :

— Excusez mon extravagante hilarité, Maître, mais cet objet est une « clochette birmane ». Elle est en général remplie de graines ou de petites billes. Une femme esseulée peut la placer elle-même dans sa grotte, car en marchant, elle la fait tinter, ce qui est, paraît-il, fort agréable. Mais qu'elle ne compte pas brasser son *yin* de cette manière artificielle, car il n'y a aucune relation cosmique entre un être de chair et un objet inanimé.

Le mandarin Tân réprima sa confusion. D'une voix qu'il voulait sereine, il demanda, en faisant allusion au liquide argenté qui s'en était échappé :

— Et savez-vous en quelles circonstances cette « clochette » peut être remplie de mercure ?

Le docteur ne rit plus. Il dit d'une voix sombre :

— C'est très grave, si c'est à l'insu de la femme. Car dans l'univers taoïste, on prétend que le mercure dans la grotte de la femme fait des dommages irréparables. La femme en devient stérile.

— Je l'ai lu dans le texte taoïste, en effet, dit le mandarin, soudain préoccupé.

Il se remémora la pièce de l'homme rouge, équipée pour des expériences d'alchimie, et le bol contenant le mercure, en bout de table. L'homme rouge avait-il intentionnellement rempli la clochette de Madame Jade, ou était-ce un hasard ?

Se souvenant qu'il s'adressait à un médecin, il voulut en savoir plus sur l'étrange affliction de cet homme :

— J'ai rencontré un individu qui portait sur la peau du visage et du corps les marques d'une affreuse maladie. Il était recouvert de croûtes scrofuleuses, épouvantables à voir. Avez-vous une idée de ce dont il souffrait ?

— Il faudrait que je l'examine, pour vous en dire plus. Cependant, avez-vous remarqué un comportement étrange de sa part ?

— Oui, il semblait très agité, grognait beaucoup, et même se jetait contre les murs…

— J'espère que vous ne l'avez pas touché ni reniflé. Bon, à votre surprise, je vois bien qu'il n'en est rien… Heureusement pour vous. Car je soupçonne cet homme d'être victime de la « maladie des fleurs de prunus ».

Le docteur Porc fit part au mandarin de ses connaissances en ce domaine. Il s'agissait d'une affection venue de la ville perverse de Canton, une maladie qui pourrait bien être honteuse. Les personnes infectées commençaient à voir apparaître des taches rosées, couleur de fleur de prunus, sur leur corps. Bénignes, elles disparaissaient pendant plusieurs années. Malheur à celui qui se croyait guéri, car la maladie refaisait son apparition quelque dix ou vingt ans plus tard, sous une forme terrible : les visages étaient ravagés, les esprits atteints, jusqu'aux limites de la folie.

— N'y a-t-il aucun remède ? s'inquiéta le mandarin.

— Comme beaucoup de maladies de peau, on soigne les éruptions dans la première phase par des applications de vif-argent ou de salsepareille. Mais sur la fin, cela devient illusoire. Rien ne peut lutter contre la corrosion des chairs.

Le mandarin frémit en songeant au sort de l'homme rouge, qui fabriquait son mercure en grillant du cinabre, afin de repousser une maladie qui inexorablement le défigurait et attaquait sa raison.

Soudain, il se redressa. Comme les mille morceaux d'un plat brisé, les éléments du mystère dérivèrent lentement à leur place, formant le motif initial. Il manquait seulement quelques minuscules éclats, rien qui empêchât de percevoir le dessin reconstitué. Le mandarin avait compris toute l'affaire des Rejets de l'Arbre Nain. Elle avait germé bien avant que les enfants n'aient vu le jour. Elle avait éclaté, imprévisible et violente, dans la haine et dans la souffrance. C'était simplement une cruelle histoire d'amour.

XXX

Le maître d'école Ba retint dans ses mains déchar-
nées le coq aux pattes liées qui battait frénétiquement
des ailes. Son élève Pastèque le lui avait offert la
veille comme tribut pour la dernière lune d'impi-
toyables mais sages conseils. Le volatile avait la
plume noire et lustrée, la crête d'un rouge belliqueux,
l'ergot acéré : un présent tout à fait adapté à un mandarin impérial, qui allait statuer sur l'affaire du
Temple de la Grue Ecarlate.

— Alors, ça vient ? s'impatientait le chef des
gardes mandarinaux, qui avait remis au maître d'école
sa convocation, et qui attendait en plein soleil.

— Un instant, le temps que je retrouve mes brodequins ! fit Monsieur Ba, méprisant à part lui l'insolence de l'homme de force pour l'homme de lettres.

Il rajusta sa tunique sur ses hanches osseuses,
noua son turban de gaze noire autour de son crâne
volumineux, enfila ses brodequins aux bouts relevés. Il se déclara alors prêt à suivre le garde jusqu'au palais. Le coq, les yeux écarquillés
d'étonnement, fit le trajet solidement entravé sous le
bras du maître d'école. A l'instar de Monsieur Ba, il
vit une ville assoupie sous le soleil de midi, des rues

312

poussiéreuses et tranquilles, inconscient – tout comme le maître d'école, d'ailleurs – du tournant qu'allait subir sa destinée.

— Quelque renseignement aurait-il filtré jusqu'à vos frustes oreilles ? s'enquit Monsieur Ba.

Le garde répondit par un grognement et allongea le pas.

— Maître, annonça-t-il en ouvrant les deux battants de la porte du tribunal, le prévenu est arrivé.

Prévenu ? En quel honneur ? se demanda le maître d'école en exécutant une courbette respectueuse. J'ai pourtant respecté les règles du jeu, laissant le commandant Quôc seul à agir.

Assis sur son imposant fauteuil de juge, le jeune mandarin foudroyait Monsieur Ba du regard. Autre mauvais signe, le lettré Dinh, qui assistait à l'entrevue, n'avait plus son sourire avenant.

— Maître d'école Ba, je vous convoque à propos de l'affaire du Temple de la Grue Ecarlate. Je résume votre plainte : il y a pratiquement une lune de cela, vous avez saisi le conseil communal. Prétextant que le temple risque de s'écrouler sur les fidèles, en raison de son délabrement avancé, vous avez réclamé sa fermeture. Vous avez également soutenu que les bonzes, en plus d'être violents, ne s'intéressent guère aux affaires spirituelles. En somme, aussi bien les bâtiments que l'ordre qu'ils abritent représentent un danger pour la population. Est-ce exact ?

— En effet, Maître, répondit Monsieur Ba en sortant le coq de sa manche et en le déposant bien en évidence sur le dallage, aux pieds du mandarin Tân.

Le magistrat fit celui qui n'avait rien vu, et continua d'une voix de plus en plus sévère :

— Ne vous moquez pas de la justice, Monsieur Ba ! Je sais que vos raisons sont aussi sincères que les flagorneries d'un mignon !

Le maître d'école sursauta, mais ce n'était point d'être comparé à un homme de mauvaise vie.

— J'ai consulté les registres de la province, continua le mandarin Tân. Votre épouse a bien mis au monde un enfant mort-né l'année du Chat, n'est-ce pas ?

Le prévenu eut l'air troublé, mais acquiesça :

— Effectivement, Maître. Mais, me semble-t-il, beaucoup de familles furent frappées par ce malheur. Car on dit que la sécheresse tua nombre d'enfants dans le ventre de leur mère. Dans ces mois torrides, l'air était irrespirable, et la nourriture rare. Comment pouvait-il en être autrement ?

Le mandarin Tân se leva avec colère. On pouvait lire sur sa large ceinture brodée le caractère doré : *Perspicacité souveraine*.

— Je veux bien croire que nombre de femmes misérables et affamées, déshéritées par les dieux, aient pu être victimes de ce fléau. Mais les registres ne mentent pas. Parmi les familles ainsi touchées, plus nombreuses encore sont les familles aisées, ou de bonne souche. Pourquoi les dieux auraient-ils retiré à celles-là leur protection ? Cela n'a aucun sens !

A l'évocation de l'intervention divine, Dinh secoua la tête. Cependant, le mandarin continua :

— Savez-vous quel est le point commun à toutes ces familles de notables ?

Monsieur Ba se taisait. Il regardait par la fenêtre, en ce jour où le ciel semblait brûler d'une ardeur égale à celle de l'autre saison, chaude et sèche, où tout avait commencé. Il revit Pinceau Trempé, alors âgée de

314

cinq ans, et si douée pour la lecture qu'elle connaissait déjà nombre de caractères qui auraient rebuté plus d'un écolier. Assise sous le manguier de l'école, elle lisait couramment les premières sentences du Maître. Une enfant si prometteuse... mais une fille.

Calmé par le silence du maître d'école, le mandarin Tân se rassit et dit :

— Toutes ces familles avaient à l'époque, comme vous, une ou plusieurs filles aînées âgées de trois à sept ans, *et aucun fils*. Si j'étais un de ces pères affligés d'une descendance purement féminine, que ferais-je ? Si j'en avais les moyens, bien entendu. Je persuaderais mon épouse de considérer la cure miraculeuse des bonzes, qui assurerait que mon futur enfant serait mâle. La cure est chère, ce n'est souvent qu'après un ou plusieurs essais infructueux qu'une femme est poussée à l'entreprendre. Votre femme a suivi cette cure, n'est-ce pas ? Sans doute comme les autres malheureuses mères.

Monsieur Ba se rappelait l'instant où, ce printemps-là, sa femme lui avait timidement annoncé qu'elle était de nouveau enceinte. Faisant preuve d'une affection inhabituelle, il l'avait fait asseoir devant lui, en lui tenant les deux mains. Il gardait dans sa mémoire l'odeur triste des frangipaniers en fleurs, qui, pour lui, serait à jamais associée à la mort.

— Femme, avait-il dit, je te sais fidèle à Bouddha et aux bonzes qui officient au temple. Suis donc leur cure, afin de m'offrir maintenant un fils. Qui sait si tu pourras encore enfanter, car tu es déjà vieille. Le garçon sera égal en intelligence à notre Pinceau Trempé, mais il nous honorera aussi après notre mort.

— Maître ! s'était-elle exclamée. Les prières, je peux bien les faire, mais où trouverez-vous l'argent pour les bonzes ?

Il avait vidé ses coffres, réuni des ligatures et des ligatures de sapèques, et, en cette funeste année du Tigre, il avait accompagné sa femme au temple où, entre deux méditations, elle prenait de l'eau de la source. En apercevant Madame Ngô, qui elle aussi était enceinte, ne se disait-il pas avec orgueil qu'il valait mieux qu'une lignée d'intellectuels se perpétuât, plutôt qu'une lignée de parvenus ?

Le ventre de son épouse s'arrondissait, porteur d'un fruit précieux, l'incarnation de ses espoirs. Il se montrait délicat et empressé, l'encourageait au mieux, prodiguant des attentions qui le surprenaient lui-même. Et puis…

Dans un éclair de compréhension, Monsieur Ba s'écria, désespéré :

— Mais alors, ils ont tous eu des monstres !

— Qui vous parle de monstres ? fit le mandarin d'une voix douce.

Le maître d'école, effondré, se frappait le front contre le frais dallage, en gémissant :

— C'est mon crime qui me rattrape !

Le mandarin Tân descendit de son siège, et fit signe à un veilleur de relever le pitoyable père. Le regardant dans ses yeux frangés de larmes plus lourdes que des gouttes de sang, il dit, avec le plus d'humanité possible :

— Je sais, Monsieur Ba, que face à ce nourrisson difforme qui sortit de son ventre, votre femme a dû implorer les bonzes de la secourir. Or, ceux-ci avaient reçu de nombreuses mères désespérées ne sachant que faire de leur rejeton monstrueux. Le Supérieur n'était pas sot : il vous a conseillé de garder cette naissance secrète. En déclarant à l'état civil la mort du nourrisson, vous éteigniez la curiosité de la famille et des voisins. En contrepartie de votre silence, les bonzes s'engageaient à élever l'enfant et à l'instruire. Docilement, tous les parents remirent ainsi leur bébé aux moines, dans le plus grand secret. Puis, ils tâchèrent d'oublier leur enfant.

« Aucune de ces familles infortunées ne se douta que, si le nouveau-né était à ce point mal conformé, ce n'était pas parce que Bouddha les avait abandonnés, mais parce que l'eau de la cure était empoisonnée !

Le maître d'école sanglotait encore sur ses espoirs perdus.

— Les bonzes nous ont bien trompés !

— Les Rejets de l'Arbre Nain... Quel nom sinistre pour les enfants de cette Province de Haute Lumière, si orgueilleuse de ses clans et de ses nobles familles ! Fils déshonorants, ils furent sacrifiés par honte de les voir souiller leur nom. Un de ces enfants est le vôtre. C'est pour cette seule raison que vous voulez faire fermer le temple et en chasser les occupants.

Monsieur Ba, d'une voix blanche, acquiesça :

— Tout allait bien, tant que les bonzes les gardaient dans le temple. Mais pourquoi a-t-il fallu qu'ils les lâchent en ville depuis quelques mois ? Rampant dans les ruelles, clopinant dans les échoppes, flottant sur leurs misérables barques, ces enfants étalent leur monstruosité à la face du monde. Un jour funeste, j'ai croisé un de ces enfants. Et l'espace d'un battement de cils, j'ai cru surprendre mon reflet rendu risible par un miroir de bronze grossier. Mon image déformée me fixait. C'était la partie obscure de mon être, mon âme descendue aux Enfers.

« Impuissant, j'ai compris que mon fils – ce Calebasse est mon fils ! – allait témoigner à la ville entière de quelle souche honteuse je suis issu, pour avoir

317

engendré pareil monstre ; et quel père indigne je fus, pour l'avoir abandonné à des inconnus.

« Et qui aurait voulu de ma pauvre petite Pinceau Trempé, affligée d'un tel frère ?

Un silence palpable tomba sur cette scène désolante. Seul le coq, présent incongru aux tarses ligotés, raclait le sol dans ses lamentables tentatives d'envol. Le mandarin Tân prononça alors sa sentence :

— Pour vous être moqué du tribunal en invoquant de fausses raisons, il vous sera servi cinquante coups de rotin. Sachez que le mensonge est honteux pour celui qui le profère, mais souille aussi celui qui l'écoute.

« Pour avoir occasionné des dépenses inutiles à la commune – l'engagement superfétatoire du secrétaire Sam en mission d'étude au temple –, vous verserez la somme de dix ligatures de sapèques au tribunal.

« Enfin, il n'est pas de punition assez sévère pour un père qui méprise son fils. Je ne peux donc pas juger en nombre de coups ou en ligatures de sapèques. Cependant, vous veillerez à ce que Calebasse ne manque pas de rouleaux pour ses études, ni d'explications, le cas échéant.

Le maître d'école remercia bassement le mandarin pour sa clémence.

— Je regrette sincèrement mon aveuglement. Dans notre abjection, nous nous reprochions notre faible vertu pour avoir été ainsi punis par un enfant difforme. Et voici que vous m'apprenez que l'eau était simplement empoisonnée ! Mais… les bonzes le savaient-ils ?

— Ils l'ont deviné, c'est certain, en voyant leurs fidèles revenir avec leur nouveau-né. Mais ce scandale, ils l'ont habilement étouffé en invoquant la honte à laquelle les parents s'exposaient.

318

Soudain, titillé par une idée nouvelle, le maître d'école frémit tel un poisson chatouillé par les algues :

— Maître, c'est impossible ! J'ai vu de mes propres yeux Madame Ngô suivre cette cure, pratiquement aux mêmes dates que mon épouse. Elles buvaient la même eau, se lavaient dans le même bassin… L'entrepreneur Ngô se pavanait même dans les jardins avec elle, afin que nous autres, qui nous cachions plutôt, l'admirions dans sa plénitude de future mère. Pourtant, Cerf-Volant, qui est né la même année que mon fils, n'a rien d'un monstre !

Le mandarin Tân soupira tristement, les yeux fixés sur des visages du passé.

— Ah, mais c'est une autre histoire !

XXXI

Debout devant la fenêtre du tribunal, le mandarin Tân rêvait :

> *Dommage que les années qui passent*
> *Reviennent comme des fantômes*
> *Pour soupirer dans nos oreilles*
> *Les tristesses qui ne sont point mortes.*

Il entendait encore le bruit du vent dans les lianes accrochées à une certaine auberge au bord d'un précipice, et se dit que le passé finit toujours par nous rattraper. Sur le point de clore l'histoire ancienne qui étendait ses racines jusqu'au présent, il ne sentait aucune allégresse, mais plutôt une lassitude désolée, car le crime doit être puni, quelle qu'en soit la cause.

Le greffier annonça le début de la séance, et le mandarin Tân revint s'asseoir dans la chaise à dossier sculpté, le regard redevenu clair et officiel. La grande porte ornée de motifs impériaux s'ouvrit et deux sbires entrèrent d'un pas raide, accompagnant une jeune femme au visage fin, qu'ils firent s'agenouiller devant le mandarin.

— Maître, voici Madame Jade, tenancière de l'auberge de la Montagne Noire, que vous avez fait mander.

320

Madame Jade lissa les plumes mordorées qui bordaient ses manches, et remit le scarabée émeraude fermant son col.

— Excusez cette mise défaite, mais une semaine de chevauchée de par les montagnes n'ajoute pas à l'élégance.

Levant des yeux où dansait une lueur ironique, elle dit :

— Maître, je pensais que vous étiez notable, mais j'étais loin d'imaginer que vous étiez grand mandarin. Suis-je ici parce que je vous aurais manqué de respect lors de votre visite ?

Le mandarin Tân s'efforça d'effacer les images qui lui revenaient de cette soirée mémorable, et ce fut d'une voix neutre qu'il répondit :

— Point du tout, Madame. Il ne s'agit pas de cette nuit où mon escorte et moi-même avons fait halte à votre auberge. Non, en réalité, je souhaite vous parler d'une ancienne histoire dont nous vivons aujourd'hui le dénouement.

Il s'arrêta pour scruter les traits de Madame Jade, mais celle-ci conservait un air détaché qu'il n'arrivait pas à sonder.

— Il y a dix ans de cela, un nombre important d'enfants de la ville naquirent avec des difformités. Or, il s'avère que toutes les mères avaient suivi la cure d'eau miraculeuse des bonzes du Temple de la Grue Ecarlate. J'en ai déduit que l'eau convoyée dans les jarres était empoisonnée.

Madame Jade dit simplement :

— Maître, ce que vous affirmez doit être vrai, mais oubliez-vous que je ne suis qu'une tenancière d'auberge ? Quel rapport entre cette affaire et ma modeste personne ?

321

— Vous étiez la maîtresse de Monsieur Ngô, l'entrepreneur, n'est-ce pas ?

Au nom de son ancien amant, les traits de la jeune femme s'étaient durcis, et ses yeux qu'elle baissa précipitamment brûlaient d'un feu sourd.

— En effet, mais c'est un fait révolu, et je le vois aussi souvent ces jours-ci que ma mère qui est morte. Et s'il trempe dans des fraudes, qu'il en réponde lui-même devant vous.

— Monsieur Ngô, dont l'activité la plus importante alors était d'organiser des convois pour rapporter l'eau de la Source du Dragon Retourné, n'est pas le sujet de notre entretien. En revanche, j'ai un témoin, coolie à l'époque, qui peut certifier que vous avez envoyé des filles pour distraire bonzes et porteurs, une nuit qu'ils s'étaient arrêtés à votre auberge. Pendant ce temps, les jarres ont été laissées sans surveillance.

— Et donc j'aurais empoisonné l'eau des jarres ? C'est une idée intéressante, mais dites-moi quelles auraient été mes motivations, Maître.

Le magistrat soupira.

— Ce que je vais vous raconter est ma propre spéculation, et vous me direz ce que vous en pensez. A l'époque où vous étiez la maîtresse de Monsieur Ngô, sa femme, enceinte, a accepté de suivre la cure sur la demande de son mari. Monsieur Ngô, certain d'avoir un fils, vous a alors signifié qu'il ne reviendrait plus. C'est pour vous venger de lui que vous avez empoisonné l'eau : elle représentait la source de vos malheurs. Non seulement vous alliez nuire à la descendance de votre amant, mais également porter préjudice à son commerce.

Madame Jade avait relevé la tête, et un sourire narquois flottait sur ses lèvres.

— Cela me semble en effet une raison plausible. Mais d'après vous, comment aurais-je procédé pour contaminer l'eau ?

— Les textes anciens disent que le mercure, ou vif-argent, est néfaste pour les femmes enceintes. Il leur fait mettre au monde des enfants affligés des déformations les plus affreuses. Or, j'ai constaté que chez vous il y avait un laboratoire d'alchimie équipé de tout ce qu'il faut pour élaborer le mercure : cinabre, four, décanteur. Il vous aurait été donc facile de vous procurer cet élément pour le verser dans les jarres que les bonzes allaient ramener à la ville. Vous n'ignoriez pas les propriétés dangereuses du mercure, puisque, issue d'une famille taoïste pour laquelle l'alchimie tient une place prépondérante, vous aviez en outre un frère qui se passionnait pour la transmutation des éléments.

Madame Jade regarda par-dessus l'épaule du mandarin, vers les tamariniers en fleurs qui se balançaient dans la brise du matin. Mais ce qu'elle vit, c'était une scène qu'elle connaissait par cœur, l'ayant ressassée des nuits entières pendant des années entières.

C'était une nuit de l'année du Tigre, où elle était encore jeune et pleine d'espoirs insensés. Les cheveux relevés, la nuque parfumée, elle attendait son amant qui lui avait promis la place de seconde épouse à la grande cité dans la vallée. Pour une pauvre fille de famille modeste, ce n'était pas une proposition dénuée d'intérêt, car comment trouver un mari quand on vit isolée dans des montagnes perdues ? Lui-même, un entrepreneur à l'allure imposante et aux ambitions sans limites, avait pris l'habitude de s'arrêter dans son auberge, au retour du convoi qui venait de chercher

les jarres d'eau de la source. Chaque fois, il lui ame-
nait des petits cadeaux de pays lointains dont elle
n'avait jamais entendu le nom : une bague de Corée,
un peigne de Siam, et elle les gardait précieusement
sur son chevet pour qu'ils lui rappellent la réalité de
ses rêves. Ce soir-là, Monsieur Ngô viendrait la couvrir de tendres baisers et lui parler de leur vie future
dans les remparts de Quang Long. Au bruit de ses
pas dans le couloir, elle se leva et lissa son chignon.
Elle accueillit son amant avec la joie habituelle, lui
passant les bras autour du cou, lui murmurant à
l'oreille des petits riens. Mais cette nuit-là, il la
repoussa sans ménagement. Bombant le torse, il
déclara :

— Jade, ma fille, j'ai quelque chose à te confier.
Ma femme enceinte, qui refusait jusqu'alors de suivre
cette cure miraculeuse, a finalement cédé : je suis
donc certain d'avoir enfin un fils ! Par conséquent,
vois-tu, je n'ai plus besoin de deuxième épouse pour
me donner un héritier.

Ravalant sa fierté, elle se jeta à ses genoux, les
mouillant de ses pleurs, le suppliant de la garder, au
nom de sa promesse.

Mais l'homme eut un rire méprisant.

— Tu es une très jolie fille, petite Jade, et d'autres
convois passeront par ici. Si tu n'as pas toujours les
faveurs du chef, il restera toujours les coolies ! Mais
n'aie crainte, je ne te laisse pas démunie : voici dix
ligatures de sapèques pour ta peine.

Avant d'atteindre la porte, il se retourna et, d'un
geste nonchalant, jeta sur le lit une petite boule dorée,
qui tinta en tombant.

— Ça, ma chère Jade, c'est pour te consoler pendant tes prochaines nuits !

Abasourdie, toujours à genoux, elle le vit partir du pas décidé d'un conquérant assouvi, alors que sa poitrine était déchirée de sanglots. Elle montra le grelot à son frère, qui rugit de fureur et maudit le négociant jusqu'à la septième génération. Quand elle en comprit l'usage, son cœur devint de glace.

Maintenant dans le tribunal, Madame Jade esquissa un sourire où se mêlaient une certaine admiration et une curieuse sérénité.

— Maître, je dois avouer que vos déductions sont dignes d'un magistrat de la haute cour, et elles reflètent assez bien la réalité. Pour un confucianiste, vous avez de bonnes connaissances du taoïsme tel qu'il peut être pratiqué par les plus fervents d'entre nous.

« Devant tant de perspicacité, je m'incline. Sachez que j'avoue mon crime, mais je ne le renie pas. J'ai empoisonné l'eau des jarres il y a dix ans de cela, et ce geste m'a sauvée de la folie.

— Eprouvez-vous au moins des remords ? demanda le mandarin.

— Les remords sont pour ceux qui ont eu le choix. Moi, je ne fais pas partie pas de ceux-là. A l'époque, j'étais habitée d'une telle haine pour toutes ces personnes riches et superstitieuses. N'est-ce pas une pratique dépravée que d'acheter une eau miraculeuse pour acquérir un héritier qui portera votre nom ? Dans cette suprématie confucianiste de l'enfant mâle, les femmes sont laissées pour compte : la femme réduite à une matrice nourricière, la sœur ravalée au deuxième rang. Et le mercure, élément taoïste, allait révéler ce que ces gens nantis étaient en réalité : des monstres. Car pour nous taoïstes, l'homme n'est pas

325

immortel à travers sa descendance, mais bien par la vertu de sa propre vie.

« Au cours de ces années, j'ai compris que la valeur d'une personne ne dépend ni de son sexe, ni de son apparence. Une petite fille est-elle moins précieuse qu'un petit garçon ? Dites-moi, qu'est-il arrivé aux enfants nés difformes ? Ont-ils été chéris par leurs géniteurs qui avaient dépensé une fortune pour la cure ?

— Leurs parents les ont abandonnés.

— Qu'est-ce que je vous disais ? Les monstres ne sont pas ceux qui sont laids extérieurement, mais ceux qui portent en eux un cœur pourri.

Il y eut un silence et ce fut au tour de Madame Jade de fixer du regard le mandarin dont les préceptes confucianistes se trouvaient bousculés. Au bout d'un instant, il demanda :

— Avez-vous agi seule, ou avec la complicité de votre frère ? Car c'est bien lui l'alchimiste de la famille.

La jeune femme répondit sans hésiter :

— Mon frère n'a rien à voir avec cette vengeance. Il est tellement atteint par sa maladie qu'il est incapable du moindre raisonnement. Non, j'ai tout fait toute seule : j'ai volé le mercure qui était en sa possession et l'ai vidé équitablement dans les jarres, pendant que l'escorte s'amusait avec les danseuses à ma solde. Ceci est ma confession.

Le mandarin, avec un pincement au cœur, fit conduire la jeune femme en prison, en attendant la sentence. Les traits de Madame Jade, à jamais tristes, ne le quittèrent pas de la soirée.

XXXII

Le soleil se couchait derrière les grands tamariniers du greffe et teintait de pourpre la salle du tribunal, quand un messager couvert de la poussière jaune des routes provinciales demanda à voir le mandarin Tân.

— Maître, je vous apporte un rouleau de la part d'un homme qui habite la Montagne Noire, et qui dit que c'est important, fit-il en s'agenouillant.

Le mandarin prit le rouleau que le porteur tendait à deux mains en signe de respect, et le déroula. Ecrite d'une main fiévreuse, c'était une lettre dont les caractères fluides trahissaient un auteur cultivé.

Maître, accédez à la requête d'un mourant qui doit dire enfin la vérité. Lisez, je vous prie, cette lettre destinée à ma sœur Jade, puis remettez-la-lui. A Jade, elle expliquera ce qu'a été ma vie, et à vous, elle servira de confession.

Jade, ma sœur, mon amour, avant que le poison que je viens d'avaler ne fasse son effet, laisse-moi te raconter le crime que j'ai perpétré pour essayer de te garder pour moi. Car quand j'ai aperçu les gardes de

Haute Lumière qui venaient te mander, j'ai su qu'ils allaient te faire payer, à toi l'innocente, cet acte de haine qui était mien.

Quel malheur que d'avoir été ton frère ! Et quel malheur que d'avoir été consumé par cette horrible maladie qui me ronge la peau et le cerveau ! Très tôt, j'ai su que je ne devais pas t'aimer, mais dit-on à un serpent qu'il ne doit pas mordre ? C'était dans la nature des choses que je devienne fou de toi. Cela ne fait que renforcer l'être sordide que je suis : corrompu à l'extérieur, dépravé dans mon cœur. Je t'ai désirée plus qu'aucun être sur terre, et cette obsession a fait de moi une créature ignoble : j'ai épié tes amours à travers un trou pratiqué dans un mur, imaginant que j'étais à la place de l'homme qui te tenait dans ses bras. J'ai souhaité la mort de cet homme, ou pis, j'aurais voulu qu'il soit frappé de la même malédiction que moi. Que sa peau s'en aille en lambeaux, que le pus suinte à travers ses plaies à jamais béantes, que sa bouche exhale l'odeur sucrée de la décomposition interne. Comment te décrire les affres de la jalousie quand je vous voyais dans l'intimité de ta couche ? Vous regarder excitait mes sens qui ne connaîtront jamais l'assouvissement, attisait davantage la haine que j'avais de moi-même. Je me vautrais dans l'abjection pour mieux justifier mon existence.

Quand il t'a abandonnée, j'ai cru que je tenais ma chance. La solitude et la peine finiraient-elles par dessiller tes yeux, te permettant alors de voir le serviteur que j'aurais pu être pour toi, l'esclave soumis à tes moindres caprices, prêt à s'avilir pour mériter l'ombre d'une caresse ?

Après son départ, pendant que tu pleurais sur ta couche, je suis allé vers les jarres d'eau, muni d'une fiole de vif-argent. Cet élément qui me sert à soigner mes lésions purulentes allait peut-être transformer ma vie. Je l'ai vidée dans l'eau, et les gouttes brillantes se sont dispersées comme une pluie d'argent. Enhardi, j'ai enlevé mes vêtements et me suis glissé dans les jarres. L'eau m'a enveloppé telle une étoffe rayonnante. Elle me léchait les escarres, refermait les lèvres souillées de mes entailles, me portait comme un nouveau-né. La nuit mémorable où je t'avais suivie sur les bords du lac me revint à l'esprit... Je te confesse avoir cru que cette nuit-là allait nous unir à jamais, que l'obscurité aidant, tu oublierais pour une fois l'être infirme que j'étais. Qui sait, les reflets de la lune sur l'eau te tourneraient peut-être la tête, et tu me toucherais alors comme tu touches cet homme qui te donne des cadeaux. Mais nous savons tous les deux que cette nuit ne nous a pas unis, et maintenant que cela n'a plus d'importance, je te dis qu'elle a au contraire nourri ma folie.

Nu dans la jarre, je me suis pris à rêver que l'eau enrichie de vif-argent me guérissait, que la transmutation des éléments allait se traduire en transmutation des corps, que j'allais sortir, radieux et digne de ton amour. J'avoue avoir voulu faire passer ma terrible maladie à d'autres afin de m'en débarrasser. Je pensais que de même qu'on extrayait des matières précieuses de la roche brute, on pouvait extraire le mal d'un corps rongé : et si l'alchimie des éléments pouvait s'étendre à l'alchimie du vivant !

Ainsi, j'ai empoisonné l'eau sans que tu le saches, et quand je suis venu à toi, tu as pansé mes plaies. Ce fut la plus douce des nuits. Tu n'avais plus d'amants, et tu effleurais ma peau en sang de tes mains de déesse.

Mais le lendemain, tu pleurais encore ton amour enfui, et de dépit, j'ai rempli de vif-argent la clochette birmane que cet animal t'avait offerte. Une fois de plus, les gouttes mercurielles venaient à mon aide : les textes anciens disent qu'elles rendent une femme stérile, et si tu ne m'appartenais pas, tu n'appartiendrais à personne d'autre.

Comment expliquer cet acte ? Faut-il invoquer l'évolution pernicieuse de ma maladie ? Je sais, pour l'avoir lu dans les traités des médecins, que les taches rosâtres qui fleurissent, maladives, sur ma peau finissent toujours par ronger le cerveau, et induisent la folie. Et pourtant, je suis certain que ce n'est pas la folie qui me fait t'aimer.

Je ne vois presque plus à présent. Le poison agit plus rapidement que je ne l'escomptais. Je suis soulagé de quitter cette enveloppe putréfiée. Je te demande pardon de t'avoir désirée aveuglément, passionnément, mais je ne renie pas mon amour. Je n'ai pas choisi ma famille, et je n'ai pas choisi mon affliction.

Maître, juste juge de nos pauvres vies, voyez donc que je suis l'unique coupable. Ayez pitié et relâchez ma pauvre sœur, dont le seul tort est d'avoir comme frère un monstre de dépravation.

Votre dévoué sujet.

Le mandarin Tân hocha la tête. C'était bien une histoire d'amour qui était à la base de toute cette affaire, mais une histoire d'amour à trois.

L'attachement entre le frère et la sœur est si démesuré que chacun est prêt à endosser ce crime horrible. Mais la vérité n'est pas dans les paroles de Madame

Jade, pas plus que dans la confession de l'homme rouge. Je suis certain qu'elle se situe quelque part entre les deux, se dit le mandarin alors que l'ombre avait totalement envahi le greffe.

XXXIII

Les serviteurs de Monsieur Ngô se tenaient alignés le long de la cour d'honneur, les yeux baissés sur leurs sandales de paille. Une rumeur des plus scandaleuses courait en ville, selon laquelle leur maître aurait plus qu'un lien d'amitié avec la criminelle arrêtée la veille même, et c'était regard fuyant et oreilles grandes ouvertes qu'ils attendaient la venue du mandarin Tân.

Le magistrat, conscient de l'importance de sa mission, avait emprunté le palanquin officiel pour se rendre chez l'entrepreneur, au grand dam des porteurs qui peinaient dans la fournaise, les épaules sciées. Pour une fois, le magistrat se félicitait de pouvoir cacher son trouble derrière les épais rideaux de brocart, car, s'il avait démêlé l'affaire des Rejets de l'Arbre Nain, il était encore bourrelé d'interrogations quant aux peines à servir aux coupables. Sans doute l'Empereur lui-même aura-t-il à trancher, se dit-il, alors que le palanquin s'immobilisait devant la porte de la belle demeure de Monsieur Ngô.

— Maître ! s'exclama celui-ci en descendant accueillir son hôte avec une éclatante bonhomie. Un messager vient juste de me prévenir de votre visite, et c'est dans la plus grande confusion que je vous reçois !

L'entrepreneur Ngô, toujours à son avantage dans des atours élégants, escorta le mandarin Tân vers le Pavillon des Eaux, un charmant petit salon édifié sur pilotis au milieu d'un étang recouvert de nénuphars jaunes. Alors qu'ils s'engageaient sur la passerelle, Monsieur Ngô vantait les mérites de cette construction originale, qui profitait du moindre courant d'air rafraîchi par le passage au-dessus de l'eau.

— Mais vous venez certainement me parler de cette méchante femme, Jade, n'est-ce pas ? A propos, de quoi est-elle accusée ?

Le mandarin Tân était resté silencieux en prenant place sur une banquette. Il refusa le thé qu'une servante lui proposait, et attendit qu'elle fût redescendue de la passerelle.

— Monsieur Ngô, j'ai encore quelques points à éclaircir avant de pouvoir statuer sur sa peine. Elle prétend avoir mal agi par dépit amoureux… car vous l'auriez séduite et délaissée.

L'entrepreneur Ngô ricana :

— Je reconnais là cette Jade ! Maître, méfiez-vous de ses sortilèges, car elle distille le venin dans ses paroles, et la séduction dans ses gestes. Vous me semblez déjà captivé, à en juger par votre air soucieux. Quelle que soit la faute dont on l'accuse, elle n'est pas à la hauteur des turpitudes que cette perfide femelle vous cache.

— Assez ! s'impatienta le mandarin. Je ne suis pas ici pour vous entendre l'accabler, mais pour avoir un résumé de vos relations. Cette femme que vous décriez, vous l'avez tout de même choisie comme maîtresse. Elle prétend même que vous lui aviez promis le mariage.

L'entrepreneur eut un air gourmand :

— Vous l'avez vue, Maître. Je suppose qu'elle est encore très belle. Mais dans la fraîcheur de sa jeunesse, aucune créature terrestre n'aurait pu rivaliser avec sa perfection. Moi, j'étais un jeune homme, éloigné de son épouse pour de longues nuits. Elle s'est jetée dans mes bras. Devais-je refuser ?

Il fit une pause rêveuse.

— J'étais flatté de ses caresses, je ne m'en cache pas. Mais quand j'eus compris qu'elle agissait de même avec les autres voyageurs, je sus que pour la garder – oui, je le confesse, par jeu seulement – je devais renchérir sur les autres. J'étais lié par les sens à cette sorcière, je lui promis de répudier mon épouse et de la faire venir dans ma demeure… Car elle reprochait à mon épouse de n'avoir pu me donner un fils, alors qu'elle, Jade, était là, jeune, arrogante, superbe.

Une onde de haine voila les yeux de l'homme, il rougit de colère et continua :

— Plus les semaines passaient, plus je m'inquiétais de ma faiblesse devant celle qui m'avait possédé. Alors, quand j'appris que mon épouse était enfin enceinte, et qu'elle acceptait de suivre la cure des bonzes, je sus que j'allais avoir un fils. Je l'accorde, j'eus le triomphe mauvais, mais dans nos relations complexes, le cynisme était une arme nécessaire. L'année du Tigre, je fis pour la dernière fois le voyage : adieu à la belle méchante, va donc tenir compagnie au Maître des Enfers, qui saura apprécier tes manigances de diablesse !

Une brise fit voleter la barbe noire de l'entrepreneur Ngô, qui, pendant l'évocation, s'était redressé, le cou gonflé de fureur.

— Ce n'est pas tout à fait sa version des faits, fit le mandarin Tân avec un soupir désolé. Je pense qu'il n'y a rien à faire pour que vos vues s'accordent.

— En tant qu'homme, vous devriez me comprendre ! s'exclama l'entrepreneur Ngô. Mais homme, vous êtes également la proie de la petite sorcière. Car du serpent, elle a la grâce et le pouvoir.

Le mandarin Tân secoua la tête.

— Monsieur Ngô, après tout, qu'importe. Ce que je suis venu vous dire, c'est que Madame Jade est accusée d'avoir empoisonné l'eau des jarres que vous avez convoyées lors de votre dernier voyage.

— Comment ? s'écria l'entrepreneur. Un empoisonnement ?

— Vous ne le saviez donc pas, Monsieur Ngô ?

— C'est ridicule, mes coolies ainsi que les bonzes montaient la garde autour des jarres aux étapes.

— Pourtant, Madame Jade a bel et bien réussi à les en éloigner. L'eau empoisonnée, utilisée en cure, a rendu difformes les enfants à naître. Les Rejets de l'Arbre Nain sont ces enfants-là. Un des pères me l'a confirmé et, si je le souhaitais, je pourrais convoquer presque tous les parents.

— Comment est-ce possible ? Vous dites que c'est lors du dernier voyage que cette perverse a agi... Mais ma femme a suivi cette cure ! Enfin, Maître, c'est ridicule : voyez comme mon fils Cerf-Volant est beau. Rien à voir avec ces avortons !

Le mandarin Tân regarda l'éclatante floraison des nénuphars flottant sur l'onde, la vaste propriété bien tenue, et dit :

— Si l'on avait appris que l'eau que vous proposiez était responsable de ces naissances monstrueuses, vous auriez perdu votre réputation d'entrepreneur. Etant l'associé des bonzes, vous saviez quel vent de panique soufflait sur les fidèles qui avaient suivi la cure. Les bonzes ont pris sur eux de s'occuper des enfants : je pense qu'ils avaient l'idée de les exploiter plus tard. De plus, ils devaient garder le silence, car deux d'entre eux avaient goûté à la femme lors du funeste voyage. Et vous, sachant que votre épouse était enceinte d'un être difforme, vous avez gagné Huê avec votre famille, prétextant la dureté de la sécheresse.

— Ce ne sont que des suppositions ! s'exclama l'entrepreneur, qui n'avait rien perdu de sa superbe. Moi, je vous assure que…

— Laissez-moi continuer mes suppositions, alors, et voyez si elles sont si dénuées de logique, Monsieur Ngô. Votre beau-frère, Monsieur Sam, m'a incidemment parlé d'une jolie nourrice qui serait revenue avec toute la famille, après la sécheresse, n'est-ce pas ?

— Hirondelle ? Oui, certes, il fallait bien une nourrice pour Cerf-Volant.

— Pour pouvoir donner le sein, une nourrice a forcément un enfant en bas âge. Où était l'enfant d'Hirondelle ? L'avait-elle laissé à Huê, si loin d'elle, ou bien était-il venu avec vous ?

— Ça, je ne sais pas, fit l'entrepreneur avec mépris. Sans doute est-il mort de misère dans le village sordide d'où nous avons tiré sa mère.

— Et si Cerf-Volant était le frère de lait de votre fils ?

— Excusez mon ignorance, dit Monsieur Ngô en suffoquant. Je ne comprends rien à vos insinuations.

— N'oubliez pas que ce ne sont que des hypothèses, Monsieur Ngô. Je vous expose les circonvolutions de mon raisonnement : vu de mes yeux, il se tient parfaitement. Donc, vous étiez revenu avec un beau nourrisson – le fils d'Hirondelle – que vous exposiez avec un faux orgueil paternel. Les mères des enfants mal conformés ne se doutèrent pas un seul instant du rôle funeste de la cure. Les bonzes continuèrent à élever leur marmaille. Vos affaires prospérèrent.

« Et le vrai fils du puissant entrepreneur ? J'ai entrevu votre épouse ; son âme est écorchée, de celles dont la sensibilité étouffe la raison. Son fils était un monstre, était-ce une raison pour le rejeter ? Alors, faisant un pacte avec vous, elle accepta de considérer Cerf-Volant comme votre héritier, à condition d'avoir son petit près d'elle.

« Comment l'ai-je deviné ? Cerf-Volant, tout adorable qu'il soit, s'est plaint de n'être aimé ni de vous, ni de votre épouse. Curieuse situation pour un héritier d'une famille riche ! Je l'ai vu tourner autour d'une maison de domestique abandonnée, dans laquelle Madame Ngô errait. De délicieux souvenirs semblent les attirer vers cet endroit désolé. Les souvenirs des jours où Madame Ngô jouait avec son enfant difforme, et où le petit Cerf-Volant se blottissait contre Hirondelle, sa mère ? On ne le saura jamais : votre femme a perdu la raison, Cerf-Volant n'était qu'un bambin.

— Alors, à quoi riment ces élucubrations ? s'irritait l'entrepreneur, impudent.

— Vivre enfermé, caché dans un coin de la propriété, ne convient pas à un garçon, Monsieur Ngô. Votre épouse en fut soudain consciente. Renonçant à son fils, elle mit sur pied une « évasion ». Car vous refusiez de laisser sortir l'enfant malade, de peur d'affronter la honte publique.

— Un soir, il y a cinq ans de cela, Hirondelle prit un fléau d'épaule et tenta de gagner l'embarcadère de la Rivière des Tortues… Dans l'un des paniers, il y avait votre fils, dans l'autre, les effets pour la fuite. Pour son malheur, vous en avez eu vent avant qu'elle ne puisse atteindre le bac. J'imagine votre fureur : Madame Ngô vous avait désobéi, en faisant enlever son fils. Sans doute pensiez-vous qu'elle partirait ensuite le rejoindre. Vous aviez l'avantage d'une monture, la pauvre Hirondelle n'avait que les charrettes des paysans qui voulaient bien la prendre, elle et son encombrant bagage. Vous l'avez rattrapée non loin de l'embarcadère. On sait ce qui advint d'elle, et de l'enfant.

Monsieur Ngô était passé de la colère à l'insolence. A présent, il souriait, goguenard, au mandarin Tân qui s'était échauffé pendant la narration.

— Nous avons un mandarin à l'esprit bien romanesque, pour gouverner la province.

— Croyez-vous que j'accuse sans preuve ? Faites venir Cerf-Volant ! ordonna-t-il au garde campé sur la passerelle.

Monsieur Ngô ne se départit pas de son rictus méprisant, pendant l'attente.

Le mandarin Tân se dit : Je joue gros sur les affirmations de l'orfèvre Hoa.

Le garçon vint s'incliner devant le mandarin, puis devant son père.

— Viens ici, Cerf-Volant, fit le mandarin Tân. Montre-moi un peu ce que tu as autour du cou.

L'enfant enleva une chaînette où était suspendu un médaillon d'argent, incrusté d'une pierre verte. Le père riposta :

— Un porte-bonheur. D'ailleurs, l'inscription *Première Epée* veut dire « Fils Aîné ». On le met au premier né mâle de la famille. Moi-même, je l'ai porté étant enfant. C'est donc cela, la preuve ?

Le mandarin remercia l'enfant, le fit reconduire loin du pavillon.

338

— Non, la preuve, fit-il en réponse, la voici.

Il tira de sa manche le médaillon en tous points identique à celui de Cerf-Volant. Monsieur Ngô pâlit.

— Voyez-vous, ce deuxième bijou a été retrouvé dans la grotte où les crimes furent commis. Vous l'aviez laissé sur place, ne connaissant pas son existence. Vous croyiez que Cerf-Volant portait ce bijou. J'ai maintenant la déposition de l'orfèvre Hoa, enfin revenu d'une assez longue absence. Il certifie avoir fait copie de l'objet, voici de nombreuses années, sur la demande de votre épouse.

— Elle m'a bien eu ! s'écria l'entrepreneur Ngô, piqué dans son orgueil.

— Cette mère aimante n'a pas supporté que son vrai fils n'ait pas la protection des dieux, tout difforme qu'il fût. C'était à lui que revenait le médaillon familial. L'usurpateur n'en aurait qu'une copie. Vous ne vous douteriez de rien, en le voyant tous les jours à son cou.

« Donc, si l'enfant tué dans la grotte est bien votre fils, la femme ne peut être qu'une de vos domestiques, sans doute Hirondelle, la nourrice.

L'entrepreneur renversa la tête en arrière, et partit d'un grand éclat de rire, d'une cruauté glaciale.

— Vous m'inculpez de meurtre, pour ce bijou ! Et pourquoi cette pauvre Hirondelle – si c'est vraiment elle – n'aurait-elle pas fait une mauvaise rencontre ? Pourquoi serais-je le meurtrier ?

— A la découverte des corps, il a été lancé de nombreux appels à témoins. Si, en toute innocence, vous aviez remercié votre servante et l'aviez renvoyée chez elle, pourquoi ne pas avoir réagi ? La victime était une jeune femme, vous auriez dû vous préoccuper de savoir si ce n'était pas Hirondelle. Votre silence vous incrimine. Il confirme le fait que vous avez brûlé les vêtements des victimes pour en empêcher l'identification.

L'entrepreneur Ngô balaya d'un geste large la fascinante étendue de ses jardins, l'élégance des bâtiments, et lâcha avec arrogance :

— Votre esprit est fin, Maître. Peu d'hommes auraient pu dérouler de manière aussi rapide cet écheveau de faits à partir d'éléments aussi ténus. Mais je suis le maître de mes possessions. Ni vous, ni même l'Empereur, ne pouvez me retirer le droit de vie et de mort sur les miens. Famille, et domestiques.

Le mandarin Tân serra les poings.

— Vous êtes toujours sûr de votre bon droit, n'est-ce pas ? Vous n'éprouvez donc aucun remords ?

— Aucun, Maître. Un homme se doit de penser à son honneur, avant tout. Ma femme était naïve, pour faire ainsi confiance à cette femme inculte. Comment aurait-elle tenu sa langue ? Oui, l'affaire des Rejets de l'Arbre Nain aurait été ébruitée, j'aurais perdu ma respectabilité.

— Votre souche aurait été souillée.

— Allez-vous rendre ces détails publics, et montrer à vos chers administrés votre impuissance ?

Le mandarin Tân eut l'air songeur.

— Non, mais ce ne sera pas par respect pour vous, bien entendu, ni par égard pour les parents de ces enfants. Ils ont fait preuve de lâcheté, et ils mériteraient d'être punis. Je ne songe qu'à ménager les enfants, pour lesquels la vérité paraîtrait trop cruelle.

— Ainsi, Mandarin Tân, malgré votre intelligence, vous voilà lié par votre bon cœur ! Comme c'est touchant ! railla l'entrepreneur, qui voyait les choses s'arranger parfaitement.

— Ah, mais attendez donc, Monsieur Ngô, avant de triompher ! Car je n'ai pas fini. Il y a bien eu trois autres meurtres, depuis !

— Je n'ai rien à voir avec ces crimes, fit l'entrepreneur avec un haussement d'épaules. Pourquoi me compromettrais-je avec ces avortons ? Ils ne me dérangent pas.

— Vous niez parce que, dans le cas de meurtres d'enfants qui ne vous sont pas apparentés, c'est votre tête que vous risquez !

— Je vous répète que je ne reconnais pas ces trois derniers meurtres.

— La ressemblance de certains des enfants avec des notables de la ville devenait dangereuse. Un œil perspicace aurait eu tôt fait de détecter les liens familiaux. Pour être complètement mis hors de cause, il fallait que vous fassiez croire que ces petits étaient des orphelins abandonnés, sans origine connue.

L'entrepreneur Ngô se défendait encore.

— Quelle preuve avez-vous ? C'est grotesque !

— La similitude de ces meutres avec les deux premiers est une preuve plus que suffisante. A l'époque, l'enquête a caché que la femme et l'enfant avaient été torturés et massacrés. C'est bien vous, Monsieur Ngô, qui avez défiguré les trois nouvelles petites victimes, afin que je ne puisse les relier aux citoyens de la ville. C'est bien la même violence déchaînée et aveugle qui vous a fait porter des coups aussi cruels même après leur mort. Et c'est aussi par bravade que vous n'avez pas dissimulé les corps.

A présent décomposé, l'entrepreneur se débattait avec le chef des gardes qui était accouru sur un signe du mandarin. Pendant que le sbire maîtrisait l'accusé, le magistrat continua, implacable :

— Je vous soupçonne encore d'avoir tenté de m'empoisonner, acte bas s'il en est, et d'avoir lancé à mes trousses vos âmes damnées de bonzes. Vous craigniez que je réussisse le voyage jusqu'à la Source du Dragon Retourné, où j'aurais rencontré Madame Jade et découvert toute cette lamentable histoire.

« Et vous n'aviez pas tort. C'est après avoir vu la statue du Dragon parée d'écharpes pourpre et or que ma mémoire a fait le lien avec l'évocation fantasque d'un bonze que les remords avaient rendu fou. Il répétait qu'une dame « ceinte de pourpre et d'or » avait donné naissance aux Rejets de l'Arbre Nain. En réalité, ces malheureux sont nés de l'eau contaminée : ce sont les enfants maudits du Dragon Retourné.

— Non ! Non ! hurlait encore l'entrepreneur que l'on poussait hors du pavillon, devant ses domestiques ébahis.

XXXIV

— C'est invraisemblable, murmura le maire Lê en caressant sa barbiche. Un homme plein de qualités et d'audace, d'une prestigieuse lignée, capable de tels actes !

— La lignée n'est une garantie de rien, rétorqua le lettré Dinh, sauf d'orgueil.

Le mandarin Tân respirait encore difficilement, après l'arrestation mouvementée de l'entrepreneur. Celui-ci avait réussi à se dégager de l'étreinte du chef des gardes, et, connaissant les ressources de son domaine, avait tenté de fuir par un portail dérobé qui donnait sur la forêt. Par un hasard des plus heureux, le secrétaire Sam rentrait à ce même moment, et avait été renversé par la violence du choc contre le torse puissant de l'entrepreneur. On avait dû les relever tous les deux, l'un, effaré, murmurant des remerciements sincères, l'autre, écarlate, crachant des invectives et distribuant des coups de savates.

— Nous allons devoir le faire parler sous le fouet, dit l'intendant Hoang, révolté. Car c'est bien lui qui a empoisonné cette maudite veste, pour laquelle je porte encore une certaine responsabilité.

Ce disant, il jeta un regard mauvais à Dinh, qui détourna les yeux avec un sourire.

Le mandarin acquiesça :

— Gardes, faites venir le prisonnier !

La barbe en bataille, les vêtements chiffonnés, Monsieur Ngô fit son entrée sans humilité. Il toisa le mandarin Tân, son arrogance naturelle refaisant surface, malgré ces heures difficiles.

— Vous faites erreur, dit-il avec insolence, avant que le mandarin lui eût adressé la parole. Il vous en cuira, car l'Empereur sait aussi juger ses émissaires. Les hommes aveuglés par leurs certitudes et qui font fi de l'esprit de famille n'ont pas ses faveurs, croyez-moi !

— Nous allons compléter vos aveux, dit le mandarin Tân, mis en colère par tant de bravade. Mes veilleurs ont le champ libre.

S'adressant à eux, il les prévint toutefois :

— Mais ne le tuez pas.

Un premier veilleur poussa l'homme à genoux. Il était chargé de la partie humiliante de l'interrogatoire. Il tailla le turban de l'accusé, libérant une longue chevelure un peu clairsemée, qu'il déchira d'un coup de serpette.

— Voilà pour ton chignon, eh, chien !

Mais le deuxième veilleur intervint :

— Arrête ! Laissons-lui quelques poils pour que sa tête reste présentable quand on l'exposera, séparée du reste !

Ils ricanèrent bruyamment. D'un geste sec, ils lacérèrent la robe luxueuse, révélant un dos et un postérieur quelque peu gras. L'entrepreneur ne broncha pas quand les premiers coups de canne s'abattirent sur lui. Il criait :

— Vous n'êtes que des porcs ! Moi, je suis le fils aîné d'une grande lignée !

Que veut-il dire par là ? se demanda le mandarin Tân, perplexe, suivant des yeux les jeux cruels de ses veilleurs.

Ceux-ci avaient changé de registre, faisant à présent dans la finesse. Quand l'un désignait en criant une partie du corps, l'autre le visait avec son rotin.

Le mandarin Tân sursauta : le code des punitions lui revint soudain en mémoire. Un condamné, même coupable de faits graves, pouvait obtenir la miséricorde de l'Empereur lorsqu'il était le premier mâle d'une famille. L'infâme tyran domestique avait raison : l'Empereur accordait tant d'importance au culte des ancêtres qu'il graciait certains criminels, afin que les défunts de la famille puissent être convenablement honorés. Comme l'entrepreneur Ngô était fils d'une lignée de lettrés assez réputés, il serait probablement sauvé.

Les veilleurs étaient en train de faire danser Monsieur Ngô avec leurs queues de raie. Le misérable, les mains entravées, tentait de protéger sa pudeur en retenant contre son torse ses vêtements en haillons, essayant d'esquiver les lanières tranchantes qui sifflaient autour de lui. Il n'avait rien avoué de plus que les meurtres d'Hirondelle et de son propre fils.

Il faut lui reconnaître un orgueil démesuré qui l'empêche d'avoir tort à ses propres yeux, se dit le mandarin, en faisant signe aux veilleurs déçus d'arrêter leur supplice.

— Si tôt ? murmura l'intendant Hoang, qui partageait avec les tortionnaires le sentiment d'avoir été grugé.

— Qu'il retourne en prison, fit le mandarin Tân en évitant le regard de ses amis surpris.

L'entrepreneur Ngô railla :

— Quand je serai gracié, je quitterai la province… pour la Capitale. Alors, on entendra ce que j'ai à dire du mandarin de Haute Lumière !

Avec un ricanement de victoire, l'ignoble individu fit une sortie presque triomphale. Autour du mandarin Tân, des murmures d'étonnement s'élevaient. On montrait une vive incompréhension devant une telle indulgence

— Il est très fort, dit le mandarin Tân, soucieux. Il a la certitude d'être impuni. Et moi, je doute de mon droit de magistrat.

Il se leva avec colère.

— Intendant Hoang, faites préparer mon écritoire ! Ma lettre à l'Empereur partira dès ce soir.

*

La prison de la commune était construite sommairement, car elle avait à accueillir bien peu de criminels. L'entrepreneur Ngô était le seul à occuper l'étage, une sorte de couloir bas de plafond situé directement sous les toits. Le soleil chauffait les tuiles, rendant l'air fétide irrespirable, d'autant, bien entendu, qu'aucune ouverture n'avait été pratiquée dans la geôle.

En dépit de l'obscurité, de la chaleur et de l'inconfort de la paille moisie, l'entrepreneur Ngô gardait confiance. Si son raisonnement était exact, il serait libre dès que la réponse de l'Empereur parviendrait au mandarin. Il fallait bien plaindre ce pauvre jeune homme qui avait cru pouvoir se mesurer à un tigre de sa trempe !

En bas, les veilleurs avaient installé l'autre prisonnier, une dame cette fois, car ils pouvaient ainsi la garder à l'œil. Le spectacle de la belle femme à moitié recouverte par ses rudes habits d'infamie les réjouissait assez, mais ils ne surent comment la faire taire, lorsqu'elle prit conscience que son ancien amant se trouvait à portée de voix.

Depuis, ce n'étaient que cris et menaces échangés à travers l'étroit boyau muni d'une échelle branlante qui servait d'escalier. Au départ, les veilleurs s'en étaient amusés, tentant de saisir de quoi les deux personnages étaient accusés – car le mandarin Tân avait fait le strict secret sur toute l'affaire. Mais la violence des propos les avait vite glacés, et c'était impatiemment qu'ils attendaient de se voir libérés d'êtres aussi maléfiques, afin d'accueillir, par exemple, des ivrognes ou des voleurs.

— Je veillerai à ce qu'il te tranche la tête ! hurlait la prisonnière. Ou je le ferai moi-même, avec mes dents et mes ongles !

— Ton supplice sera pire que le mien, que crois-tu donc, pauvre femelle ? Je peux commettre les crimes les plus horribles, on ne m'enlèvera pas l'impunité ! ripostait l'autre.

— Les rumeurs sordides qui circulent en ville sont certainement très loin de la terrible vérité, soupiraient les veilleurs.

*

Chaque jour, depuis des semaines, le mandarin Tân guettait, l'air de rien, l'arrivée de l'envoyé de l'Empereur. Puis, déçu, il retournait à d'autres dossiers, dont aucun ne chassait de son esprit ce qu'il appelait « l'affaire des amants maudits ». Il craignait avant tout que ses efforts n'aient été vains, malgré le

347

soin qu'il avait déployé pour décrire les faits dans sa missive.

Enfin, un matin, l'intendant Hoang introduisit un jeune homme essoufflé, qui s'inclina profondément devant le mandarin Tân. Il lui remit un rouleau de papier de grande qualité, sur lequel l'Empereur dictait ses textes.

— Va, je te remercie, réussit à dire le magistrat avant de se jeter sur la missive.

Il leva les yeux sur l'intendant Hoang, qui haletait d'impatience.

— L'Empereur a statué, dit-il simplement.

*

L'orage qui avait menacé pendant toute la matinée semblait mûr à point. Les nuages étalaient leurs ventres mauves sur la plaine accablée de chaleur. Il fallait être de bois pour rester sec par une telle touffeur.

Le crieur public était passé la veille dans les rues de la ville. Faisant entendre le cliquetis aigrelet de sa crécelle, il avait annoncé d'une voix martiale :

— Demain, à l'heure du Cheval, les sentences seront prononcées contre Madame Jade et l'entrepreneur Ngô, sur le Champ des Peines Clémentes.

On s'était demandé encore une fois de quelles mauvaises actions ces deux accusés s'étaient rendus coupables, mais les gens du mandarin se retranchaient derrière un silence incorruptible. Bien que les spectacles de supplices ne fussent pas aussi prisés que les combats de coqs ou de chiens, il faut avouer que le mystère autour d'une telle affaire avait accru la curiosité de la population.

Aussi le mandarin Tân fut-il très surpris, le jour du châtiment, d'entrevoir à travers les rideaux du palanquin que les citoyens avaient traité l'événement avec un faste indécent. Le long de la route d'accès au Champ des Peines Clémentes, on avait planté en nombre de hauts et souples mâts de bambou, où s'agitaient gaiement des drapeaux multicolores. Aux endroits où l'ombre des flamboyants faisait défaut, on avait également sorti d'immenses parasols huilés aux allures gracieuses d'arbres éphémères. Même les autels dédiés aux petits génies bienfaisants, modestes bornes au bord du chemin, étaient parés de fraîches offrandes artistement disposées pour réjouir l'œil de l'illustre passant. A mesure que l'on s'approchait du lieu des châtiments, la foule se faisait plus dense.

— Mes administrés pensent me faire honneur, se dit le magistrat avec indulgence, surmontant son irritation initiale. Car c'est ma première sentence publique, et ils ne doutent pas un instant de la justice que je vais rendre.

Aux cris des porteurs ponctués de claquements de fouets, la foule s'écarta pour laisser passer le cortège officiel. Ceux qui étaient assis se mirent précipitamment debout, et tous s'empressèrent d'ôter leur chapeau au passage du palanquin. On remarqua la mine défaite des porteurs, le balancement des parasols mandarinaux, mais on n'eut pas droit au visage du magistrat caché derrière la forêt de dos.

Enfin, ce fut l'arrivée au pied de l'estrade dressée au centre du champ. Les figures attentives des badauds ne perdirent aucun des gestes empreints de gravité de leur gouverneur. Fiers de le voir si imposant dans sa tenue officielle, ils le regardèrent deviser un moment avec son équipe – le lettré Dinh et le maire

Lê, soucieux, le docteur Porc, débonnaire, et l'intendant Hoang, excité. Les administrés prirent modèle sur la sérénité de leur mandarin, et ce fut avec la même sobriété qu'ils accueillirent la venue, à pied, des condamnés.

Les femmes s'exclamèrent devant la beauté de Madame Jade, que d'aucuns avaient décrite comme une sorcière vieillissante. Elle avançait, portant sur ses épaules une sorte d'échelle horizontale, entre les barreaux de laquelle on avait emprisonné son cou et ses mains. Péniblement, elle se prosterna aux pieds du mandarin, et sa robe de prisonnière aux ourlets défaits traîna dans la poussière.

Puis ce fut le tour de Monsieur Ngô, les mains liées dans le dos, de s'agenouiller devant le magistrat. Côte à côte, les deux amants offraient un spectacle attristant. Car leurs attitudes envers leur Maître différaient : la femme avait l'air résigné et absent, les yeux embués de larmes ; l'homme, lui, regardait le mandarin avec une indomptable fierté.

— Prisonniers, levez-vous ! ordonna le chef des gardes.

Monsieur Ngô sauta lestement sur ses pieds, car il n'attendait que cette injonction. Il fallut aider Madame Jade, qui semblait vidée de tout élan vital.

— Madame Jade, dit le mandarin Tân d'une voix qui ne tremblait pas, pour avoir commis des mauvaises actions dont je tairai la nature, vous subirez la punition suivante : nous vous laisserons sur ce Champ des Peines, au pilori, entre cette heure du Cheval et demain matin, à l'heure du Dragon, où un de mes gardes vous libérera. Vous pourrez alors, si vous le souhaitez, regagner votre maison. La relative clémence de la sanction, au vu de la gravité des crimes qui vous sont imputés, vient du fait que vous êtes en deuil de votre frère bien-aimé.

Le chef des gardes traîna alors Madame Jade, au mépris de son équilibre, car elle titubait, la tête pendante à travers l'échelle. Il l'installa à genoux, au pied d'un piquet planté en plein soleil, puis l'y attacha.

Le mandarin Tân se tourna vers l'entrepreneur Ngô.

— Votre cas fut plus délicat, car même s'il vous est reproché des crimes de sang, votre situation demandait un examen approfondi.

Une rumeur fit frissonner la foule, tel le vent sur une rizière. Des crimes de sang ! L'entrepreneur Ngô était donc le tueur d'enfants ! Sans nul doute, Madame Jade lui avait servi de complice.

Le mandarin poursuivit :

— Vous m'avez suggéré de faire appel au jugement de l'Empereur car, disiez-vous, l'affaire dépasse ma compétence. En effet, voici la réponse de notre Maître :

Vous avez établi avec certitude la culpabilité de l'entrepreneur Ngô dans une ténébreuse affaire. Bien que les détails m'échappent encore, je ne saurais trop vous témoigner mes chaleureuses félicitations pour votre perspicacité. Quant au châtiment à administrer au criminel, votre hésitation est légitime, car vous connaissez mon attachement au culte des ancêtres, et l'accusé a la charge d'honorer ses vénérables défunts. Cependant, ne m'avez-vous pas écrit que l'entrepreneur Ngô a un fils – adoptif, certes, mais son fils devant la loi – d'une dizaine d'années ? L'enfant a bientôt l'âge de prendre ses responsabilités de chef de famille, aussi je lui donne dès à présent

l'obligation, à la place de son père indigne, d'hono-
rer ses morts.

Par conséquent, l'entrepreneur Ngô est libéré de
ses devoirs filiaux, et subira la peine que mérite tout
auteur de crime de sang : la décollation, car il n'est
pas de sort plus ignoble pour un homme que d'être
privé de son intégrité corporelle.

A ces mots, Monsieur Ngô poussa un rugissement de fureur. Le mandarin Tân fit mine de ne pas remarquer cette insolence, et continua d'un ton calme :

— Ainsi le veut l'Empereur, dans sa grande sagesse. Sa décision est de nature divine et nul mortel ne s'y opposera. Vénérez-le d'avoir répondu sans tarder, et remerciez-moi de vous châtier sur-le-champ, car je veux vous éviter les longs tourments du condamné à mort.

— Ecoutez-moi, disait encore l'entrepreneur, je n'ai pas tué les trois enfants !

Comme il se débattait avec l'énergie du condamné, le chef des veilleurs lui banda les yeux, dernière indignité pour celui qui ne sait pas affronter la mort. Il fut conduit, aveuglé mais non bâillonné, à quelques pas de la tribune officielle. Il vociférait à l'adresse de Madame Jade, en tournant la tête de droite et de gauche, car il ne la voyait plus :

— Sorcière ! Tout cela par ta faute ! Je t'attends en Enfer !

Madame Jade avait rouvert ses beaux yeux et, dans un sursaut, s'adressa à son amant :

— Mon amour, ma haine… Tu les as épuisés. Je ne suis qu'une pauvre femme qui se prépare à la mort. Je souhaite que tu connaisses la paix que je ressens enfin, vidée de mes passions et de mes rancunes.

Monsieur Ngô essaya encore une fois d'échapper à la poigne du garde, mais fut rudement poussé à terre. On l'obligea à toucher le sol de son front, et le bourreau leva son sabre. Dans la tribune officielle, Dinh ferma les yeux.

Quand il les rouvrit, la tête de l'homme, si semblable à celle d'un tigre, roulait en direction du docteur Porc. Celui-ci l'arrêta du pied, se pencha, la saisit par les cheveux et dit :

— Je déclare Monsieur Ngô mort.

Pour l'exemple, le chef des gardes ficha le macabre trophée sur un poteau, face à Madame Jade. La foule, muette, reflua du champ des suppliciés. Au moment où le dernier paysan quittait le pré, l'orage éclata, déversant une colère froide sur toute peine humaine. Madame Jade, les yeux ruisselants de larmes et de pluie, chercha le regard vitreux de celui qui n'avait pas mérité son amour.

— Toute une nuit avec toi, dit-elle au mort.

XXXV

Peu après l'heure du Rat, Odeur de Vice se réveilla en sursaut. S'étant couché après l'habituel interrogatoire des enfants, il se débattait dans des rêves de puissance et de gloire quand ses narines velues détectèrent une distincte odeur de fumée. Il pensa d'abord avoir oublié de moucher la chandelle qui se serait renversée, mais la chambre était plongée dans l'obscurité. Un coup d'œil à la fenêtre lui dit que la lune avait pris une teinte grisâtre, et qu'il y avait une lueur rougeoyante du côté de la grande salle de prière.

Il bondit hors de sa couche sans enfiler ses sandales plates. Serrant sa robe dans la fraîcheur de la nuit, il se dirigea à pas de loup vers la cour principale.

C'est alors qu'il vit de longues flammes dorées lécher le faîte du toit recourbé. Une fumée épaisse se dégageait du bois un peu humide.

— Par tous les démons ! jura-t-il dans un souffle. Le temple brûle !

Faisant demi-tour, il courut sonner le tocsin. Mais émergeant de l'ombre d'un pilier, une silhouette lui emboîta le pas.

*

Calebasse se redressa sur sa couche. Il n'avait pas rêvé : des pas furtifs s'éloignaient en direction de la cour centrale. Dans le dortoir il entendait le souffle régulier de ses compagnons, tous endormis, harassés par une autre rude journée. Qui pouvait se promener à l'intérieur du temple à pareille heure ? se demanda-t-il en regardant la lune haute dans le ciel. Et si c'était le Joueur de Pluie ? Cela faisait longtemps qu'il n'était pas revenu parmi eux. Peut-être aurait-il quelque nouvelle histoire pour lui faire oublier les longues journées passées à trimer pour l'habilleur des morts Mignon, ou un nouvel air de flûte envoûtant et magique. Rudement, il secoua la forme roulée en boule sur la couche voisine.

— Réveille-toi, Ombre de Singe ! Je crois que le Joueur de Pluie est de retour !

Ombre de Singe tourna son visage vers le mur et grommela :

— Donne-lui le bonjour de ma part.

— Ne dis pas de bêtises. Pense aux légendes qu'il pourrait nous raconter ce soir, il doit en avoir de nouvelles qu'on ne connaît pas.

Sans crier gare, il retira la couverture du dos de son camarade, l'obligeant à se lever. Celui-ci protesta avec véhémence, mais une fois sur son séant, il se laissa persuader. Ils se faufilèrent sans bruit entre les couches occupées et se glissèrent dans le couloir.

— Il est parti par là, chuchota Calebasse en prenant la direction de la salle des prières.

La lune éclairait les dalles inégales, mais ils connaissaient le chemin par cœur. Coupant à travers les buissons de jasmin, ils débouchèrent sur une allée au bout de laquelle disparaissait justement une forme habillée de noir. Tenant à deux mains les pans de leur habit, les enfants lui emboîtèrent le pas.

Mais arrivés devant la statue de Bouddha qui luisait faiblement dans la clarté blafarde, ils ne virent plus personne.

— Par où est-il donc passé ? demanda Ombre de Singe, perplexe.

Calebasse se gratta la tête : la grande allée était déserte et l'ombre opaque des colonnades ne dévoilait aucune forme humaine.

— Viens, prenons le couloir qui fait le tour, dit Calebasse en entraînant son ami.

C'était une bonne décision, car à quelques pas d'eux, ils distinguèrent une silhouette accroupie. Joyeux, ils allaient se précipiter, quand une petite flamme jaillit d'entre les mains de la forme ramassée. Dans la lueur orangée qui vacillait, ils virent son visage. Mais ce n'était pas le Joueur de Pluie.

*

Les hommes en noir se laissèrent tomber du muret et atterrirent sur le dallage sans un bruit. Ils se rassemblèrent autour de la forme massive dont le dos carré faisait une tache sombre contre les pierres du temple.

— Cobra Un, fit le chef d'une voix étouffée mais autoritaire, tu t'occupes de l'aile est du bâtiment. Fais attention à la direction du vent : il ne faut pas que l'alerte soit donnée avant que tous les foyers soient allumés. Prends avec toi Cobra Cinq et Six. Exécution !

Trois ombres se détachèrent du groupe et se mirent à courir en direction de l'aile désaffectée du temple.

— Cobra Deux, Trois et Sept, continua le chef, vous filez vers les bâtisses derrière le potager et mettez le feu aux poutres.

— Mais c'est là que logent les Rejets, Maître, objecta Cobra Deux.

— Tu fais ce que je dis ! D'ailleurs, avec leurs naseaux de taureaux, ils vont flairer la fumée avant de finir en brochettes, va ! En route !

Le petit groupe détala vers le potager, collant aux arbres qui masquaient leur déplacement.

*

Odeur de Vice courait vers le tocsin aussi vite que sa corpulence le permettait. Ses pieds calleux frottaient contre le chemin dallé sans égard pour son oignon osseux. Ses narines étaient emplies de l'odeur âcre de la fumée, et son empressement s'en trouva fouetté. Arrivé à l'abri où les bonzes gardaient le tocsin, il s'empara du marteau et allait donner l'alarme quand on l'enserra par-derrière.

C'était à n'en point douter la prise du Crapaud Embrassant la Poutre. D'un coup de reins, le Second tenta de se dégager, mais l'attaquant tenait bon. Il avait beau ruer selon la méthode de la Jument en Chaleur, pas moyen de décramponner l'autre. Le juron aux lèvres, il se résolut à courir à reculons, emporté par leur masse conjuguée. Quand il heurta de plein fouet le mur constellé de pointes métalliques – une idée de décoration venue des Indes –, son ennemi hurla de douleur et lâcha son cou.

Faisant prestement volte-face, Odeur de Vice décocha un coup de pied en direction de la tête de l'autre, dont il ne distinguait toujours pas les traits. Mais son pied nu rencontra des dents aiguisées qui se refermèrent sur les orteils exposés. Déséquilibré par l'exécution parfaite du Sourire de Piranha, le bonze tomba en arrière. Mais son agresseur avait dû s'avancer hors de l'ombre, et le moine eut le temps d'apercevoir son visage.

— Commandant Quôc, sale bâtard, fils de gueuse ! gronda-t-il tandis que son crâne venait frapper contre la dalle.

— Lui-même, pour te servir, espèce de moine castré, répondit l'autre, le prenant par le mollet et commençant à le faire tournoyer suivant la technique irréprochable des Feuilles de Laitue qu'on Essore.

La cervelle plaquée à son front, le moine grogna :

— Tu crois que ta milice minable va arriver à nous vaincre ? Tu vas voir maintenant les véritables arts martiaux tels qu'ils sont enseignés par les moines chinois, misérable cancrelat !

Etendant péniblement un bras, Odeur de Vice s'empara d'une grosse pierre qu'il projeta contre le gong énorme près du bouddha en marbre. Aidée par le mouvement circulaire qui faisait effet de fronde, elle vint frapper la masse métallique avec le bruit de mille tocsins.

De rage, le commandant Quôc lâcha le moine qui s'envola en direction du grand portail.

Mais des années d'entraînement avaient fait du bonze un fin combattant : il effectua une pirouette en plein vol, de sorte qu'il arriva pieds en avant sur le vantail et s'en servit comme tremplin pour se jeter sur le militaire ahuri.

Ils roulèrent à terre dans une étreinte sauvage, et les coups qui furent exécutés de part et d'autre n'avaient plus rien de l'idéal classique.

*

— Un militaire de la caserne ! souffla Calebasse quand il eut reconnu l'homme à la lueur de la flamme. Qu'est-ce qu'il vient faire ici ?

Comme pour lui répondre, l'intrus laissa tomber la flamme sur un tas de chiffons imbibés d'alcool dont il avait habillé la base de la colonne en bois. Une flamme dorée en jaillit immédiatement et vint lécher les dragons sculptés dans la masse.

— Le chien galeux est en train de mettre le feu au temple, grinça Calebasse, les yeux injectés. Ombre de Singe, va réveiller nos frères, pour qu'ils ne périssent pas grillés comme les cailles de la Mère Printemps.

— Et les bonzes ? demanda son camarade.

— Oui, alerte-les aussi. Je sens qu'on va assister à un pugilat de premier choix. Ils vont tous s'entretuer, les miliciens du commandant Quôc et les bonzes du Supérieur.

Ombre de Singe fila comme le vent, et Calebasse se hissa sur le grand tamarinier adossé à la bâtisse. Arrivé en haut, il cueillit les fruits durs et s'en bourra les poches. Le militaire affairé n'avait rien entendu, occupé à alimenter le foyer. Aussi fut-il stupéfait lorsqu'un projectile l'atteignit derrière l'oreille. Il se tâta la peau, et sursauta quand il vit ses doigts ensanglantés. Il se retourna, les muscles bandés, mais la cour était déserte. Méfiant, il scruta l'obscurité épaisse, les yeux écarquillés. Mal lui en prit car un deuxième projectile frappa son œil grand ouvert. Il rugit de fureur, ses poings fendant l'air.

Soudain, le gong en bronze résonna, lugubre dans le silence de la nuit. Calebasse vit à travers la frondaison que les fenêtres des bonzes commençaient à s'allumer en séquence.

— L'alerte est donnée, fit-il tout bas. Que la fête commence !

Effectivement, émergeant du renfoncement de la bâtisse, une forme en habit flottant fonçait sur le milicien pyromane. Celui-ci, qui frottait encore son œil enflé, eut juste le temps de voir un crâne rasé briller dans la lumière des flammes avant qu'une main de fer s'abatte sur son occiput. Il cracha du sang et tomba comme une masse. Le Supérieur, car c'était lui, leva le pied pour lui assener un coup de talon, mais Cobra Cinq, sautant du toit recourbé auquel il essayait de mettre le feu, atterrit sur ses épaules et lui enserra le cou de ses genoux cagneux. La silhouette bizarrement allongée exécuta une danse curieuse, car le Supérieur Grande Vie Intérieure se cambrait sans élégance pour tenter de se défaire de son attaquant. Celui-ci, les cuisses contractées, résistait de toutes ses forces, et empoignait les plis du cou du Supérieur pour ne pas se laisser désarçonner.

— Vas-y, le canasson ! encouragea Calebasse du haut de son arbre.

Il lança un tamarin qui rebondit sur le crâne du milicien. Comme celui-ci manquait lâcher prise, Calebasse, équitablement, visa le Supérieur qui reçut de plein fouet un autre fruit dans le bas du dos.

Riant silencieusement à califourchon sur une grosse branche, Calebasse se fit alors un devoir de les cribler de tamarins durs comme des cailloux.

*

Quelques jours plus tard, les paysans venant au marché virent un homme imposant sortir à cheval de la ville, la mine hargneuse, avec comme seule escorte un garde accompagné d'une bête chargée de ballots informes. Couvert d'ecchymoses, les cheveux arrachés par plaques, il faisait peine à voir.

— Le mandarin Tân ne s'en sortira pas comme ça, fit l'homme dans un souffle. Les militaires ne doivent pas s'incliner bassement face aux civils. On verra si je ne reviens pas un jour avec des hommes de main pour mettre cette ville pitoyable à feu et à sang ! Aujourd'hui, le mandarin est bien content de me renvoyer avec des charges de sédition, il reste le seul maître à bord. Maintenant que mes coffres sont vides, à cause de l'amende exorbitante qu'il m'a infligée, pas question de rester dans cette maudite cité ! Où va-t-on, si un client ne peut même plus chatouiller une misérable prostituée ?

Il cracha de dégoût. Sous sa tunique, il sentait ses deux côtes brisées par un coup de genou de ce putride Odeur de Vice. Malgré la douleur, il grimaça un sourire. C'était le dernier coup de genou pour ce fils de chienne, car il lui avait broyé le ligament avec la prise du Citron Pressé, et maintenant la larve se traînait sur les mains, encore plus pitoyable que les petits monstres du temple. Certes, il n'avait pas gagné cette fois-ci, mais les bonzes non plus, ce qui était une consolation. La moitié des bâtiments du Temple de la Grue Ecarlate étaient partis en fumée, les biens des bonzes avaient été confisqués. Et surtout, le Supérieur qui enseignait aux moines des pratiques de combat chinois avait été dignement récompensé : Cobra Cinq lui avait si bien secoué la cervelle que le bonhomme en avait perdu la mémoire.

L'ex-commandant Quôc rit à gorge déployée.

— Dire que ce brave Grande Vie Intérieure se croit maintenant fille de joie dans le lupanar de la Mère Curcuma !

Il sentit une gêne dans sa bouche, et repêcha de la langue une molaire qui s'était détachée. Il l'envoya rouler dans la poussière. Jetant un œil haineux à la ville qu'il laissait derrière lui, il pensa en lui-même :

Chaque chose en son temps : d'abord je me cherche un nouvel endroit pour vivre, ensuite je ramène ma femme restée ici, et enfin je mets sur pied une milice mille fois plus dangereuse qu'avant. Le mandarin n'a qu'à bien se tenir, je n'en ai pas fini avec lui !

XXXVI

— Je ne connais pas d'autre province que la Province de Haute Lumière où l'on fête l'Eau, mais habituellement, les réjouissances ont lieu sur le lac, fit le maire Lê.

Il pensa : les fastes que le mandarin nous a imposés auront raison des finances chancelantes de la cité. Cela ne lui ressemble pas, d'ailleurs, car je l'aurais cru plus économe.

— J'ai pensé célébrer le dénouement de l'affaire des Rejets de l'Arbre Nain par la même occasion : on peut dire que, des Cinq Eléments, c'est l'Eau qui fut la clé du mystère, dit le mandarin avec un sourire. Pour que la fête soit mémorable, cette fois entre toutes, la vaste mer est plus indiquée.

Les gens du palais mandarinal s'étaient levés tôt et avaient parcouru en hâte les quelques lieues qui séparaient Quang Long de la mer. Lourdement chargé de victuailles propres à nourrir le Maître et ses invités, le convoi avait dévalé les raidillons abrupts, et il avait fallu attacher des ânes aussi bien à l'arrière des charrettes qu'à l'avant, pour retenir la cargaison dans la descente. A l'abri de tentes de jonc tressé plantées sur la plage, les cuisiniers s'étaient mis bruyamment à

363

l'œuvre, éventant énergiquement les foyers de bois pour faire prendre le feu.

La monture du mandarin Tân venait de déboucher sur la grève. Des bouffées d'air salé parvenaient en spirales depuis le large, soulevant doucement des fils de sable blanc qui s'enroulaient autour des cavaliers. Songeant aux terres inconnues qui s'enfonçaient au-delà de l'horizon, le mandarin Tân fut saisi d'une indicible tristesse : comme autant de contrées qui se dérobent au regard, voilà que des êtres chers, tout juste entraperçus, se retireraient, peut-être à jamais. Les fins nuages qui se dissolvaient lui rappelèrent douloureusement la déliquescence des liens à peine noués.

Un soir, peu après l'exécution de l'entrepreneur Ngô, il avait rendu une visite officielle à sa veuve : la ville devait savoir que l'opprobre n'avait point à rejaillir sur la maisonnée du défunt. C'était Caprice qui avait escorté sa mère au-devant du mandarin. Les cheveux de la femme retombaient en mèches sales devant son visage hagard, et dans ses vêtements de deuil, elle semblait un spectre blanc aux yeux vides. Regardant à travers le mandarin Tân, elle grognait comme une bête, tout en se fourrant dans la bouche, en signe d'humiliation, des poignées d'herbe fraîchement arrachée.

— Voyez, Maître, avait dit Caprice d'une voix méprisante, l'incohérence du cœur féminin. Vous la croyiez libérée d'un époux égoïste et cruel, et la voici encore plus désemparée qu'auparavant. Et ce n'est nullement la comédie du deuil qu'elle nous noue ici. Car personne ne s'échappe indemne du souvenir de mon père, et ma pauvre mère est gravement marquée de son empreinte.

— Et vous, Mademoiselle Caprice, vous pardonnerez-vous un jour d'être la fille d'un homme qui a offensé l'Empereur ?

Avant de répondre, elle avait enroulé rêveusement, presque coquettement, autour de son index un fil qui pendait à sa manche effrangée.

— Il semblerait que le statut de femme mariée me soit à jamais interdit, car ma lignée est pour toujours souillée, vous serez d'accord avec moi.

— Vous rencontrerez peut-être un homme pour qui les fautes des parents ne sont point celles de leurs enfants, répondit le mandarin la gorge serrée de compassion.

— Quoi qu'il en soit, mon avenir immédiat est clair : trois années à me vêtir d'habits décousus, sans me coiffer ni me poudrer... Trois années à m'exclure des réjouissances et des fêtes, cloîtrée dans cette propriété... C'est une perspective au fond assez reposante. Maître, permettez-moi de raccompagner ma mère – qui semble avoir du mal à finir sa broutée – et de prendre congé de vous pour la durée de mon deuil.

Le mandarin Tân avait vu s'éloigner à reculons les deux femmes dont les silhouettes courbées se fondirent dans la pénombre. Celle qui n'avait pas baissé les yeux assez vite lui avait fait entrevoir, dans l'extrême jeunesse de son regard, comme un rire ironique et plein de défi. Pour les autres mortels, elle était soudain devenue aussi irréelle qu'un fantôme. Avec un soupir, il s'était fait raccompagner jusqu'au portail par le lettré Sam.

Il fut ramené sans poésie au présent par la voix plaintive du maire Lê, qui se demandait où se rafraîchir. Ce fut avec un sourire patient qu'il lui répondit :

— Maire Lê, je vous confie à l'intendant Hoang et à sa femme, qui sont en train de se désaltérer sous la grande tente. C'est l'intendant qui décidera du moment de monter sur le grand bateau, là-bas.

D'un ample mouvement de manches, il désigna dans le lointain une embarcation de belle taille, pouvant accueillir trente ou quarante passagers, qui oscillait mollement sur les vagues. Le maire inclina la tête et s'éloigna.

Se tournant vers Dinh et Monsieur Sam, le mandarin Tân poursuivit :

— Les premiers citadins ne devraient venir que dans l'après-midi, car les acrobates et les musiciens ne sont payés que pour la soirée.

— Les lève-tôt sont déjà là, remarqua Dinh en montrant des petites barques qui prenaient la mer. Ils ont eu peur de ne pas avoir de bateau pour le soir, et ont commencé à louer aux pêcheurs leurs sampans.

Les trois hommes avaient revêtu leurs plus beaux habits, de lourdes robes en soie aux bordures savamment brodées, qui donnaient à leurs mouvements une pesanteur inhabituelle. Le mandarin Tân descendit de cheval en faisant craquer les plis de son vêtement et dit :

— Je propose que nous profitions de la journée sur le grand bateau, avant qu'il ne se remplisse de mes invités. La vue sur la côte est paraît-il très belle depuis la mer, et cela nous inspirera pour nos joutes poétiques.

Un domestique s'occupa de leurs montures, cependant que d'autres aidaient les maîtres à monter sur un petit radeau.

— Quelles sont ces îles, que l'on aperçoit dans le lointain ? demanda Monsieur Sam en plissant des yeux.

— Ce sont les Perles du Pirate, Maître, répondit le pêcheur qui manœuvrait le bateau. On les appelle ainsi car elles forment comme un collier qui serpente dans la mer. Il est facile de passer de l'une à l'autre. Aussi les pirates trouvent-ils commode d'y disparaître, une fois leurs forfaits accomplis. Nous autres pêcheurs, nous en évitons soigneusement les parages.

Le radeau ne tarda pas à atteindre la magnifique embarcation, dont le nom était peint en caractères dorés sur le flanc.

— *Les Six Poussières*, lut Monsieur Sam avec curiosité, avant de monter.

— Savez-vous ce que sont les Six Poussières ? lui demanda le mandarin Tân.

— Dans la discipline bouddhiste, ce sont les choses extérieures au corps humain qui sont en contact avec lui : la beauté, le parfum, le son, le toucher, la saveur, l'imagination. Pour atteindre à l'idéal, l'homme doit secouer la poussière qui adhère à lui.

Le mandarin Tân rit :

— Vous avez sans doute deviné que j'ai confisqué ce bateau aux bonzes arrogants, et l'ai fait remettre en état pour la fête de l'Eau. Il a fallu aux coolies une semaine pour le transporter du lac à la mer, mais avouez qu'il est superbe.

Le pont du bateau était en effet d'un bois sombre vernissé qui lançait des éclats aveuglants au soleil. Toute autre surface de bois apparente était sculptée de motifs complexes rehaussés de touches de peinture rouge et verte. Des coussins ventrus en soie brochée, négligemment jetés sur les bancs, incitaient à la détente, et flûtes et guitares n'attendaient que les musiciens.

Appuyés au bastingage, les trois hommes admirèrent en silence le spectacle qu'offrait la côte. Les contreforts de la montagne, d'un vert luxuriant, semblaient des blocs de jade tombés du ciel, empilés en désordre brutal au bord des vagues de saphir. Tranchant sur ce puissant chaos, le rivage d'un blanc très doux et le petit village sur pilotis étaient imprégnés de sérénité. On voyait des barques filer vers le large.

De jeunes servantes apportèrent du thé à l'arôme rare et un plateau chargé de pâtés sucrés et salés. Levant une tasse de céladon, le mandarin Tân dit :

— Nous nous couvrons de poussière, n'est-ce pas ? La beauté du paysage, le parfum marin, le moelleux des coussins ainsi que le goût sublime des pâtés, voilà déjà Quatre Poussières. Il ne reste plus qu'à faire de la musique et imaginer de jolis poèmes.

Dinh et Monsieur Sam improvisèrent un duo langoureux sur les guitares à long manche, cependant que le mandarin Tân déclamait des vers de sa composition.

Adieu à mon frère qui s'en va comme le vent,
Mes amours, mes amis sont comme poissons d'argent,
Je les tiens dans la main, mais toujours s'échappant,
Ils me disent : laisser libre, c'est aimer vraiment.

Lorsque la dernière note mourut, les trois amis se félicitèrent bien haut. Puis Monsieur Sam dit au mandarin :

— Vous vouliez me voir à propos des concours triennaux dans la Capitale, n'est-ce pas ?

— En effet, Candidat Sam, j'ai reçu des nouvelles des services des concours.

— T'aurait-on envoyé l'intitulé des prochaines épreuves ? demanda Dinh en reprenant un pâté.

— Monsieur Sam n'a pas besoin de cela pour réussir brillamment ! répliqua le mandarin Tân.

Il enleva sa coiffe noire en crin verni, s'adossa contre la pile de coussins et croisa les mains derrière la nuque. Les yeux perdus dans le vol des cormorans, il commença :

— Je vais vous conter l'histoire d'un jeune homme très brillant qui aime tendrement sa sœur. Il apprend, il y a deux ans, qu'elle est gravement malade. Il accourt à son chevet, dans cette ville qu'il ne connaît pas, et, tout en préparant son concours de mandarinat, il trouve un emploi dans les Archives de la ville. C'est un fin lettré, et il n'a aucune difficulté à mener de front cet emploi quelque peu routinier et l'étude des textes.

Monsieur Sam secoua la tête en riant :

— Parlez-vous de moi ?

Le mandarin Tân acquiesça, et continua en s'adressant à lui :

— Or, engagé dans le classement des archives, voilà que vous tombez sur un curieux dossier, jamais élucidé : un double meurtre vieux de trois ans, d'une belle jeune femme et d'un enfant privé de bras et de jambes. On a dit qu'il s'agissait de voyageurs qui avaient fait une rencontre fatale. Mais parmi les pièces matérielles que l'on a gardées de l'affaire se trouve un médaillon très particulier : vous avez vu le même autour du cou de celui que vous appelez votre neveu. Intrigué, vous en parlez à votre sœur, qui s'effondre. Elle avoue la substitution des nouveau-nés. Dans votre esprit, il n'y a pas de doute : Monsieur Ngô est coupable de ces crimes, et mérite la mort. Devant la loi, pourtant, ces crimes ne sont pas punissables. Un père de famille et maître de maison n'a-t-il pas droit de vie et de mort sur ses enfants et sur ses domestiques ? Epris de justice, vous cherchez le moyen de lui faire payer son arrogance, qui a brisé la vie de votre sœur.

Dinh s'agita, alarmé. Il fit un signe à Monsieur Sam, dans l'espoir de le voir protester, mais celui-ci gardait le sourire aux lèvres. Le mandarin Tân sortit de sa manche un petit rouleau de papier.

— Il fallait toutefois passer les concours triennaux. L'année dernière, vous vous présentez, capable de vous classer parmi les meilleurs lauréats. A ma demande, le service des examens m'a fait parvenir vos résultats : vous êtes relégué parmi les plus obscurs refusés. Cette piètre performance, peu digne de votre esprit brillant, prouve que vous ne souhaitiez pas encore être reçu : affecté dans une autre province, vous auriez laissé votre beau-frère jouir de son crime impunément. Mais vous n'êtes pas pressé. Vous vous rapprochez même de lui en travaillant sous ses ordres.

« Il se trouve que de nombreux enfants difformes commencent à faire leur apparition en ville : ému par leur sort, pensant à la lamentable destinée de votre véritable neveu, vous leur rendez visite secrètement au monastère. Pour les distraire, vous leur jouez de la flûte.

— Comme ceci ? demanda Monsieur Sam, en portant une flûte d'ivoire à ses lèvres.

Une musique ondulante et triste s'éleva dans l'air qui s'épaississait. Dinh sentit ses yeux s'embuer, et abandonna ses derniers espoirs.

— Vous êtes le Joueur de Pluie, dit-il. Je vous avais vu disparaître dans les fourrés, derrière le pavillon des Rejets de l'Arbre Nain, avec des bonds incroyablement amples. Lorsque vous avez poursuivi les brigands dans la jungle, c'étaient vos sauts que j'avais cru reconnaître ! Mais pourquoi vous êtes-vous enfui du temple ?

Le mandarin répondit pour Monsieur Sam :

— Il vous faut garder le secret sur les liens qui vous unissent à ces enfants : ils sont l'instrument de votre vengeance. En leur apportant votre affection, vous vous attachez leur dévouement indéfectible. Ces pauvres créatures, abandonnées pour leur laideur, maltraitées par les bonzes, vous considèrent comme leur Père et Mère.

« Mais voici qu'on annonce l'arrivée d'un jeune mandarin, sorti dans les premiers de sa promotion : moi ! Si vous m'amenez à rouvrir le vieux dossier, je ne pourrai manquer de châtier l'entrepreneur Ngô. Alors, vous mettez en scène les "meurtres" d'enfants.

« Le premier enfant, Goutte de Sang, sentait la vase. Vous l'ignoriez, mais en revenant d'un banquet, sur le lac, j'avais vu couler un enfant. Je n'avais pas pu le repêcher, et il avait bien pu se noyer, aspiré par les boues troubles du fond. D'autre part, en allant l'examiner chez l'habilleur des morts Mignon, j'ai remarqué que Calebasse, son aide, l'avait reconnu avant même de s'en approcher.

Se tournant vers Dinh, qui avait pâli, le mandarin rappela :

— Quand on passe de la cour à l'intérieur, les yeux éblouis de soleil, on ne peut distinguer les traits d'un enfant écroulé sur la natte !

Le mandarin Tân fit une pause pensive, pendant laquelle Monsieur Sam, indifférent, continua à tirer de tristes airs de sa flûte.

— Voici comment je vois les choses : les enfants vous sont dévoués au-delà de la mort. Vous leur avez demandé leurs corps, afin, dites-vous, d'assurer à leur âme une exaltante destinée. Lorsque l'un d'eux meurt, les autres vous préviennent en se faufilant dans la propriété de Monsieur Ngô.

371

« Le hasard veut donc que Goutte de Sang se noie la veille du conseil communal. L'ayant repêché avec l'aide de ses camarades, vous le lavez, mais oubliez de nettoyer sa bouche pleine de vase. Ensuite, vous le frappez avec énergie, afin d'évoquer le crime de votre beau-frère. Il ne reste qu'à déposer le corps sur le chemin qu'empruntent les veilleurs pour faire leur ronde.

« Malheureusement, le maire Lê est quelque peu débordé et très désordonné : il ne pense pas à faire le rapprochement avec le double meurtre. Il vous faut attendre la prochaine occasion.

Autour d'eux, se rapprochaient des barques joyeusement ballottées par les vagues. La douceur de l'air ne convenait pas à la gravité des propos du mandarin.

— Je crois que la deuxième victime, Ecaille Rouge, est morte de maladie : notre ami Dinh ne l'a pas vu dans le pavillon des Rejets de l'Arbre Nain ; mais rappelle-toi, Dinh, il y avait bien un enfant que tu n'as pas pu voir, celui qui toussait derrière le rideau, dans l'infirmerie de fortune.

Comme Monsieur Sam acquiesçait, il poursuivit :

— Lorsque le paysan Hô, Roi des Concombres, vous a surpris, vous ne frappiez qu'un cadavre : il n'a entendu aucun cri, et il n'y avait pas de sang sur les lieux. Inversement, lorsque Monsieur Ngô avait massacré la jeune femme et son propre fils, on rapporte que la grotte était inondée de sang.

« Enfin le maire Lê retrouve le dossier. Je n'ai pas le temps d'enquêter que me voilà par monts et par vaux pour m'assurer une descendance masculine ! Je ne le regrette d'ailleurs pas, puisque c'est à cette occasion que j'ai découvert l'étendue du crime de l'entrepreneur Ngô.

Dinh protesta :

— Et la troisième victime ? Elle a été trouvée pendant notre absence.

— Et alors ? Je pense que La Cendre a pu faire une chute mortelle. Calebasse, qui l'accompagne lors de la promenade fatale, sait ce que vous faites aux corps de ses camarades morts : il est en effet employé chez Monsieur Mignon. Travaillant efficacement à votre place, il lacère le corps de son camarade avec le coutelas qui lui sert à la cueillette, puis il ne lui reste plus qu'à inventer une histoire semblable au témoignage du paysan Hô.

— Pourquoi ne pas avoir directement averti le mandarin Tân au lieu de vous livrer à ces mises en scène sordides ? demanda Dinh en réprimant sa douleur.

Monsieur Sam reposa sa flûte, et un éclair de haine brilla dans ses longs yeux, qui s'effilèrent comme des dagues. Il dit :

— Pour son crime brutal contre son fils et sa domestique, mon beau-frère ne risquait qu'une bastonnade, voire un emprisonnement. C'était pourtant un être orgueilleux, qui ne condescendait pas à être père d'un enfant mal formé.

— J'ai découvert en plus que cet homme était haineux et sûr de son droit, incapable d'admettre ses erreurs, reprit le mandarin Tân. Cependant, si, selon vos vœux les plus chers, Monsieur Ngô a été châtié, c'est bien vous qui l'avez envoyé à la mort. Vous êtes coupable de manquement de respect envers votre mandarin et la justice qu'il représente.

Le jeune lettré se leva, le visage figé dans une expression lointaine. Il s'inclina en citant Mencius :

— *J'aime le poisson et j'aime les paumes d'ours. Si je ne puis avoir les deux à la fois, je laisserai le*

*poisson et prendrai les paumes d'ours. De même,
j'aime la vie et j'aime l'équité ; si je ne puis avoir les
deux à la fois, je laisserai ma vie et prendrai l'équité.*

Dinh n'essaya pas de plaider la cause de son ami.
C'est un homme bon et droit, il se laissera attraper et
punir sans regret, car il chérit la justice plus que sa
vie… Mais qu'avait donc chanté le mandarin, tout à
l'heure ?

Il demanda au mandarin Tân :

— Quel sort réserves-tu à ce coupable ?

Le magistrat ne répondit pas. Penché au-dessus du
bastingage, il regardait arriver les petits bateaux qui
convergeaient sur eux. Ce n'étaient pêle-mêle que
rafiots en jonc, radeaux à fond plat, barques de fortune. Les petits marins avaient des sourires édentés et
des membres difformes. D'un mouvement concerté,
toutes ces embarcations les encerclèrent et se mirent à
tourner autour d'eux.

Monsieur Sam tira de sa flûte une mélodie aigre-
lette, et aussitôt le cercle se rompit pour former une
chaîne dont les maillons s'étalèrent vers le large.

Dinh réitéra sa question d'une voix désenchantée.
Le mandarin plongea gravement ses yeux dans ceux
de Monsieur Sam et dit très fort, en détachant chaque
mot :

— Pour celui qui se fait rattraper, c'est la mort.

Il lut dans le regard clair le respect, la compréhension et la gratitude. Le jeune homme s'inclina profondément, puis, d'un saut agile, se jucha sur le
bastingage. Là, un moment suspendu entre ciel et mer,
il écarta les bras, inspira profondément, et s'élança par
bonds de barque en barque, jusqu'à disparaître dans la
brume bleuâtre qui brouillait l'horizon.

APPENDICE

Bien que cette histoire se déroule dans une ville imaginaire au cœur d'une province fictive, avec des personnages qui n'ont pas existé, elle s'enracine toutefois dans la réalité historique et culturelle du Viêtnam.

A la charnière des XVIᵉ et XVIIᵉ siècles, le pays sort d'une période de guerres sporadiques entre les rois Lê et les usurpateurs Mac, soutenus par la Chine. La dynastie des Lê est rétablie, mais bientôt apparaissent des luttes entre seigneurs du Nord et du Sud, réels détenteurs du pouvoir. Ces troubles sapent l'autorité du souverain et laissent présager la décadence inexorable de la famille régnante.

Si l'unité du Viêtnam semble reconstituée, les siècles de dominations chinoises successives laissent de profondes empreintes dans l'administration et dans les mentalités.

Ainsi, remplaçant le bouddhisme déclinant, le confucianisme devient la philosophie d'Etat et le support de l'instruction. C'est en effet essentiellement par la voie des concours littéraires que les mandarins sont recrutés, qui serviront la cour impériale, ou qui seront envoyés en administrateurs de provinces. Le pouvoir repose entièrement sur cette bureaucratie loyale de lettrés, respectueuse de l'ordre établi, et observant avec scrupule les recommandations royales.

*

Les textes taoïstes lus par le mandarin Tân font référence aux Manuels du Sexe écrits en Chine sous les dynasties des Soei, T'ang et Song (590-1279). Leur but était d'une part de prôner les vertus thérapeutiques de l'acte sexuel, qui, bien pratiqué, pouvait conduire à une exceptionnelle longévité, et d'autre part de donner des recettes de médications censées soigner divers maux.

*

Le lecteur aura sans doute reconnu l'affection dont souffre le frère de Madame Jade. Les Anciens connaissaient la syphilis sous le nom de *Maladie des fleurs de prunus*. On la soignait en tant que maladie de peau avec du mercure ou vif-argent. Le médecin Yu Pien écrivait :

« Dans les dernières années de l'ère Hong-Tche (1488-1505) la population fut ravagée par une mauvaise maladie de peau qui prit son départ à Canton. Comme les gens de la Chine centrale n'avaient jamais connu cette maladie, ils l'appelèrent *koang-tch'oang*, « ulcères de Canton », ou encore *yang-mei-tch'oang*, « ulcères fleur de prunus », parce qu'ils avaient une forme semblable à celle des fleurs du prunus. » (R. H. van Gulik, *La Vie sexuelle dans la Chine ancienne*, Gallimard, 1971.)

Nous pouvons imaginer que ce frère alchimiste prépare du mercure pour élaborer à la fois un remède à son mal et la fameuse pilule d'immortalité des taoïstes.

*

Les vertus attribuées à la Source du Dragon Retourné s'inspirent d'une légende, aujourd'hui encore attestée au Viêtnam, selon laquelle l'eau d'un lac (dit du Dragon) favoriserait la naissance d'un enfant mâle.

Achevé d'imprimer
sur les presses
de l'imprimerie France-Quercy
à Cahors

Dépôt légal : novembre 2001
N° d'impression : 12780